Nachtvlinders

Poppy Adams
Nachtvlinders

Vertaald door Catalien van Paassen

*
ARCHIPEL

Amsterdam · Antwerpen

Uitgeverij Archipel stelt alles in het werk om op milieuvriendelijke en duurzame wijze met natuurlijke bronnen om te gaan. Bij de productie van dit boek is gebruikgemaakt van papier dat het keurmerk van de Forest Stewardship Council (FSC) mag dragen. Bij dit papier is het zeker dat de productie niet tot bosvernietiging heeft geleid.

Omslagontwerp: Nico Richter
Omslagfoto: © Henry Diltz/Corbis

ISBN 978 90 6305 332 1 / NUR 302
www.uitgeverijarchipel.nl
www.uitgeverijarchipel.be

Voor Will Barter

Vrijdag

1 – Uitkijk

Het is tien voor twee in de middag en ik wacht sinds half twee op de komst van mijn kleine zusje, Vivi. Ze komt eindelijk thuis.

Ik sta op de uitkijk bij een venster op de eerste verdieping, zo'n stenen boogvenster dat je ook in kerken ziet, met mijn gezicht dicht bij de ruitvormige glas-in-loodraampjes. Ik stel mijn blik heel even scherp op het glas en zie dan de vage, eerlijke spiegeling van mijn oog dat mij half verscholen achter een lok grijs dun haar aanstaart. Ik kijk niet vaak naar mijn eigen spiegelbeeld en om mezelf nu, op dit moment, recht aan te kijken voelt verontrustender dan het zou moeten zijn, alsof ik bespeur dat ik beoordeeld ga worden.

Ik trek m'n wollen vest, een oudje van m'n vader, strakker om me heen en stop de losse kant onder mijn arm. Het is vandaag een graadje kouder; de wind moet vannacht naar het oosten zijn gedraaid en ik denk dat het straks in de vallei zal gaan misten. Ik heb tegenwoordig geen barometer of hygrometer meer nodig, ik kan het voelen – veranderingen in de luchtdruk, de vochtigheid – maar eerlijk gezegd denk ik ook aan het weer om niet aan andere dingen te hoeven denken en als ik het weer nu niet had om bij stil te staan, zou ik al een beetje ongerust worden. Ze is laat.

M'n dampende adem wordt vloeibaar als hij tegen het raam botst en als ik die vochtige mist tot dikke druppels wrijf, kan ik hem over het glas naar beneden laten sijpelen. Ik kan vanaf hier tot halverwege de grassige oprijlaan kijken, die tussen hoge, stakerige linden door kronkelt tot hij rechts verdwijnt en heuvelafwaarts gaat naar East Lodge en het weggetje en de

9

buitenwereld. Als ik mijn hoofd iets naar links wend, wordt de oprijlaan langer en wijken de toppen van de linden plotseling opzij, vervormd door de onregelmatigheden in het handgemaakte glas. Als ik mijn hoofd iets naar rechts beweeg, wordt de beukenhaag aan weerszijden van een bobbeltje uiteengespleten. Ik ken alle grillen van alle ruitjes. Ik heb hier mijn hele leven gewoond en voor mij woonde mijn moeder haar hele leven hier en voor haar haar vader en grootvader.

Heb ik verteld dat Vivien in haar brief schreef dat ze voorgóéd zou terugkomen? Om eindelijk wat rust te krijgen, zei ze, want nu konden we elkaar maar beter voor de rest van ons leven gezelschap houden, in plaats van eenzaam en alleen te sterven. Nou, ik kan je vertellen dat ik me niet eenzaam voel en ik heb al helemaal niet het gevoel dat ik stervende ben, maar ik ben toch blij dat ze thuiskomt. Ik vraag me steeds af waarover we na al die tijd zullen praten en of ik haar wel zal herkennen.

Ik ben gewoonlijk geen emotioneel mens. Ik ben – hoe zal ik het zeggen – veel te evenwichtig. Ik was altijd het verstandige zusje en Vivi de avonturier, maar m'n opwinding over Viviens naderende komst doet zelfs mij verbaasd staan.

Maar ze is laat. Ik kijk op mijn horloge, het digitale om mijn linkerpols. In haar brief stond duidelijk half twee, en geloof me, aan mijn tijdwaarneming mankeert niets. Ik heb een aantal klokken zodat ik altijd kan zien hoe laat het is, zelfs als een of twee me in de steek zouden laten. Als je op je eentje in een huis woont dat je zelden verlaat en waar nog minder vaak iemand komt, dan is het essentieel dat je niet je besef van tijd verliest. Elke kwijtgeraakte minuut wordt – als je het niet rechtzet – weldra een uur, en dan uren, tot je, zoals je je wel kunt voorstellen, uiteindelijk in een totaal verkeerde tijdcocon leeft.

Onze moeder Maud en ik moesten altijd op Vivi wachten: in de hal voor we naar de kerk gingen of vanaf de overloop naar haar roepend dat we te laat op school zouden komen. En nu ik opnieuw op haar sta te wachten, schoten er flarden uit onze jeugd door mijn hoofd, snippers van gesprekken, dingen waaraan ik niet meer heb gedacht sinds ze hebben plaatsgevonden:

ons eerste paar laarzen, dat Vivi voor ons had uitgezocht, hoge zwarte met veters tot aan de rand; lange middagen in de zomervakantie waarop we dammetjes bouwden in de beek om onze eigen zijrivieren en meren te vormen; stiekem de loggia op glipten in de oogsttijd om cider te drinken voor we die naar de mannen op het veld brachten; samen met Maud giechelen over Clives opwinding toen hij een sint-jansvlinder met vijf in plaats van zes vlekjes had gecreëerd; onze eerste rit naar kostschool, toen we in gedeelde spanning elkaars klamme handen vasthielden, ingeklemd tussen de flessen met chemicaliën achter in Clives auto.

Mijn kindertijd was perfect in harmonie dus ik vraag me af waardoor dat allemaal veranderde. Het was niet één oorzaak, er is zelden één oorzaak voor de scheiding van levens. Het is een aaneenschakeling van gebeurtenissen, een onverbiddelijke kettingreactie, waarin elke kleine schakel essentieel is voor het in gang zetten van een hele gebeurtenis, zoals een slang van rechtopstaande dominosteentjes. En ik heb zo gedacht dat het allereerste steentje, het steentje dat je een duwtje geeft om alles in gang te zetten, die keer was toen Vivi van de klokkentoren viel en bijna doodging, 59 jaar geleden.

2 – De klokkentoren

Toen Maud op 19 oktober 1940 Vivien ter wereld bracht, dacht ik dat ze tegelijkertijd twaalf andere kinderen van uiteenlopende leeftijd had gebaard. Ik was bijna drie jaar en ik herinner me dat ze allemaal in een bestelbusje uit het ziekenhuis kwamen. Toen ik Maud vroeg waarom we er zoveel hadden, antwoordde ze dat we het grootste huis van de streek hadden waar ze allemaal in pasten, en twee dienstmeiden en een huishoudster die konden helpen bij hun verzorging. Mijn vader, Clive, vertelde me later dat het evacués waren. Ze waren vanuit Bristol gekomen om met ons te spelen en het aantal leerlingen op de dorpsschool van Saxby te verdubbelen. Ik dacht altijd dat Vivi een van hen was en toen drie jaar later het ergste van de blitzkrieg voorbij was en de evacués allemaal naar huis gingen, kon ik maar niet begrijpen waarom baby Vivien was gebleven.

'Ze is je kleine zusje, Ginny. Ze woont hier,' had Maud gezegd, terwijl ze ons allebei tegen zich aan trok in de hal. Ik keek toen eens goed naar Vivien, in haar kleine rode wollen truitje, met haar pluizige haar dat recht overeind stond en haar grote ronde ogen die me aanstaarden, en vanaf dat moment aanbad ik haar. Er verstreken nog twee oorlogsjaren, op V-J Day (*Victory over Japan Day*) volgden weken van feesten en terwijl iedereen zich aanpaste aan het leven in een land dat op z'n knieen lag, gingen Vivi en ik gewoon samen door met onze kindertijd en deelden we onze geheimen en onze suikerrantsoenen.

Bulburrow Court is niet alleen het grootste huis in het district, het is ook het opvallendste. Het ligt weggestopt in de zachte plooien van het platteland van West-Dorset en leunt tegen de helling van zijn eigen heuvel, waardoor het de laaggelegen huisjes van het dorp beneden overvleugelt. Het is een reusachtige victoriaanse folly.

Er zijn vier verdiepingen en vier vleugels. In de ontvangstkamers staan marmeren schouwen onder met weelderige kroonlijsten versierde plafonds. In de gelambriseerde hal stroomt een majestueuze eikenhouten trap van het gewelfde plafond naar de parketvloer terwijl er achter de voorraadkamers aan de achterkant van het huis, de noordkant, een veel kleinere, geheime trap loopt waarover het huishoudelijk personeel onopvallend op en neer kan lopen. Tegen de tijd dat wij werden geboren, lagen de gloriedagen van Bulburrow Court al diep in de vorige eeuw begraven, toen het huis en de tuinen op z'n minst twintig man personeel vergden en zelfs nog meer als je de omringende pachtboeren en boerenknechten in de vallei meerekende, die allemaal oorspronkelijk bij het landgoed hoorden. Toen wij opgroeiden, kwam het Rode Huis – zoals het vaak werd genoemd vanwege de wilde wingerd die de zuidzijde elke herfst diep rood kleurt – meer bekend te staan als plaatselijk herkenningspunt dan om z'n pracht. Het was een referentiepunt voor de richting, een voorbijgaande blikvanger voor vakantiegangers uit het zuidwesten: geglazuurd met gotische extravagantie en gegarneerd met torentjes met kantelen, een observatorium, de klokkentoren en nep-elizabethaanse schoorstenen die hoog oprijzen uit de pieken en dalen van het immense landschap van het dak: een en al arrogantie en laat-victoriaanse grandeur.

Aan de achterkant van het huis ligt een met klinkers geplaveide binnenhof die wordt omringd door stallen en appelopslagruimten, een oud melkhuisje en een slagerij waar nog altijd de oude slachtinstrumenten luguber aan de dakbalken hangen.

Daarachter liggen de loggia en ook, ooit, Mauds moestuintje en koude bakken, een voormalig groenteveldje en een bosje dat naar de noordelijke watertuin voert. In het zuiden lopen er vanaf de terrasgewijs aangelegde tuinen weiden omlaag naar de rivier, de kweekhuisjes en het met klinknagels bezette staartstuk van een Halifax-bommenwerper, die in onze velden was geland. Dan zijn er nog de dingen waarvan alleen Vivi en ik weet hadden, zoals de steeneik die er van buiten massief uitziet maar die vanbinnen helemaal hol is. Als je in zijn takken klom, kon je jezelf in de ingewanden van de boom laten zakken, waar we ons zouden verstoppen als de Duitsers kwamen, hadden we afgesproken.

Bulburrow Court is al sinds 1861 in onze familie en sindsdien, vertelde Maud ons, heeft niet één generatie de verleiding kunnen weerstaan er zijn eigen stempel op te drukken, waardoor het huis een opmerkelijk register van zijn eigen geschiedenis is geworden.

'De victorianen waren ordinair of wij waren erg ordinaire victorianen,' zei onze moeder altijd. 'Elk van ons heeft hier z'n wapen, daar z'n initialen en her en der een paar torentjes neergezet,' en als je rond het huis liep, werd je inderdaad herinnerd aan de eigendunk, of vulgariteit, van hen allemaal. De eerste, Samuel Kendel, die zijn fortuin illegaal verdiende met het importeren van landbouwmest uit Zuid-Amerika (waar Maud niet trots op was) liet als achtergrond voor de trap in de hal een reusachtig glas-in-loodraam plaatsen, dat maar liefst een hoogte van twee verdiepingen bestreek. Er staan vier, compleet uit de duim gezogen – zegt Maud – familiewapens en een stel gewichtige Latijnse motto's op, alsof hij werkelijk het product van de vereniging van vier grote geslachten was. Samuels zoon, Mauds vader, had te veel tijd en al z'n vaders geld tot z'n beschikking, dus voegde hij aan de oostkant een toren om naar de sterren te kijken toe die zolang ik leef veel nuttiger dienstdoet als onderdak voor een zeldzame kolonie grote hoefijzerneusvleermuizen. Hij had ook in heel het huis op alle mogelijke plaatsen zijn initialen in reliëf laten aanbrengen, wat volgens Maud een vreselijke vergissing was aangezien hij sindsdien slechts wordt herinnerd als ANK.

Daarna is er niets meer toegevoegd en is er veel vanaf gevallen. Ook is er niets meer toegevoegd aan Samuels fortuin, dat geleidelijk aan is geslonken, aangezien allen die na hem kwamen een veel minder lucratief beroep uitoefenden: de studie van vlinders en motten. Vivien en ik zijn dus directe afstammelingen van een vooraanstaand geslacht van lepidopteristen – onder wie onze eigen vader, Clive – en beide grote zolderkamers, en de uitgestrekte kelders van Bulburrow Court, plus veel kamers in de noordvleugels en de meeste bijgebouwen zijn al ruim een eeuw geheel gewijd aan de studie der lepidoptera, met kamers voor netten en bakken, laboratoriums, winterkamers, rupsenhuizen, poppenbakken, vitrinekasten en een internationaal vermaarde entomologische naslagbibliotheek.

Terwijl voor de andere kinderen uit het dorp het leven rond de verzorging van koeien en schapen of de oogst draaide, draaide onze jaarlijkse kalender rond de levenscycli van de motten. Voor ons was het eindeloos poppen zoeken in de herfst, mos verzamelen in de winter, op lenteavonden motten lokken met suiker, licht en wijn, en op de lange zomeravonden op motten jagen in geheime moerassen en vergeten woestenijen. Maar de drukste tijd was de lente, de tijd van het verschijnen, zoals Clive het altijd noemde, als op onze zolderkamers onze gevangen kweekexemplaren uit hun winterse cocon kropen en de paartijd begon.

Bulburrow Court was geheel verzadigd met de eigendommen van vier generaties. Meubels, foto's en boeken en ook díngen – voorwerpen, bezittingen, aandenkens, brieven, papieren en talloze andere ditjes en datjes – dus zodra je er binnenstapte, werd je je bewust van de historische ontwikkeling van het huis. De wanden lekten de verlangens en angsten van de mensen die er hadden gewoond. De stijl van het meubilair, de foto's aan de wanden, de kwaliteit van de kleden en tapijten, het speelgoed waarmee we in onze kinderkamer speelden: alles ademde de rijkdom, de smaak en de verdiensten van de vroegere eigenaars. Het zilver; het serviesgoed; de bekleding; zelfs het linnen voor de bedden, dat voor de eeuwigheid van initialen was voorzien; de vlekken op een tafelkleed; de krassen in het houtwerk; de slijtage van de trap; de weemoed van een voorouder die zich onbedoeld openbaarde in de ogen van zijn portret. Ze vertelden allemaal een deel van hetzelfde verhaal, zodat het huis en zijn inhoud een museum waren geworden voor de Kendels, als een claustrofobisch eerbetoon aan een enkele dynastie.

Het beroep van de familie en hun grote verdiensten op dat vakgebied werden de bezoeker onmiskenbaar duidelijk gemaakt. De eikenhouten panelen in de hal waren nauwelijks zichtbaar achter de ingelijste foto's, brieven en eerbewijzen, eervolle entomologische lidmaatschappen, ingelijste krantenknipsels ('Expert uit Dorset vindt grootste nachtvlinder in Azië') of opschepperige foto's waarop een van hen koninklijk bloed ontmoet of weer eens een lofprijzing ontvangt.

De blikvanger in de grote kast in de salon was een zwartwitfoto van een montere ANK in een dicht oerwoud, die er met een schone platte pet scheef op z'n hoofd heel keurig uitziet, terwijl hij wordt omringd door plaatselijke dragers die onder de modder zitten. Hij houdt een bord omhoog waar zo'n tweehonderd motten zijn opgespannen, die naar we aannamen de exemplaren van de *Heliophorus oda* waren die hij in 1898 in Peru had verzameld. Pal ernaast, alsof het een eeuwige strijd betrof, stond de foto van mijn grootvader Geoffrey die plechtig de hand van de koning van Mustang schudde op een internationaal bejubelde vlinderexpeditie naar de Himalaya in de eerste helft van de vorige eeuw, met achter hem zijn jonge assistent die naar de camera grijnst terwijl hij een spanplank en een enorme fles gif omhooghoudt alsof het trofeeën zijn.

Daarboven hingen ingelijste exemplaren tegen de muur: Incatua molleen uit Brazilië, zo groot als een kinderhand en verschoten, versleten en levenloos; een voltooid ingelijst paneel van alle bekende Braziliaanse weeskindvlinders, onherkenbaar zonder de index in tabellen eronder, opgespannen in de tijd toen ze nog niet wisten hoe je kleuren kon fixeren met ammonia. In de volgende vitrinekast lagen onder etiketjes rupshuiden uitgestald, met de namen van de beroemde negentiende-eeuwse kastenmakers White and Sons op de mahoniehouten deksel gestempeld. De huiden waren zorgvuldig geprepa-

reerd en boven een bunsenbrander papierachtig en stijf gebla-
zen. Langs de wanden of in grote mahoniekasten met glazen
deksels hadden ook andere, grotere insecten uit heel de wereld
een plaatsje gekregen: een vogeletende tarantella, een reusachtige Australische kakkerlak, een Atacama-schorpioen, geëti-
ketteerd als geschenken van andere grootheden op het gebied
van de victoriaanse entomologie. Dat gaf al met al de indruk
dat mijn familie niet zozeer van het dierenrijk hield, maar de
aarde had afgestroopt in een poging elk arm insect dat hun
pad kruiste dood te maken en op te spannen. Maud vond de
uitstallingen weerzinwekkend en Clive vond ze onnodig maar
geen van beiden haalde ze weg.

Maud voegde haar eigen kleine tentoonstelling aan het museum toe. Langs de rug van de bank in de salon stond een bijzettafeltje met zes ingelijste foto's van ons gezin. Er was er een
van een jonge Maud en Clive die elkaar omhelsden op een balkon in een buitenlandse stad, Parijs misschien, met achter hen
het avondlicht, terwijl ze alleen oog hebben voor elkaar. De foto moest voor de oorlog zijn genomen, voor ik werd geboren.
Maud draagt een mooie donkergroene jurk met verenopdruk.
Ze heeft haar kin geheven en buigt gelukzalig naar achteren en
Clives armen zijn rond haar middel geslagen; hij ondersteunt
haar liefdevol. Er was er ook eentje van mij als baby, helemaal
ingepakt zodat je eigenlijk niets van mij ziet; Maud en Clive
houden het pakketje tussen hen in naast de zonnewijzer op
ons bovenste terras. De grond was bedekt met sneeuw die ook
zwaar en gevaarlijk op de sparrentakken boven ons lag, en op
een paar plaatsen, waar een sneeuwvlok op de lens had geplakt,
was het beeld onscherp.

De meeste bezoekers van het huis zouden het zich vooral als
koud herinneren. Het werd gebouwd in de tijd dat de grote kamers met hun hoge plafonds en vensternissen alleen warm gehouden konden worden als ze werden gestookt door personeel
dat talrijker was dan het aantal bewoners. Maar na de oorlog
zei Maud dat we ons niet meer dan één hulp in huis en twee
in de tuin konden permitteren, dus werden onze dienstmeis-

jes, Anna Maria en Martha Jane (twee van negen zusjes uit Little Broadwinsor) naar huis gestuurd en bleven we achter met Vera. Vera was onze huishoudster.

Vera zei dat ze niet in het huis werkte, maar er een deel van was zoals de trap in de hal of het tuinschuurtje. Ze zei niet veel maar ze was heel interessant om te bestuderen. Ze had weerbarstig grijs haar en ze leefde al zo lang dat haar hele lichaam langzaam aan het krimpen was, behalve haar neus die in plaats daarvan groeide en in de loop van de tijd steeds roder en knoestiger werd. Vivi zei dat Vera's neus het leven uit de rest van haar lichaam wegzoog om zelf onafhankelijk te kunnen groeien. Soms verscheen er nog een knobbel of een verdwaalde grijze haar van zo'n twee centimeter lang, alsof die daar 's nachts in z'n volle lengte was ontstaan. Maud moest lachen als Vivi dit soort dingen te berde bracht – Vivi maakte Maud altijd aan het lachen – hoewel ze erbij zei dat ze Heel Boos zou zijn als een van ons hier iets over zei waar Vera bij was, aangezien het een 'aandoening' was. Het leek wel of Vera's gezicht constant aan verandering onderhevig was, misschien afhankelijk van het weer of van wat ze de vorige dag had gegeten.

De inkrimping van het personeel vingen we op met een steeds grotere plooibaarheid in het volume van het huis door het jaar heen, een constant uitzetten en samentrekken, zoals een long. In de allerbarste winterweken sloten we de extremiteiten af en trokken we ons terug in het binnenste heiligdom, op een kluitje in het hart van het gebouw: de keuken, de studeerkamer en de bibliotheek, waar de open haarden constant konden worden gestookt.

Als kind waren Vivi en ik onafscheidelijk. Als zij in de beek ging spelen, op de heuvelrug paddestoelen ging zoeken, eikels ging verzamelen voor de varkens van de boer, de appels voor de cider ging keren of fruit ging pikken in het naburige dorp, ging ik mee, wat ze ook ondernam. Onze ouders vonden het fijn als we bij elkaar bleven. Soms controleerde Maud het even als ze een van ons op pad zag gaan. 'Heb je Ginny bij je?' of 'Ben je samen met Vivi?' riep ze dan, vaak vanuit een raam op een van de hogere verdiepingen. En als ze Vivi zonder mij zag vertrekken riep ze haar terug, zelfs die keren dat ik niet mee wilde. 'Wil je Ginny alsjeblieft meenemen?' en ik had het gevoel dat ik omwille van Maud mee moest gaan. Vivi was altijd de leider, ook al was ze jonger: zij had altijd een plan, een plan voor onvoorziene gebeurtenissen en een noodstrategie. Maar ik zou er altijd zijn, pal naast haar, volgend in haar voetspoor.

Dus die dag dat we voor de laatste keer de klokkentoren beklommen, was het natuurlijk allemaal Viviens idee geweest. Zij was acht en ik was bijna elf. We glipten er na het ontbijt naartoe, allebei met een achtergehouden sneetje toast dat rijk besmeerd was met de beroemde loganbessenjam van onze moeder. Het was Vivi's lievelingsplekje.

'We gaan Vera vragen of ze de zwerfkat heeft gezien die we gisteren hebben gevoerd,' zei Vivi aan tafel tegen Maud.

'Met je toast?' had Maud gevraagd.

'Nee, die eten we op voor we daar zijn,' zei Vivi, terwijl we de keuken uit renden zodat Maud geen tijd voor een beslissing had.

'Ik zei je toch dat het zou lukken,' glunderde m'n kleine zusje toen we zonder dat we terug waren geroepen bij de tweede voorraadkamer waren aangekomen. In die kamer, waar Maud haar kazen bewaarde, haar vlees ophing en haar kalebassen liet drogen, begon ook de geheime achtertrap. Halverwege die trap was een klein eikenhouten deurtje, eentje waarvoor ik mij, als elfjarige, enigszins moest buigen om erdoor te kunnen. Er zat een gat in waar je je wijsvinger door moest steken om de klink aan de andere kant op te tillen. Van daar af liep er een heel steile eiken trap die alleen verlicht werd door een reep daglicht die van bovenaf over de trap viel en waarin stof ronddwarrelde. Voor een kind als Vivi – en eigenlijk voor elk normaal, fantasierijk kind – werkte zoiets als een magneet, en bovenaan was een klein houten platform in de openlucht, een klein torentje, omringd door een lage stenen balustrade.

Het torentje had een puntige houten hoed, die op lindegroen geschilderde houten paaltjes rustte en waarin een mooie, sierlijke, zwart uitgeslagen koperen klok hing. Aan een koperen wiel boven de klok hing een dik, pluizig, rood met wit gestreept koord, als een reusachtig stuk van het snoep dat de Amerikaanse soldaten ons gaven en dat ze *candy* noemden. Het was zo dik dat we onze duim en wijsvinger niet tegen elkaar kregen als we het omvatten en het verdween door een gat in het houten platform om te eindigen in de gang achter de voorraadkamers op de benedenverdieping. En op dat platform, onder die klok in ons eigen kleine torentje, was net genoeg ruimte voor twee kleine kinderen om te dromen. Eerlijk gezegd was het Vivi die droomde en ik degene die als betoverd luisterde, want ik was me ervan bewust dat het een gave was die zij wel en ik niet had gekregen. We gingen er altijd heen als Vivi weer een avontuur wilde plannen of een list wilde beramen. Een heel enkele keer opperde ik een ideetje, en soms, maar niet vaak, greep ze het aan om de puzzels in haar hoofd te helpen oplossen. En ik voelde me dan best een beetje trots.

Vivien was van een fantasiewereld, beslist niet dezelfde als de mijne. Toen God Vivi maakte, dacht ik altijd, gaf hij mij een venster waardoor ik de wereld op een andere manier kon zien. Ze leefde haar dromen en fantasieën uit in ons huis of het bos erachter, of in de vierenhalve hectare weideland dat zich ervoor uitstrekte tot aan de beek. Ze besteedde uren aan het zorgvuldig plannen van haar leven – en het mijne.

'Ginny,' begon ze dan, 'beloof met de hand op je hart dat je het niemand vertelt.'

'Beloofd,' zei ik en ik drukte plechtig mijn rechterhand op mijn hart en meende het oprecht.

Ik had nooit genoeg van Vivi's gezelschap en ik koos altijd partij voor haar, zelfs tegen Maud.

Vivi mocht onze moeder aan het lachen kunnen maken, ze kon haar ook tot razernij drijven. (Ikzelf maakte nooit ruzie met Maud, maar ik lachte ook zelden met haar.) Na een ruzie stormde Vivi altijd weg in een onbeheersbare woede waarop Maud me achter haar aan stuurde om haar tot bedaren te brengen. Vaak vond ik haar dan zo hartstochtelijk snikkend te-

rug dat ik echt geloofde dat haar humeur zelfs door kleinighe-
den een vrije val kon maken, dat ze haar echt raakten. Toen ze
klein was, kon ze haar emoties niet beheersen; haar humeur
kon gemakkelijk omslaan van stralend naar slecht.

Dus als ik toen niet gehurkt in de klokkentoren bij haar had
gezeten, had ik misschien gedacht dat ze was gesprongen. Maar
ik had gezien hoe ze zich in een grote, halvemaanvormige steen
had genesteld, die onderdeel was van de lage balustrade rond
het platform. Voor Vivi was het een onweerstaanbaar plekje. Ze
maakte het zich gemakkelijk terwijl ze haar toast plat in haar
linkerhand hield. Ik weet nog dat ik zei dat ze er maar beter niet
kon gaan zitten, dat het er te gevaarlijk uitzag en net toen ze zei
'Zeur niet zo, Ginny' vloog er van onder haar smalle richel een
verschrikt koppel zwaluwen op, dat ongetwijfeld de dakran-
den afzocht op een plekje om te nestelen. Mijn hart sloeg over
maar Vivi moet haar evenwicht hebben verloren. Ik zag hoe ze
probeerde haar toast, die als een stuk zeep in bad uit haar greep
glipte, weer onder controle te krijgen. In die paar trage seconden leek het of het heroveren van de toast het allerbelangrijk-
ste voor haar was en dat ze niet doorhad dat ze haar evenwicht
aan het verliezen was. Nooit vergeet ik de doodsangst in haar
ogen, die me aanstaarden toen ze besefte dat ze aan een onstuitbare val was begonnen; ik heb het sindsdien duizend keer
in mijn nachtmerries herhaald gezien. Ik heb haar niet naar de
klok zien grijpen, maar ze moet het hebben geprobeerd toen ze
viel, want hij sloeg en de echo van die slag bracht mij een na-
galmende betekenis, een mensenleven aan lawaai. Toen ik over
de rand keek, zag ik haar liggen, niet op de grond, drie verdiepingen lager, zoals ik had verwacht, maar roerloos hangend
over de kantelen die boven langs het portaal lopen. Ze zeiden
later dat de algen, die juist uitbundig waren opgekomen door
de eerste warme lentedagen, de richel gladder dan anders hadden gemaakt.

Vreemd genoeg ging ze niet dood. Of liever: ze ging dood
en kwam weer terug. Ze leefde nog toen de twee ambulancebroeders in rode en zwarte jasjes haar kleine, slappe, achtjarige

lichaampje, vol plannen voor onze toekomst, op de brancard legden en via een houten ladder van het dak van het portaal omlaag droegen. Maar ik keek de hele tijd naar haar en ik herinner me het moment dat ze stierf; terwijl ze op die brancard lag, zag ik werkelijk hoe haar Hele Toekomst de strijd om te overleven opgaf en haar verliet en tegelijkertijd voelde ik mijn eigen toekomst verschrompelen tot een dood vacuüm waarin niets gebeurde, een louter biologisch proces.

Het leek langer, maar Maud zei dat het maar een paar minuten duurde tot ze haar weer hadden teruggehaald. Ze werd voor het portaal gereanimeerd door de twee ambulancebroeders. Ik stond op de oprijlaan te kijken toen Maud met een rood gezicht en buiten zichzelf op me af kwam rennen en uitzinnig aan mijn arm begon te trekken. Haar gebruikelijke kalmte en waardigheid waren verpulverd om plaats te maken voor pure doodsangst. Ze leunde iets naar voren alsof ze zou gaan overgeven; woeste haren, een doordringende en wanhopige blik.

'Vertel wat er is gebeurd,' smeekte Maud, terwijl ze aan m'n arm trok. Ik zei niets. Ik keek naar de hydrangea die met z'n houtige, gespleten en rafelige takken aan de zijkant van het portaal omhoogkroop, en als aan de uiteinden geen nieuwe knoppen zouden zitten, zou je misschien denken dat hij dood was. Ik had haar al verteld hoe Vivi van de toren was gegleden, hoe ze had geprobeerd haar glibberende toast te pakken.

'Ginny, schatje,' snikte ze, terwijl ze haar arm om mijn middel sloeg en me zachtjes tegen zich aantrok, en nu haar wang tegen de mijne drukte, met haar mond bij mijn oor.

'Ik hou van je,' fluisterde ze langzaam en ik wist dat het waar was. 'Ik hou van je en ik verwijt je niks. Ik wil alleen de waarheid weten.' Ik voelde hoe haar hele lichaam beefde en hoe haar tranen onze wangen aan elkaar plakten. Dit zielige schepsel was niet mijn moeder; mijn moeder was meestal een en al kracht. Ik stond er verstijfd bij, dacht aan hoe nat m'n wang was, voelde Maud beven en probeerde haar te begrijpen en uit te vogelen wat ze me niet verweet. Het volgende moment zag ik Clive op ons af komen benen vanaf de plaats waar hij Vivi in de ambulance had helpen tillen. Hij keek me aan terwijl hij ons naderde en vond in mijn ogen slechts verwarring nu Maud zich aan me vastklampte. Hij boog zich voorover en kuste me ferm op mijn voorhoofd terwijl hij Mauds handen van mijn middel losmaakte om ons te scheiden.

'Kom, we gaan,' zei hij, terwijl hij Maud naar zich toe trok en haar armen nu om hém heen vastmaakte en haar naar de ambulance leidde.

Toen ze die middag terugkwamen, hadden ze nog steeds geen nieuws over de vooruitzichten voor Vivi. Clive bracht Maud naar de bibliotheek om haar een drankje in te schenken, wat ze nodig had in tijden zoals deze. Ik hielp hem inschenken. 'Doe de kast open, pak een glas, nee, dat andere, het kleine. Zie je die fles waar Garvey's op staat?' Ik vond hem en legde mijn vinger erop. 'Dat is hem, mooie oude amontillado. Mama's sherry.' Ik bleef daarna uit de buurt van mijn ouders maar later op die dag, toen ik langs hun slaapkamer aan de overloop liep, hoorde ik ze ruzie maken en mijn moeder snikken.

'Het is allemaal mijn schuld. Ik dacht we een normaal gezin konden zijn.' Ze was hysterisch.

'We zíjn een normaal gezin, je moet niet zo snel oordelen,' hoorde ik Clive zachtjes zeggen.

'Haar zusje ligt op sterven... ze huilt niet eens... ze stond daar maar naar de struiken te staren.' Mauds stem klonk scherp. 'Er moet iets zijn...'

'Beheers je,' viel Clive haar in de rede op een toon die ik hem nooit had horen gebruiken, niet onvriendelijk, maar overtuigd en autoritair. 'Wacht met die hysterie tot je alle feiten kent.'

Ik wist dat ze het over mij hadden en ik vermoedde dat Maud boos was over iets wat met mij te maken had, maar ik had geen idee wat dat was.

Een half uur later zat ik in de keuken in elkaar gedoken naast het houtfornuis, samen met Basil, onze oude Deense dog, toen ik hoorde hoe er met de koperen klopper in de vorm van een geitenkop op de voordeur werd gebonkt. Ik ging opendoen en werd uitbundig begroet door dokter Moyse, onze huisarts uit Crewkerne.

In ons gezin was dokter Moyse het meest vertrouwde lid van de buitenwereld. Hij had drie van onze evacués genezen van difterie, had Vivien en mij door de kinkhoest geloodst en hij bedacht een drankje tegen Clives jicht. Maar iedereen leek te vergeten dat hij er nooit fatsoenlijk in was geslaagd mij van de vier wratten te bevrijden die de onderkant van mijn vingers kwelden, waarop ik vanaf m'n achtste was gaan knauwen. Clive vroor ze er ten slotte zelf af met vloeibare stikstof.

De dokter was ook een favoriet van de dorpskinderen, die hij meenam voor ritjes in zijn witte cabriolet en bloederige verhalen vertelde tussen de trekjes aan zijn pijp door. Hij was halverwege de dertig, ongelooflijk lang en slungelig en hij moest bukken voor de meeste deurposten, zelfs in dit huis, en krom blijven staan. Hij knielde als hij met kinderen praatte. Hij had blond krullend haar, droeg een rond brilletje zonder randen en droeg zijn dokterskoffertje met banden over zijn schouder, zoals een sporttas. Als hij liep, had hij iets verends in zijn tred alsof hij net goed nieuws had gehoord. Maar ik had me nooit helemaal op m'n gemak gevoeld bij dokter Moyse. Hij had mij uitgekozen voor lange of korte gesprekken, waarbij hij z'n nonchalante manier van doen liet varen en veel serieuzer werd, alsof hij me de intimiteit toestond vertrouwelijk met hem te worden en ik des te beter wist dat hij aan mijn kant stond. Maud wilde geen kwaad woord over hem horen en hij was, geloof ik, ook best aardig. Maar hij mocht dan geduldig en vriendelijk zijn, hij werkte me wel een beetje op m'n zenuwen. Hij kwam opeens bij me en begon dan dwaze vragen te stellen terwijl ik net ergens mee bezig was. Vandaag had ik zoals gewoonlijk weinig zin om met hem te praten.

'Ginny,' zei hij, 'ik ben zo snel mogelijk gekomen.' Ik zei niets. Ik had niet geweten dat hij überhaupt zou komen. Ik deed de deur open zodat hij langs me kon lopen. Ik worstelde nog steeds met de vraag waarom Maud boos op me was. 'Je moeder wilde me zien,' zei hij, om zijn aanwezigheid op te helderen. 'Nog nieuws uit het ziekenhuis?'

Ik schudde mijn hoofd.

'Maud is boven,' zei ik.

Ik liet hem achter in de hal en ging de bibliotheek binnen. Er knapte en siste een vuurtje in de haard. De wespen, vlinders en krekels, die smaakvol op de tegels van de schouw waren geschilderd, werden zachtjes tot leven gewekt door de flikkerende, amberkleurige vlammen. Ik ging in de zachte eikenhouten vensternis zitten en keek uit over de vallei in de verte, die rood kleurde in de lage zon, en de mooie terrassen vlakbij, die gevangen lagen in de schaduw van het huis. De twee lage buxushagen vertoonden nog vagelijk de vormen van het snoeiwerk van vorig jaar; de stenen trappen verdwenen in het ruige weideland waar over een paar maanden de zeldzame grassen zouden wuiven die Maud er had gezaaid. Basil volgde me naar binnen, zijn nagels tikkend op de parketvloer. Hij legde zijn kin in mijn schoot, met koude en natte kaken van het water lebberen uit zijn kom. Vanuit deze positie keken zijn ogen, die boven op zijn kop lagen als bij een krokodil, mij knipperend en onafgebroken aan, alsof hij mij smeekte gelukkig te zijn, dacht ik. Ik aaide hem over zijn kop en zijn staart begon dankbaar op de vensternis te roffelen, regelmatig als een metronoom.

Maud had me verteld dat we, toen ik geboren werd, een maand waren ingesneeuwd. Zes dagen en zes nachten was de sneeuw blijven vallen, tot hij de hoogte van de vensterbanken op de begane grond had bereikt. Maud zei dat als je in deze vensternis zat en uitkeek over de Bulburrow-vallei, het net leek of het huis was gezonken. De bovenkanten van de heggen bij het zuidelijke terras leken op afgeknipte heggentakjes die in de rondte waren gestrooid en de stenen gans die met gestrekte hals en omhooggestoken snavel boven op de fontein stond om water te spuwen, zag eruit alsof het hem maar ternauwernood lukte zijn kop boven de grond te houden in een wanhopige poging te ademen. Die weersomstandigheden bij mijn geboorte hadden blijkbaar de weegschaal van mijn persoonlijkheid doen doorslaan. Maud zei me dat ik daardoor zo'n huiselijk type was geworden.

'Mag ik binnenkomen?' Dokter Moyse stond in de deuropening van de bibliotheek. Basil slofte naar hem toe om hem vriendelijk te besnuffelen, met zijn achterwerk omlaag en onderdanig kwispelend, azend op een verbond met alle partijen.

'Nee,' zei ik, en ik meende het, ook al wist ik dat het geen beleefd antwoord was. Ik draaide me om naar het raam, vooral om mijn eigen brutaliteit te ontwijken of de moeilijkheden die ze me zou kunnen bezorgen. De dokter negeerde me en wandelde zwijgend naar binnen, terwijl hij deed alsof hij één voor één de ruggen van de boeken bekeek en daarna peinzend bleef staan voor de planken en de reeks prenten die ertussen hingen, hoofdzakelijk ingelijste satirische tekeningen uit victoriaanse tijdschriften: mannen met hoge hoeden, zwarte regenjassen en lieslaarzen die over het platteland struinen en insecten najagen in een moeras of gevaarlijk uit de wagons van voortrazende treinen hangen met in de ene hand een enorm net en in de andere een fles gif. Herinneringen aan toen het tijdverdrijf op zijn hoogtepunt was en er treinladingen vol Londenaren het platteland overspoelden voor een weekendje vlinders vangen.

'Mooi, hè?' Dokter Moyse was naast me komen staan bij het raam en deelde mijn uitzicht alsof hem dat ook het recht gaf vertrouwelijk te worden. Hij leek onopzettelijk naast me te zijn beland en keek met nonchalante onverschilligheid uit het raam.

'Maak je maar geen zorgen. Ze redt het wel, Ginny,' zei de dokter, die de gelegenheid aangreep en onhandig een hand op mijn schouders legde. Ik draaide me om naar het vuur en werd onmiddellijk gehypnotiseerd door de heldere, amberkleurige vlammen die tussen de blokken dansten en piepten en sisten omdat Vera weer eens hout van de stapel van dit jaar had gepakt in plaats van die van vorig jaar.

'Wie?' vroeg ik, terwijl ik aan Maud dacht die boven nog altijd kookte van woede.

'Wie?' zei hij verbijsterd, terwijl hij zijn hand terugtrok alsof ik heet was en knielde om op mijn niveau te komen. Hij keek me recht aan en hield mijn blik gevangen.

'Besef je wel dat Vivien in kritieke toestand in het ziekenhuis ligt?' vroeg hij minzaam. Alsof ik een imbeciel was.

'Ja, dat weet ik,' antwoordde ik lichtelijk geërgerd, 'ik dacht alleen... ach, laat maar.' Ik had het hem toch niet goed kunnen uitleggen. Als mensen eenmaal denken te weten wat je bedoelt, kon je ze volgens mij nooit meer van mening doen veranderen. Maar hoe kon hij nu weten dat 'ze het wel zou redden'? Hij had haar niet gezien, noch contact gehad met het ziekenhuis.

Dokter Moyse keek me aan met een zeer bezorgde blik. 'Toe maar, Ginny, je kunt het me wel vertellen. We zijn toch vrienden, Ginny.' Dat zei hij nou altijd: 'We zijn toch vrienden'. Ik was zijn vriend niet en ik wilde niet met hem praten. Het leek allemaal veel te ingewikkeld om uit te leggen.

'Ik was het even vergeten,' loog ik.

'We staan allemaal aan jouw kant, Ginny, maar soms moet je ons een beetje helpen,' zei hij. Ik had geen idee waar hij het over had. Toen vroeg hij me of ik kwaad was om wat er was gebeurd, wat ik ervan vond, of ik kwaad was op Vivien of op mijn ouders. Hij ging maar door met de eigenaardigste vragen en ik wilde hem eigenlijk alleen maar zeggen dat er maar één iemand was die me boos maakte en dat was híj, of hij me maar met rust wilde laten. Ik weet dat dokter Moyse een brave man was en dat hij het beste met iedereen voor had maar soms had ik het gevoel dat hij me ondervroeg: wat vond ik hiervan en daarvan en weet ik wat voor stoms; of ik ooit wraak had gewild. Dat deed hij nooit bij Vivi. Uiteindelijk vertelde ik hem dat ik niets voelde. Ik voelde me verdoofd en leeg. Ik had ingezien dat dit de beste manier was om een einde te maken aan zijn aanval. Hij wist nooit hoe hij verder moest gaan als ik dat zei.

Later op de avond rinkelde de telefoon door de stilte van het huis. Clive nam hem op.

'Crewkerne 251,' zei hij, terwijl hij uit gewoonte zijn kin naar voren stak en over zijn volle baard streek die zich uitspreidde over zijn hals en zich mengde met het haar dat uit zijn overhemd omhoogstak. Hij wreef erover met de achterkant van zijn vingers, omhoog tegen de richting van de haargroei in. Even later: 'Dank u, juffrouw, verbind het ziekenhuis maar door.'

Mijn hart sloeg de tijd weg terwijl Maud en ik naar Clive keken en vergeefs naar antwoorden op zijn markante trekken zochten terwijl hij stond te luisteren. Maar zijn gezicht, waarvan een groot deel schuilging onder de dikke baard, verried niets en het ritme waarin hij met zijn hand over zijn hals streek, was traag en gelijkmatig, onveranderd door het nieuws dat hij hoorde.

'Het goede nieuws is dat het goed gaat met Vivien, ze komt erbovenop,' informeerde Clive ons zakelijk na het telefoontje. 'Ze ligt nog steeds op de intensive care maar de dokter is ervan overtuigd dat ze het zal redden.'

Mijn wereld groeide weer aan, niet het minst omdat hetgeen waarom Maud kwaad op me was geweest weldra oploste in de vele lagen verkeerd begrepen herinneringen van een gezin. Toen we later terugkwamen van een bezoek aan Vivi in het ziekenhuis, leek het zelfs alsof ze het nooit had gedacht. Ze knuffelde me en zei me dat Vivien toch maar bofte met zo'n liefhebbende oudere zus. Daar had Maud gelijk in. Ik heb altijd van Vivi gehouden, zelfs al die jaren dat ze weg was, en ik zal altijd van haar blijven houden, wat er ook gebeurt.

Vivi verloor die lente toen ze van de klokkentoren viel, gelukkig (zoals iedereen haar maar bleef zeggen), niet haar leven, maar haar vermogen om kinderen te krijgen. Ze had zichzelf op een ijzeren staak gespietst die bij de oorspronkelijke balustrade rond het dak van het portaal hoorde. Maud zei dat het vroeger een balkon was waar je vanaf de overloop op de eerste verdieping kwam en dat mijn uitkijkraam ooit de deur was die er toegang toe gaf. Iedereen moest voor de oorlogsinspanning ijzer inleveren voor de munitiefabrieken, vertelde Maud, dat werd versmolten tot kanonnen en kogels, dus het balkon moest weg, samen met de grote poorten van het huis.

Vivien had haar baarmoeder gescheurd en de infectie bereikte weldra ook haar eierstokken, zodat ze een week na haar val een operatie moest ondergaan waarbij al haar voortplantingsorganen werden weggehaald. Het verlies ervan redde haar leven. Maar ze zat er niet mee. Ze vertelde de mensen graag dat ze al een keer was doodgegaan, of noemde het aantal weken, maanden of jaren sinds het ongeluk 'dat haar dood had kunnen worden'. In het dorp verzekerde mevrouw Jefferson haar dat er een reden moest zijn waarom ze gespaard was, dat ze later in het leven een soort 'roeping' zou krijgen; en mevrouw Axtell bleef haar maar ondervragen over wat ze had gezien, in een poging een voorvertoning van de eeuwigheid te krijgen. Op school maakte ze later indruk op haar vriendinnen met verhalen over hoe het voelde om dood te zijn. Niemand van hen kende iemand die ooit dood was geweest. En nadat ze had ontdekt dat alle eitjes van een vrouw al bij haar geboorte in haar eierstokken aanwezig zijn, vertelde ze Mauds lunchgasten ooit dat ze al haar kinderen had verloren.

Maar Vivi was zelf nog een kind. Ze had nog niet die vrouwelijke drang ontwikkeld om haar pasgeborenen vast te houden, om hun afhankelijkheid te voelen en te koesteren en te beseffen dat het leven eigenlijk daar om draaide en dat niets er verder toe deed. Ik had dat ook niet, dus destijds beseften we geen van beiden de ware betekenis van het feit dat ze haar ongeluk had overleefd. We beseften alleen dat ze ongelooflijk veel geluk had gehad.

3 – Vivien, een kleine hond en het verdwenen meubilair

Dit hoge, gewelfde raam aan het eind van de overloop waar ik nog altijd op Vivien sta te wachten, is mijn uitkijkpost. Ik weet dat het misschien raar klinkt, maar soms zie ik het huis als mijn schip, met mij als kapitein, en op deze plaats heb ik het gevoel dat ik aan het roer sta, de baas ben en controle heb over de koers en de richting. Ik kan zien wie er naar het huis toe komt, wie zijn hond uitlaat op het voetpad dat naar de heuvelrug loopt en wat er uit het weggetje vanaf de heuveltop zal komen. Ik kan je bijvoorbeeld vertellen dat elke dag om acht uur de vrouw uit East Lodge – ik weet niet hoe ze heet – haar collie uitlaat op de heuvelrug. Soms, maar niet vaak, kijkt ze deze kant op als ze bij het stukje komt dat in het zicht van het huis draait, maar ze weet niet dat ik naar haar kijk; ik zorg ervoor dat ik me op tijd achter de zuil terugtrek. Op deze kapiteinspost voel ik me machtig; ik zie wat ik wil zien en niemand ziet mij.

Ik heb twee andere strategische uitkijkposten. Vanuit mijn slaapkamerraam zie ik de kerk, de brievenbus in de muur aan de andere kant, het weggetje dat naar de pastorie leidt en het levendige boerenerf van Peverill. Vanuit de badkamer kan ik direct zuidwaarts tot aan de beek en voorbij de perzikkassen kijken, en tot de stallen waar Michael woont, de andere poorthuisjes en het weggetje dat erheen loopt.

Ik kom niet vaak meer buiten. Het is ook niet nodig. Michael, die vroeger samen met zijn vader de tuin voor ons deed, koopt mijn boodschappen en doet allerlei klusjes zoals het vuilnis buiten zetten aan het eind van de oprijlaan. Ik heb hem niet meer in dienst dus ik weet niet of hij het uit aardigheid of uit plichtgevoel doet, maar hij is tegenwoordig de enige persoon die ik van nabij zie, ook al kijk ik urenlang vanaf een afstand naar de dagelijkse gang van zaken in het dorp. Bulburrows huizen liggen op een kluitje in de kom van een vallei en vanaf mijn drie uitkijkpunten kan ik ze allemaal zien, behalve een stel nieuwe bungalows die halverwege het weggetje naar het noorden zijn gebouwd. Als ik aan het roer van een schip sta, dan staat Bulburrow Court aan het roer van zijn dorp, als de centrale verkeerstoren van waaraf de rest gevolgd en gestuurd kan worden.

Toen Vivi en ik opgroeiden, kenden we alle mensen in alle huizen, maar nu ken ik er niet één meer. De mensen die we kenden zijn allemaal gestorven en hun kinderen zijn weggetrokken. Dat is een van de problemen van oud worden: hoe meer mensen je overleeft, hoe meer je leven eruit gaat zien als een catalogus van de dood van anderen.

De eerste van wie ik me herinner dat ze doodging, was de arme Vera, onze huishoudster. Ze deed er vier maanden over. Maud zei dat ze eigenlijk gewoon langzaam opzwol en uiteindelijk uit elkaar klapte. We mochten haar van Maud niet opzoeken in haar kamer in de noordvleugel want daar zouden we nachtmerries van krijgen, toch weet ik zeker dat we veel ergere nachtmerries hadden door ons voor te stellen hoe Vera's sterfbed eruitzag. Maar de grootste invloed op ons leven had Mauds eigen dood. Hij was pijnloos, hoewel vermoedelijk niet zo waardig als ze graag had gewild: ze viel van de keldertrap. Daarna veranderden onze levens voorgoed van richting. Vivi verliet toen voor het laatst dit huis en ze is sindsdien niet teruggeweest. Het is me nogal wat; zij was 21 toen ik haar voor het laatst zag, niet veel meer dan een kind. Ik was 24.

Mijn gemijmer wordt verstoord door het geronk van een moderne auto die langzaam de heuvel afdaalt en verdwijnt, om dan weer omhoogrijdend in deze richting tevoorschijn te komen, en ik weet dat hij de oprijlaan op rijdt. Dat moet haar zijn. Er rijden tegenwoordig maar weinig mensen de oprijlaan op. Meestal zijn het vreemdelingen die een verkeerde afslag hebben genomen en snel achteruitrijden of bovenaan omkeren. Dan heb je nog het soort dat de laatste tijd steeds vaker komt, in hun grote, chique auto's. Ze bonken met de deurklopper en als ik niet reageer, gaan ze weg om later terug te komen met een brief waarin ze vragen of ik van plan ben te verkopen. Hoe komen ze erbij dat ik nu zou willen verhuizen! En een keer per maand wandelt de vrouw met de gestreepte wollen muts de oprijlaan op. Ze is van de liefdadigheid en als niemand de deur voor haar opendoet, laat ze haar visitekaartje en een stapel informatiefolders achter. Ik blader ze graag door; het houdt me in contact met tenminste iets van wat er gebeurt in de wereld, samen met al het reclamedrukwerk dat door de brievenbus komt: aanbiedingen voor creditcards, vakanties die ik kan winnen, tips hoe je van energiebedrijf kunt veranderen, of de gratis *Diamond Advertiser* (waarvan de bezorger niet altijd de moeite neemt het blaadje de oprijlaan op te brengen). Ik had vroeger een radio maar die deed het nooit echt goed, dus die heb ik weggedaan.

Die folders van de vrouw met de wollen muts vind ik het interessantst en het meest relevant. Zo weet ik nu bijvoorbeeld dat, behalve van mijn knoestige gewrichten en vlekkerige vingers, mijn gebrek aan eetlust en energie en mijn droge ogen en mond ook allemaal bij mijn reuma horen en dat ik veel groenlipmosselen moet eten. Zo weet ik nu ook dat ik, omdat ik 'opflakkeringen' gevolgd door 'remissies' heb, momenteel een mild geval ben en dat het veel erger zal zijn als het chronisch wordt. Dan zal het permanent pijn doen en zal ik mijn gewrichten moeten laten 'draineren' om wat van het overtollige synoviale vocht af te tappen en dat klinkt me allemaal niet best in de oren.

Er komt een zilverkleurige auto in zicht. Hij is breed en lang en laag en hij snort met een onmiskenbaar air van kwaliteit en arrogantie. Vivien had me verteld dát ze zou komen, maar niet hóé ze zou komen. De auto maakt een ruime bocht op de ronde voorplaats van de oprijlaan en komt evenwijdig aan de voordeur tot stilstand, zoals de koetsen gedaan moeten hebben toen Maud nog een meisje was. Mijn hart slaat zo snel dat het geluid van het holle gebonk de stilte vult als de motor zwijgt, en ik heb me zojuist gerealiseerd dat ik tot nu nooit écht geloofde dat ze zou komen. Tegelijkertijd vraag ik me voor een vluchtig moment af of ik dat eigenlijk wel wil. Maar dan is die gedachte alweer vervlogen. Ze komt terug omdat ze me nu nodig heeft. Ik ben tenslotte haar oudere zus.

Het portier van de chauffeur gaat open. Waarom gebeurt alles zo langzaam? Misschien is het waar dat de tijd wordt vertraagd door een snellere hartslag, zoals bij de eendagsvlieg, die met honderd vleugelslagen per seconde een heel leven in een dag kan doormaken. Ik stel me voor dat Vivi als meisje uitstapt, als het meisje aan wie ik bij haar denk, en vergeet helemaal dat ik iemand zou moeten verwachten die ik niet herken. In plaats daarvan stapt er een jonge man uit, niet ouder dan 25 jaar, met dik, donker haar en een keurig blauw pak. Ik ben verbluft. Waar is Vivi? Misschien heeft hij niets met Vivi te maken. Mijn golf van opwinding beukt om mij heen. Heeft hij het verkeerde huis? Nog iemand met het aanbod het van me te kopen, die een slijmerige brief achterlaat als niemand opendoet? Maar in plaats van naar het portaal te lopen, loopt de man om de auto en doet hij het achterportier open dat het dichtst bij het huis is. Nu weet ik dat *zij er is*.

Er wordt een versierde wandelstok uit de auto gestoken en op het modderige grind gezet; de man biedt zijn arm aan en daar, met een hand op de stok leunend en met de andere de arm van de man pakkend, verschijnt Vivien, begeleid als iemand van het koningshuis. Ik heb mijn gezicht tegen het venster gedrukt, maar ze is te dicht bij het huis om haar goed te kunnen zien. Ik zie alleen maar de bovenkant van haar hoofd, grijs zoals het mijne, maar waar mijn haar lang is en plat tegen mijn hoofd valt, is het hare kort geknipt en overduidelijk in model gebracht. Ze loopt naar de achterkant van de auto, staat stil en kijkt naar het huis. Ze plant de stok stevig voor zich op de grond en legt haar handen over elkaar op de ronde knop, haar voeten ietwat uit elkaar voor evenwicht, en zo inspecteert ze Bulburrow Court. En al die tijd verzamelt de jonge man tassen en dozen en in plastic gewikkelde hangers met kleren en stapelt hij ze op buiten de auto.

Vivien neemt het huis langzaam van de ene naar de andere kant in zich op. Ik kan me voorstellen wat ze ziet: de vensters, een paar gebroken, andere dichtgetimmerd met planken die het glas vervangen; waterspuwers, exacte kopieën van die op de twaalfde-eeuwse kathedraal van Carlisle, wier narrengrijnzen ons als kinderen angst inboezemden; de draagstenen die het portaal ondersteunen; wapenschilden in reliëf onder ramen met verticale stijlen, de kantelen erboven. Het is gemakkelijk voor te stellen wat ze ziet, maar welke herinneringen roept elk raam van elke kamer in haar op? Welke emoties maken de donkergrijze dreigende stenen in haar los, of de enorme hoekstenen aan de basis van het huis, elk gemaakt van een massief brok graniet, de almachtige eerste stenen van ons hele leven, die al generaties lang het gestel van onze afstamming overeind houden?

Zoals zij in de ban is van haar bespiegelingen over het huis, zo ben ik haar gebiologeerd van bovenaf aan het volgen, razend nieuwsgierig naar wat er door haar hoofd gaat.

Terwijl ze elke sectie langzaam, zelfs systematisch bekijkt, tilt ze haar hoofd iets op en zie ik al bijna iets meer van haar trekken als ze haar ogen diagonaal naar de bovenrand van het portaal laat glijden, en verder omhoog, naar de boog van mijn venster... Ik trek me terug in de schaduw voor ze me ziet, maar terwijl ik dat doe, komt het me voor dat ik een geest heb gezien. Maud. Dat had ik niet verwacht. Ik had nog niet geprobeerd me voor te stellen hoe Vivien eruit zou zien, maar ik had nooit gedacht dat ze zo op Maud zou lijken. Ik voel me weer een klein meisje. Ik durf niet meer uit het raam te kijken uit angst dat ik direct Mauds alwetende ogen zal ontmoeten. Ik ben verdoofd door besluiteloosheid, zelfs even verlamd. Ik kan je niet vertellen hoeveel minuten er verstrijken voor ik me er langzaam van bewust word dat de geitenkopklopper heen en weer gerammeld wordt (in plaats van dat ermee wordt gebonkt, zoals een vreemde zou doen).

Ik kijk omlaag naar mijn kleren. Ik was zo bezig met hoe Vivien eruit zou zien dat ik niet heb stilgestaan bij welke indruk zij van mij zou krijgen. Ik bedenk nu hoe ik er in haar ogen uit moet zien, maar omdat ik mezelf tegenwoordig nooit meer in de spiegel bekijk, kom ik er niet helemaal uit. Mijn haar – ik weet het – moet er nogal weerbarstig uitzien, als van een zwerver zou ik denken, en terwijl ik weet dat zij in de weer is geweest met make-up, heb ik die niet in huis. Ik maak snel m'n paardenstaart los, haal mijn vingers door mijn haar in een poging het te kammen, en maak het elastiekje weer vast. Ik controleer de voorkant van mijn donkerblauwe vest en pluk er een paar vlekjes van iets wits en korsterigs af, misschien tandpasta, en loop dan naar beneden om de deur open te doen. Ik ben vervuld van die misselijkmakende, nerveuze onrust, van het soort dat onder in je buik kolkt. Als ik bij de zware eiken voordeur kom, sta ik stil. Ik moet mezelf vermannen voor onze ontmoeting. Ik begin aan het zwarte plastic horlogebandje rond mijn linkerpols te frunniken, een gewoonte die ik geruststellend vind. Ik beweeg mijn wijsvinger heen en weer tussen het bandje en mijn huid en wrijf stevig met mijn duim over het zachte plexiglas van de wijzerplaat, tot ik weet dat ik gereed ben.

Als ik ten slotte de deur opendoe, staat Vivien een paar passen naar achteren in het portaal alsof ze me een betere blik op haar wil gunnen. Ze heeft haar stok gedumpt alsof die alleen maar aanstellerij was. Ik ben onder de indruk. Ze moet er minstens tien jaar jonger uitzien dan ik, geen drie. Ze is mooi gekleed in een roestkleurige corduroy broek en een dunne grijze pullover met een gestippelde pluizige kraag. Rond haar heupen hangt nonchalant een met talloze kralen bezette riem met een geëmailleerde gesp en ze ruikt sterk naar parfum. Ze draagt een simpele, gedraaide gouden armband rond haar ene pols en over haar linkerborst kruipt een overdadig met edelstenen bezette spin omhoog, die doet denken aan de broches die Maud verzamelde. Ze heeft bungelende, vrolijk gekleurde oorbellen in waarop bij nadere inspectie een haantje geschilderd blijkt te zijn. Onder haar arm is een klein hondje weggestopt, ik weet niet van welk ras, een wit pezig ding. Hoewel haar gelijkenis met Maud nog steeds een verrassing is, lijkt Vivien van dichtbij gelukkig wat minder op onze moeder dan toen ik haar door het raam op de overloop zag. Ze heeft Mauds intelligente gezicht, getekend door wijze, bespiegelende lijnen op haar voorhoofd en rond haar mond, maar haar ogen lijken totaal niet op die van Maud.

'Hallo, Vivien,' zeg ik koeltjes, hoewel ik moet toegeven dat ik enigszins ontzag heb voor haar onberispelijke verschijning. Ik weet nog dat Vivi altijd, net zoals Maud, graag indruk maakte en haar best deed om een reactie los te maken, en het ergerde haar altijd mateloos dat ik onbewogen en onverstoorbaar was – of dat ik in staat was mijn ware gevoelens te verbergen. Mijn gevoelens waren niet van mijn gezicht af te lezen, zoals bij haar. Ik dacht altijd dat dat de prijs was die ze moest betalen voor het hebben van een knap, zeer markant gezichtje, met verfijnde, precieze trekken: een smalle rechte neus, duidelijk gewelfde lippen, zichtbare jukbeenderen. Zoveel fijns was niet goed uitgerust om de onrust die eronder opkwam te verbergen en al Vivi's gevoelens kwamen altijd aan het oppervlak om zichzelf te verraden. Mijn trekken waren geen van alle zo elegant of duidelijk afgetekend, maar ik kon onder mijn grotere wangen en meer afgeronde neus talloze gedachten en gevoelens verbergen zonder dat iemand er iets van merkte. Mijn lippen waren te breed en te vol voor mijn gezicht, de onderste was wat te zwaar en ietwat omlaaggebogen waardoor je een glimp van zijn binnenkant zag. Terwijl Vivi als opgroeiend kind haar best deed haar ware gevoelens te leren verbergen, deed ik m'n best wat spierkracht te ontwikkelen om mijn onderlip op te tillen zodat die zijn tegenhanger zou raken.

'Ginny...' zegt ze hartelijk.

'Vivi...' antwoord ik, terwijl ik mezelf haar toon hoor nabootsen.

'Is de oostvleugel vrij?' vraagt ze met gespeelde ernst, alsof ze een hotelreceptioniste toespreekt.

'De oost-, de west- en de noordvleugel zijn allemaal vrij,' zeg ik, meer als eerlijk antwoord dan als bijdrage aan haar spel.

'Goed, dan neem ik ze alle drie,' glimlacht ze, terwijl ze mijn blik zoekt. Er is een korte, pijnlijke pauze waarin zij naar mij en ik naar haar sta te kijken; we bestuderen elkaar openlijk als twee katten op één territorium. Toen we klein waren, wachtte ik altijd instinctief even, al was het maar een fractie van een seconde, om haar stemming te peilen. Zij maakte de eerste opmerking, stelde de eerste stap voor, en het ergert me dat ik ook nu weer wacht om haar reactie te lezen, alsof de tussenliggende jaren gewoon verdwenen zijn.

'Ginny...' zegt ze weer, dit keer met een lage, vragende stem, en dan opeens ontspant haar gezicht en barst ze uit in een luid, onbedwingbaar gegiechel waarbij ze haar hoofd wild achterover gooit en zich overgeeft aan de lach.

'Wat is er zo grappig?' vraag ik, enigszins beledigd.

'O, Ginny,' weet ze tussen twee hikkende giechels door uit te brengen. 'Kijk ons nou toch eens. Kíjk dan toch. We zijn óúde mensen!' zegt ze, waarop ze overvallen wordt door nog een golf onbedaarlijk gelach. Het is een lach die ik onmiddellijk herken en die ik tot mijn verbazing bijna vergeten was: een gierende kleinemeisjesgiechel die mij door mijn kindertijd droeg, die ik vanaf de andere kant van een veld kon herkennen, een lach die zo aanstekelijk was dat hij zelfs het meest onderkoelde karakter kon besmetten.

En daar ga ik. Ik geloof niet dat ik sinds onze kindertijd zo onbedaarlijk in lachen uitgebarsten ben. Het is het soort lach dat je dubbel doet slaan met een knoop in je buik en bij elke pauze zijn de opgewonden sintels van je lach nog zo heet dat er maar een heel klein vonkje absurditeit nodig is om de brand in je buik opnieuw te ontsteken.

Het is een verrassend bevrijdend gevoel om te lachen nadat je dat een hele tijd niet hebt gedaan. We verkeren weldra in een onstuitbare en wankele hysterie en het hondje onder Viviens arm laat zich onverstoorbaar heen en weer schudden, alsof dit regelmatig gebeurt. Haar hondje lijkt niet te stroken met de meest basale beschrijving van het begrip hond, waarin blaffen of kwispelen met de staart voorkomen. Ik kan niet eens een staart zien. Hij lijkt minder een metgezel en meer een gezwel, waaraan je zoals bij andere lichaamsdelen meestal niet denkt. Ik kijk, terwijl ik me ongebruikelijk draaierig voel, voorbij Vivien en zie bij de auto haar chauffeur staan die de hogere delen van de torentjes en kantelen van het huis inspecteert en ons negeert, net zoals een knecht niets van de vurige affaire van zijn meester merkt, zelfs al houdt hij de wacht bij de deur. Vivien vangt mijn blik en we beginnen weer; we lachen tot ik zie hoe de tranen haar make-up over haar gezicht jagen. Ik voel dat dit leuk gaat worden.

Vivien gaat op de stenen bank die langs het portaal loopt zitten om bij te komen en zet de hond op haar schoot. We zijn allebei uitgeput van alle inspanning. Ik laat een golf van nostalgie als een openbaring door me heen stromen. Vroeger waren het Maud en Vivi die samen dit huis met gelach vulden. Als ik soms 's avonds laat lag te luisteren naar hun gesprekken in de verte, was ik jaloers op hoe ze elkaar aan het lachen maakten en nu ik hier in dit portaal zit met Vivien, ben ik me er voor het eerst van bewust dat er lang geleden een deel van mij zoek is geraakt, dat ik zonder haar een ander mens ben geworden en dat ik net even heb mogen proeven van degene die ik vroeger was of die ik had kunnen worden als ze was gebleven.

Het witte hondje op Viviens schoot knauwt aan de punt van zijn pootjes om ze schoon te maken, hij trekt zijn bovenlip op in een geconcentreerde poging om in de spleten tussen zijn nagels te komen. Ik kijk naar hem en vraag me af of zijn pootjes ooit vies zijn geweest, of hij ooit heeft mogen lopen, of poetsen iets is waar honden voor geprogrammeerd zijn, ongeacht de toestand van hun voetjes. Eerlijk gezegd ben ik doorgaans op mijn hoede voor hondenbezitters. Ik vind ze over het algemeen luidruchtige, bemoeizuchtige mensen die steevast op een nogal onhygiënische manier van hun hond houden.

'Dit is trouwens Simon,' zegt Vivi, die mijn blik heeft gevolgd. 'Je merkt niet eens dat hij er is. Hij is heel oud en ik weet zeker dat hij er niet lang meer zal zijn,' zegt ze geruststellend.

Ik weet niet of ik haar moet bedanken voor de geruststelling dat hij weldra dood zal gaan of dat ik moet zeggen hoe erg ik dat vind. Of dat ik moet toegeven dat ik hem nu al bijna niet eens meer opmerkte. In plaats daarvan kijk ik naar het ineffici-ente schepsel en probeer mijn neus op te krullen op een manier die moet uitdrukken dat ik hem een heel lief hondje vind, zoals de gezichten die mensen naar baby's trekken. Te oordelen naar Viviens reactie – of het gebrek daaraan – ziet mijn gezichtsuit-drukking er allesbehalve oprecht uit of, erger nog, heeft ze niet door dat er een soort betekenis verbonden is aan het geheel. Ze kijkt de andere kant op alsof ze me net in mijn neus heeft zien peuteren.

Ik ben een ramp wat sociale omgangsvormen betreft, altijd geweest ook. Onze moeder Maud was daar een meester in. Ze zei precies de goede dingen en trok precies de goede gezichten op precies de goede momenten. Ik denk dat je, zelfs als het niet zo is, moet geloven dat je het meent om het zo natuurlijk te kunnen laten lijken. Ik kan mezelf niet zo voor de gek houden, ik ben te eerlijk. Als ik het niet geloof, kan ik het niet zeggen. Ik denk dat mensen zich daarom niet op hun gemak bij me voe-len, dat ik daarom altijd moeite heb me aan te passen. Ik kom er niet uit of het iets is wat al bij mijn geboorte onbrak of iets wat ik nooit heb geleerd.

Clive was ook niet bepaald handig, maar dat kwam meer doordat hij er nooit moeite voor deed dan door een gebrek aan begrip. Clive verkoos zwijgen boven gebabbel. Maar Maud kon het allebei. Ze kon de mensen met wie ze was meteen inschat-ten en zich aan hen aanpassen.

Toen ik twaalf was en een keer met Maud voor een boerenbal (waar ik van haar met Vivi naartoe moest) een maillot ging ko-pen op de afdeling Dameskleding van Denings in Chard, stoof ze op een dikke, vermoeid ogende vrouw met een kinderwagen af en boog zich over haar nieuwe, rimpelige baby. Daarna keek ze op en zei: 'O! Wat een wóóólk van een baby!' zodat iedereen in de winkel zich naar ons omdraaide. Haar onoprechtheid spatte ervan af en ik dacht dat iedereen naar ons keek omdat ze zichzelf volkomen belachelijk had gemaakt. Toen ik me later verscholen had in 't donkerste hoekje van de boerenschuur, besloot ik haar dat vriendelijk duidelijk te maken zodat het niet nog eens zou gebeuren. Toen ik dat deed, streek ze me over mijn haar en bedankte me liefdevol. Jaren later besefte ik dat ik me had vergist in de andere winkelende mensen: het publiek op de afdeling Dameskleding had geen moment getwijfeld aan Mauds geveinsde verrukking. Maud had de vermoeide nieuwe moeder wat extra bemoediging willen geven, een vrijbrief voor zelfvertrouwen. De moeder had de rug gerecht en geglimlacht en terwijl ik aan Mauds broek stond te trekken om haar aan te sporen weg te gaan, had die vrouw zich vanbinnen warm en mooi en de moeite waard gevoeld. Je moet begrijpen dat ik niet zozeer verbijsterd ben door het feit dat Maud loog om andermans bestwil, of dat ze dat niet voor zichzelf toegaf, maar door het feit dat niet een van de andere dames het in twijfel trok. Ze begrepen intuïtief waarom ze de baby bejubelde, alsof ze allemaal bij dezelfde club hoorden en geboren waren met het clubreglement in hun hoofd.

Vivien staat op en loopt langs me heen het huis binnen, de trap op, en instrueert haar chauffeur haar te volgen met haar bagage. Ik sta nog steeds in het portaal en vraag me heel veel dingen tegelijk af, als een klein kind dat zich over de wereld verwondert. Ik vraag me af of ze er elke dag zo onberispelijk uitziet; ik vraag me af waarom ze de oostvleugel wil; ik vraag me af of ook zij elke ochtend wordt gekweld door artritis; ik vraag me af of ze nog weet dat ze de een na laatste traptrede, die kraakt, moet overslaan (Vera had ons ooit verteld dat hij kreunde als klacht over het feit dat hij al een eeuw lang werd betreden en we hadden afgesproken hem een generatie met rust te laten); ik vraag me af wat ze in Londen heeft achtergelaten en waarom; ik vraag me af of dit het begin is van een nieuwe, speciale band zoals we die vele jaren geleden hadden; maar ik vraag me vooral af waarom ze eindelijk besloten heeft naar huis te komen.

Ik kijk vanaf de drempel naar de oostelijke ramen op de eerste verdieping. Vivien verschijnt voor het raam en staart somber naar buiten, zonder me te zien. Mooie, hartelijke, vrolijke Vivi. Ze is eindelijk terug op Bulburrow.

Ik sta nog altijd buiten als Vivien, gevolgd door haar gehoorzame chauffeur, de trap af komt.

'Wat is er met het huis gebeurd, schat?' vraagt ze verwijtend.

'O, het begint te vervallen,' zeg ik, heerlijk op mijn gemak bij mijn zusje.

'Nee, ik bedoel al het meubilair. Ben je bestolen?'

Ik was vergeten dat zij het nog niet zo had gezien. Het verkopen van het meubilair was een heel geleidelijk proces. Bobby kwam om de paar maanden en nam dan weer een vrachtje mee in zijn Transit. Ik ontmoette hem voor het eerst toen hij voor het waterleidingbedrijf werkte en hij een paar lekkende pijpen op ons land was komen repareren. Drie dagen later, toen het werk af was (en al mijn koekjes op) vertelde hij me dat hij een antiekwinkeltje in Chard had en stelde hij voor een paar stukken voor me te verkopen. Toen dat hem was gelukt, kwam hij terug met een assistent en laadde er nog een stel in, een paar zwaardere, eiken stukken, en een paar maanden later nam hij nog wat mee. Zijn bezoeken werden de afgelopen tien jaar heel regelmatig. Telkens betaalde hij contant voor de exemplaren die hij had verkocht. Het was een uitstekend systeem en ik was er tevreden mee. Ik veranderde spullen in huishoudgeld zonder dat ik een bank nodig had of naar het dorp moest. Ik leefde tussen mijn eigen appeltjes voor de dorst! Ik moet hardop lachen bij de gedachte en voel me nog steeds een beetje draaierig van onze uitbarsting op de stoep, alsof ik tipsy ben geworden van een enkel slokje wijn.

'Het is mijn pensioen geworden,' zeg ik gevat, terwijl ik me opmaak om weer te lachen.

Maar Vivien lacht niet. Ze kijkt bloedserieus. 'Heb je ze allemaal verkocht?' hijgt ze, terwijl ze haar zwart omrande ogen ongelovig openspert. Die verandering van haar brengt me van mijn stuk. Ik vind het onmogelijk te bepalen of het haar ernst is. Ik kijk naar Simon, die met zijn ogen knippert en niet in staat is een hint te geven.

'Nou, ik heb alle klokken en barometers die het nog doen gehouden, en Jakes kop,' zeg ik, en ik gebaar terwijl we naar binnen lopen naar de opgezette varkenskop aan de muur. (Eerlijk gezegd had Bobby hem niet willen hebben, en nu ben ik daar blij om. Jake was, toen Vivi ongeveer zes jaar was, haar lievelingsvarken en toen hij stierf – door een onnatuurlijke dood – was ze zo van streek geweest dat Clive de kop voor haar had laten opzetten zodat ze kon zien dat hij bij zijn dood vrolijk glimlachte.)

Ik moet zelf glimlachen bij de lang vergeten gedachte aan Jake, maar Vivien kan haar teleurstelling niet verbergen.

'Maar Virginia, besef je wel,' (ze zegt dit zoals Maud het zou hebben gedaan, langzaam en nadrukkelijk: Besef – Je – Wel) dat je voor je pensioen alleen maar de Karel 11-kast uit de hal had hoeven verkopen? Of de antieke bank of het buffet, een Aubusson-wandtapijt, een paar caquetoires...' Haar stem gaat omhoog tot hij breekt. Ze laat zich weer op de portaalbank neervallen alsof de gedachte eraan haar benen onder haar vandaan heeft geslagen. 'Of zo'n kloteschilderij.' Ze zegt het half schreeuwend, half huilend. 'Maar álles?! Het huis stond bomvol meubelen, Ginny. Meubelen,' zegt ze weer, terwijl ze haar armen woest voor zich uit beweegt alsof ze de meubelen terug op hun plaats wil schilderen. 'Meubelen, kroonluchters van bergkristal, dressoirs,' tiert ze verder in een zinloze opsomming van alles wat er maar in haar opkomt, 'tapijten, tafelzilver, ander zilver, vazen, spiegels,' ze stopt even om adem te halen, 'porselein, die... die spiegel met oesterfineer,' en ze wijst naar de kale muur voor haar, 'de William and Mary...' Ze slaat haar beide handen voor haar gezicht. 'Onbetaalbaar meubilair, Ginny.'

Ik kan je verzekeren dat ik nu geen enkele twijfel meer heb over haar ernst. Ik begrijp heel goed dat het een schok was, een die ze totaal niet had verwacht, maar ik had nooit gedacht dat het haar zo diep zou raken. Waarom klampen mensen als ze ouder worden zich vast aan bezittingen en laten ze hun kennis los? Het is immers maar meubilair. Elke generatie heeft het oorspronkelijke bezit van Samuel Kendel doen slinken, eerst het land, toen de landhuizen en de bijgebouwen. De nutteloze vracht aan inhoud is toch zeker een natuurlijke ontwikkeling? En bovendien, onder ons gezegd, ik denk niet dat Vivien er goed over heeft nagedacht. Die arme vrouw denkt dat er een erfenis moet worden overgedragen, maar het is nu allemaal afgelopen. Vivien en ik zijn het eindstation, er is geen toekomstige generatie. Alles zou na onze dood worden opgedeeld en verkocht, een meevallertje voor de regering, als het niet al verkocht was. Misschien is ze een beetje kierewiet, onze vader werd al veel jonger dan wij nu zijn dement. Ik doe mijn best haar gerust te stellen, zoals ik vroeger deed toen we klein waren. Ik hield ervan haar te troosten.

'Maar het is helemaal, totaal, compleet leeg,' klaagt ze, alsof er herkenbare gradaties van leegheid zijn. 'Geen schilderijen, geen kleren, geen foto's. Je hebt elke verwijzing naar ons verleden weggepoetst. Onze familie kan er net zo goed niet zijn geweest, het had geen zin om de afgelopen tweehonderd jaar te hebben bestaan als er geen bewijzen van over zijn.'

Het is een interessant standpunt maar ik ben het er niet mee eens. Is het echt nodig om je leven vast te leggen om het de moeite waard of lofwaardig te maken? Is het waardeloos als je sterft zonder iets achter te laten? Zulke getuigenissen gaan op z'n hoogst nog twee generaties mee en zelfs in dat geval bieden ze weinig zingeving. We weten allemaal dat we slechts een stipje in de gigantische universele cyclus van energie zijn maar niemand verdraagt de gedachte dat zijn hele leven, dat zo intens en uitputtend werd geleefd, bij zijn verscheiden even snel en even betekenisloos verloren gaat als een onuitgesproken idee.

'Het kan me niet schelen, Vivien, echt niet. Ik gebruikte al die spullen niet en ik wil niet zoveel rommel in huis. Ik ben het liever kwijt dan rijk,' zeg ik zachtjes, terwijl ik naast haar ga zitten. En ik meen het. Ik vond die meubelen stressverwekkend.

Ik wilde er niet eens naar kijken uit angst dat ik zou zien dat ik ze moest afstoffen of een kras zou ontdekken die me niet eerder was opgevallen. Sinds ze weg zijn, is ook die knoop uit mijn maag verdwenen en vind ik het huis en de ruimten veel beter te behappen. Vivien laat haar handen van haar gezicht zakken en wrijft daarbij haar make-up nog wat verder uit, waarna ze met haar duim en wijsvinger haar wangen naar voren trekt waardoor haar mond een eendensnavel wordt. Ze lijkt een of andere beslissing genomen te hebben.

'O, Ginny, schatje,' zucht ze, nu wat rustiger. 'Dat was de hele verzameling meubelen, bezittingen, alles van onze familie... van onze voorouders. Het heeft bijna tweehonderd jaar gekost om dat allemaal bij elkaar te krijgen.'

'Ik heb niet één mottenboek verkocht. En ook niet een specimen, of apparatuur,' zeg ik snel, iets te defensief. 'Het museum en het lab en de andere zolderkamers zijn niet aangeraakt.'

Vivien knikt langzaam.

'Ik was het vergeten. Je was altijd al een ramp met geld, toch?' sneert ze. 'Je had me erover moeten opbellen, je had me moeten bellen!' zegt ze mat. Ze zegt het evenzeer tegen mij als tegen de flagstones op de portaalvloer, die prachtig golvend glad zijn uitgesleten. Ik geef geen antwoord – niet omdat ik het ermee eens ben; ik heb niet eens een telefoon – maar omdat het een goed punt lijkt om een einde te maken aan het gesprek. En geloof maar dat ik dolgraag wil dat het ophoudt. Ik wil ons gelach van zo-even terughalen, die opwinding en euforie die ik al te kort heb gevoeld. Het doet er trouwens niet toe, het meubilair is verdwenen omdat ik dat wilde en geld nodig had. Het was mijn keuze, punt uit.

Nu ben ik boos op mezelf omdat ik me verdedig. Zíj is tenslotte degene die 47 jaar geleden is vertrokken en zíj heeft zichzelf weer uitgenodigd en nu is ze teleurgesteld over een beslissing die ik heb genomen en zegt ze dat ík háár had moeten bellen voor advies. Ik herinner me nu dat Vivi me soms uit de hoogte behandelde maar daar zat ik nooit mee. Ik heb altijd geaccepteerd dat ze doorgaans wereldser was dan ik en eigenlijk beviel me dat wel, alsof ze op mij paste. Het hoorde bij haar karakter, bij wie ze was. Nu ik zelfstandig ben, nu ik mijn eigen doelen in het leven heb bereikt, vind ik haar kritiek veel moeilijker te verteren. Ik dwing mezelf er niet meer over te denken. Ik wil onze hereniging niet verpesten.

Ik zeg haar dat ik thee voor ons ga zetten, en ga dan naar binnen om de ketel op het Rayburn-fornuis aan de kook te brengen. We gaan die meubelen gewoon vergeten. We gaan theedrinken en praten en weer samen lachen en ze gaat me allerlei grappige verhalen over haar leven in Londen vertellen. Ik zal zitten, luisteren en relaxen, het allemaal opnieuw beleven en we zullen weer lachen. We gaan bijpraten, en wat is er veel tijd om over bij te praten! Vivien had gelijk; ze had altijd gelijk. De ketel begint te fluiten, zwak en aarzelend in het begin. Het was haar idee om weer samen te gaan leven en het voelt volkomen natuurlijk dat we zo tegen het einde van onze levens weer bij elkaar zijn, als makkers en tweelingzielen, toegewijd en onafscheidelijk. De ketel schreeuwt nu, schril en wanhopig. Ik schuif hem van de hete plaat.

4 – Belinda's pot

Vivien en ik hebben sinds onze ruzie over de meubelen niets tegen elkaar gezegd. Ik verdiep mij in het proces van het theezetten zodat ik niet hoef op te kijken om te zien hoe ze langs de open keukendeur heen en weer loopt terwijl ze in haar mobiele telefoon praat, of hoe haar chauffeur haar dozen en koffers van de auto naar het huis en de trap op draagt. Ik ben onder de indruk dat Vivien een mobiele telefoon heeft, dat ze zo meegaat met haar tijd. Ik schenk door tot de theepot voor een kwart gevuld is.

Vanuit een ooghoek zie ik Simon, het kleine hondje, arrogant de keuken binnen trippelen. Hij blijft naast mij stilstaan en begint zijn ogen samen te knijpen, om zich geliefd te maken. Ik negeer hem ijzig en nadat hij in een ommezien heeft geaccepteerd dat hij niet over de kwaliteiten beschikt om mijn mening over hem bij te stellen, maakt hij rechtsomkeert om bij de Rayburn te gaan liggen, nadat hij eerst een paar rondjes op zijn uitverkoren rustplaats heeft gedraaid voor hij zich neer laat ploffen.

Ik houd het handvat van de ketel in mijn linkerhand en door er kleine, draaiende beweginkjes mee te maken zwiep ik het water rond in de pot, terwijl mijn rechterhand rond de buitenkant gebogen is, bovenaan, en ik wacht tot ik de warmte van het water door het porselein heen voel. Ik bestudeer het patroon van kleine, sierlijk verstrengelde wilde bloemen die vanaf de bodem naar het deksel omhoogklimmen, terwijl ik uit alle macht wil dat het kolkende water op zijn circuit binnen in de pot genoeg vaart krijgt om de bovenrand te bereiken. Ik heb eerlijk gezegd geen idee waarom het porselein verwarmd moet worden, en of de thee dan echt beter smaakt, maar juist die kleine beginselen die je moeder je op jonge leeftijd leert en die haar moeder haar op een vergelijkbare leeftijd bijbracht, zijn het moeilijkst om los te laten als je oud bent.

De theepot is een elegant exemplaar van porselein, eerder rank dan dik. Hoewel hij van Maud was, noemden we hem altijd Belinda's pot. Ik ken de details niet – ik heb de oude vrouw nooit gekend – maar het verhaal ging dat Belinda hem in haar testament aan Maud had nagelaten bij wijze van dank voor hulp of advies of een luisterend oor dat Maud haar blijkbaar ooit geboden had, waartoe mijn moeder van nature geneigd was. In de loop van haar leven was Maud de rol van dorps-consulent, adviseur en verzoener gaan vervullen. Zo was zij het die een verzoekschrift indiende voor meer krijgsgevangenen, om te helpen bij het binnenhalen van de oogst van Peverills boerderij, en zij was het ook die, wat later, de opschudding suste toen Charlotte Davis' paard de graven op het kerkhof van de Sint-Bartholomeus had vertrapt, en nog later een bloedbad wist af te wenden toen Michael de jongste dochter van de Axtells een marihuanasigaret had gegeven. Maud gaf raad, corrigeerde en vonniste. Ze serveerde op zondag koffie na de mis op Bulburrow, gaf tweemaal per jaar een borrel en stelde 's zomers haar tuin een week open voor publiek. Maud was dol op mensen. Ze begreep hen en omringde zich graag met hen, of dat nu was om hen te vermaken of hen te helpen. Vivi zei altijd gekscherend dat Maud het niet zou overleven als ze niets voor anderen kon doen.

Al met al was mijn moeder een vrijwel volmaakte vrouw, zou ik zeggen. Ze had precies de juiste hoeveelheid wijsheid en esprit en naastenliefde. Ze was langer dan haar man en daarbij het soort vrouw dat er altijd elegant uit kon zien, wat ze ook aanhad: van haar tuinierkleren tot haar kamerjas. Ze had hele rijen halflange bloemetjesjurken in haar kast hangen, lange avondjurken met lovertjes, hoge en lage schoenen en hoeden en handschoenen voor elke gelegenheid. Maud was dol op gelegenheden.

Clive daarentegen was sociaal, noch netjes verzorgd, maar het werd hem niet toegestaan zichzelf te verstoppen. Hij werd meegetroond naar alle plaatselijke feesten en bijeenkomsten en hij glimlachte altijd enigszins zuur als Maud hen speels voorstelde als 'de lady en de vagebond'. Maud, vertelde ik al, ging altijd onberispelijk gekleed, met daarbij alle opzichtige accessoires die ze maar kon vinden, terwijl Clive op pad ging in een van zijn twee eeuwige grijze pakken die allebei om hem heen slobberden nu hij minder at dan vroeger en die allebei gerafeld waren aan de kraag en manchetten. Soms leek het alsof hij zich met opzet shabby kleedde. Een keer had hij – en dat zweer ik je – zijn pantoffels in plaats van zijn schoenen naar een lunch in het naburige dorp aangetrokken. Hij zei dat daar minder gaten in zaten dan in zijn schoenen, maar Maud had hem er de hele middag mee geplaagd, want ze genoot van zijn afwijkingen van de sociale etiquette waar ze zelf zo streng aan vasthield. Maud werd met een paar drankjes op de gangmaker van het feest en soms zag ik hoe Clive haar vanaf een afstand bewonderend bekeek, betoverd door de natuurlijke charme en vitaliteit van zijn vrouw. Maar Clive zelf – die nooit dronk omdat hij daar naar eigen zeggen jicht van kreeg – was ook verrassend populair, vooral bij de dames die zijn nonchalante onaangepastheid ten onrechte voor bedekt anti-establishment aanzagen, wat in de Dorsetse society uit de jaren vijftig heel opwindend voor hen was.

Ik doe twee van de nieuwe theezakjes in piramidestijl in Belinda's pot. Michael heeft twee weken geleden theezakjes in plaats van blaadjes voor me gekocht, waarbij hij uitlegde dat het gedoe met het losse spul in deze tijd echt niet meer nodig was. Zoals je je kunt voorstellen, was mijn eerste reactie puur verzet tegen deze nieuwigheid, maar sinds ik het heb geprobeerd, vind ik die zakjes veel gemakkelijker nu ik tegenwoordig zo weinig controle over mijn vingers heb als ik iets pak. Vooral op de ochtenden dat mijn vingers kromgetrokken zijn van de pijn, kostte het me heel veel moeite om te voorkomen dat de blaadjes van het lepeltje schudden en over het aanrecht schoten. Als ik er dan in was geslaagd er zo veel mogelijk in het kleine thee-ei te doen – de val die voorkomt dat ze vrijelijk door de pot gaan zwerven – stond ik vervolgens een paar uitputtende minuten te frunniken om het klepje dicht te maken om die kleine duivels in te sluiten, om daarna alleen maar nog meer moeite te hebben om het kleine haakje aan de rand van de pot te bevestigen. Uiteindelijk was de sterkte van de thee meer afhankelijk van mijn behendigheid op het moment dat ik de blaadjes in het ei moest doen, dan dat hij strookte met mijn eigen voorkeuren op smaakgebied, en vaak moest ik weer van voren af aan beginnen. Nu ik de zakjes heb geprobeerd, zal ik nooit meer teruggaan naar losse thee. Michael probeert me er nu van te overtuigen dat theepotten niet nodig zijn. Ik heb gedaan alsof ik het met hem eens was om een discussie te vermijden, maar onder ons gezegd weet Michael niets van de voldoening die het ritueel van het theezetten geeft.

Ik vul Belinda's pot met water en zet het deksel erop om hem te laten trekken. Vandaag was het misschien beter geweest om met de blaadjes in de weer te gaan. Ik had dan een langduriger werkje gehad om me op te concentreren, om me af te leiden van wat Vivien op dit moment doet en denkt. Ze is nu boven, waar ze schuifelende geluiden maakt en heen en weer loopt tussen de kamer pal boven mij en de kamer boven de voorraadkamer, die haar kinderkamer was, terwijl haar chauffeur haar laatste spullen naar boven brengt.

Ik pak twee kop-en-schotels uit de kast en melk uit de koelkast en zet ze bij de dampende pot, en wacht. Ik denk dat ik maar geen thee inschenk voor ze beneden is, anders wordt hij koud.

Ik zal je iets raars vertellen dat ik nooit had kunnen voorzien. Ik voel hoe de relatie tussen Vivien en mij zich opnieuw begint te vormen, maar – en dat is het rare – het gaat op precíes dezelfde manier als een halve eeuw geleden, alsof we helemaal niet volwassen zijn geworden, alsof onze kindertijd binnenstroomt en struikelend probeert onze oude dag in te halen. Daar zit ik dan weer, ik laat de beslissing aan haar over, wacht tot zij oordeelt dat onze kleine twist over de meubelen voorbij is en dat we verder kunnen gaan met onze hereniging. Vivien bepaalt de regels en de grenzen, zij neemt de risico's en ik wacht tot ze me nodig heeft. Ik was bijna vergeten dat dat mijn rol was.

Die zusterlijke grenzen verschoven toen we drie jaar na Vivi's ongeluk naar de meisjeskostschool Lady Mary's Winsham werden gestuurd. Maud sprak ons aan de vooravond van ons eerste semester kortstondig toe.

'Ik wil dat jullie je om elkaar bekommeren,' zei ze, terwijl ze ons om de beurt streng aankeek, 'zodat als een van jullie in de problemen raakt, je weet dat je naar je zusje kunt gaan om erover te praten.' Aangezien ik de oudste was, wist ik zeker dat ze vooral mij vroeg om me om Vivi te bekommeren.

Onze ouders dachten dat als we tegelijk begonnen, we elkaar tot steun konden zijn, maar het bleek dat Vivi mijn steun niet nodig had. Terwijl zij op haar tiende begon in de vierde klas en meteen populair was bij de veertig overige nieuwe meisjes, was ik de nieuwkomer van dertien jaar, op zoek naar een plekje in de vaste jaargroep waarin vriendschappen en verbonden al drie jaar waren geregeld. De school was een uur rijden en aan het begin van elk nieuw semester werden Vivi en ik met onze koffers in Clives lichtblauwe Chester gepropt, die hij had omgebouwd tot een mobiel opspanstation. Hij had de achterbank eruit gerukt om plaats te maken voor een mottenpreparatietafel die hij met bouten aan de bodem had bevestigd en Vivi en ik zaten elk aan een kant geperst, vrezend dat we ons hoofd aan de onderkant ervan zouden stoten als de weg erg hobbelig werd. Achterin stonden flessen bromide, cyaankali, ammonia, sodiumnitraat en andere schadelijke giffen, die losjes waren vastgebonden in een rek, onregelmatig te rammelen, terwijl de netten, vallen, spelden, scalpels, waterbakken, opspanborden en andere essentiële mottenapparatuur keurig in dozen elders waren vastgebonden. Vandaag de dag zou Clive erop aangesproken worden dat hij zulke enorme hoeveelheden gif pal naast zijn kinderen over hobbelige landwegen vervoerde, maar in 1950 wekte Clives mobiele opspanstation de jaloezie van al zijn collega's op. Het had alles wat nodig was voor het doden, verdoven, ontspannen, kleur fixeren en opspannen van motten als ze nog vers in het veld zijn, zodat hij ze kon prepareren voor de gebruikelijke problemen zoals vleugelbeschadiging, van kleur verschieten en rigor mortis zich konden voordoen.

Lady Mary's was voor welopgevoede meisjes, die er 'manieren, houding en conversatie' en een klein beetje kennis bijgebracht kregen. Elke week werden onze MHC's (manieren, houding en conversatie) beoordeeld met een cijfer en als ze een laag gemiddelde vertoonden, werd er een gepaste straf uitgedeeld. Toch heb ik tijdens mijn tijd daar nooit enig bewijs van manieren op die school aangetroffen. In plaats daarvan was ik ernstig onderworpen aan achterbaks geplaag in een omgeving met louter meisjes.

De eerste keer was een klein incident tijdens mijn tweede week daar, toen ik Alice Hayward erop aansprak dat ze voor de lol vliegen doodsloeg, vliegen die wanhopig de vrijheid zochten voor de ramen van 5B, en ik vroeg haar of ik het raam voor hen mocht openmaken. Ze kreeg in een ommezien voor elkaar dat de hele klas me uitlachte. Het incident wees haar onmiddellijk aan als leider en bezegelde mijn lot, waarmee het beetje hoop dat ik had om vrienden te maken de grond in werd geboord – dat alles omdat ik geen vlieg kwaad wilde doen.

Ik was niet gevat of zelfverzekerd genoeg om ze hun wrede spelletjes betaald te zetten. Ik voelde de hitte naar mijn gezicht golven terwijl ik hakkelend naar een passende repliek zocht en ik werd me hevig bewust van mijn zware onderlip, de positie van mijn handen, van mijn hele lichaam en uiteindelijk stond ik er alleen maar onnozel en ongemakkelijk bij. Ik liep weg terwijl ik de andere meisjes hoorde gniffelen en dat deed pijn. Ik huilde niet maar elke keer veranderde het iets in mij, ergens diep vanbinnen, en gaf het vorm aan wie ik was en wie ik zou worden: elke keer minder zelfverzekerd maar toch sterker; eenzamer maar toch onafhankelijker.

Tijdens de vakanties luchtte ik mijn hart bij Maud die Clive er geheel voor verantwoordelijk hield dat ik niet opgewassen was tegen de spot van andere tienermeisjes. 'Ik vrees dat je op een of andere manier iets van je vader hebt, schatje,' zei ze vol medelijden. 'Hij is ook geen vechter.'

Hoewel ik innig van mijn vader hield, vatte ik het toch niet op als een groot compliment om te horen dat ik een van zijn eigenschappen had meegekregen. Zo op eerste gezicht leek Clive misschien slechts een kleine, saaie man, maar als je hem eenmaal kende, bleek dat een interessant soort saai te zijn. Hij was een uitzonderlijk tweedimensionaal persoon; hij was óf buitengewoon geïnteresseerd óf buitengewoon ongeïnteresseerd in dingen. Hij was bijvoorbeeld niet geïnteresseerd in eten en dus verspilde hij daar niet veel tijd aan. Hij at hoogstens een keer per dag, meestal 's avonds en zelfs dan stond hij vaak halverwege op omdat hij was afgeleid door iets heel belangrijks dat ineens in hem was opgekomen, zoals het ontluchten van de radiator in de bibliotheek of het bedenken van de volgorde waarin de groenten geplant moeten worden. Hij was zeer precies als het ging om dingen die hem interesseerden maar volstrekt chaotisch aangaande de rest, zoals de puinhoop in hun slaapkamer of een gebroken raampje waar hij bij wijze van langetermijnoplossing plakband op had geplakt.

Maud deed haar best me te helpen met de aanpassingsproblemen die ik had op school. Ten eerste besteedde ze er veel tijd en energie aan om mij ervan te overtuigen dat ik trots kon zijn op mezelf, probeerde me het zelfvertrouwen te geven om al mijn goede kanten te zien en me niet druk te maken over wat andere mensen konden denken. Ze hield mijn gezicht in haar handen en keek me recht in de ogen alsof ze me wilde hypnotiseren. 'Je mag nooit vergeten dat je een mooi, intelligent en lief meisje bent,' dreigde ze me. 'En ze zijn alleen maar jaloers omdat jij al die drie dingen bent. En ga ze nu maar eens van katoen geven,' zei ze daarna meestal, alsof ik een rol in een toneelstuk speelde.

Ten tweede deed ze al het vechten voor mij. Dat deed ze

nooit voor Vivi – ze zei dat die voor zichzelf kon opkomen – maar als ik ergens ongelukkig over was twijfelde ze geen moment om zich ermee te gaan bemoeien en dan loste ze het op, hetzij met charme hetzij met agressie, tot ik er ook mee gepest werd een verklikker te zijn en ik met het nog grotere probleem van het beoordelen van wat ik haar wel en niet kon vertellen kwam te zitten.

Waar Maud mijn impopulariteit met te veel enthousiasme te lijf ging, kon Vivi er duidelijk niet mee omgaan, dus tijdens semesters kreeg ik maar weinig van haar te zien. Als we elkaar wel troffen, was dat ergens in de buurt van de vuilnisbakken achter de kleedkamers aan het binnenplein of in het derde hokje van de centrale toiletten. Maud had gehoopt dat we elkaar zouden helpen op school maar Vivi had geen hulp nodig en ik begreep dat zij mij onmogelijk het soort hulp kon bieden dat ik nodig had. Ik nam het haar geen moment kwalijk maar ik miste haar gezelschap verschrikkelijk. Telkens als we ingeklemd tussen de giffen over de hobbelige landwegen naar de rand van het graafschap reden, nam ik voor weer een semester afscheid van zowel Vivi als mijn ouders. Ik verlangde hevig naar de schoolvakanties waarin we alles weer samen zouden doen. Ik heb Maud nooit over Vivi's desertie tijdens de semesters verteld. Ik voelde dat ze er om welke reden dan ook kapot van zou zijn.

Door het raam zie ik buiten de mist opkruipen. Het licht verdwijnt terwijl het halverwege de middag is.

Boven zijn Vivien en haar chauffeur aan het praten. Ik kan hun gedempte stemmen net horen. Ik kijk hoe een van de laatste linten damp door de tuit van de theepot omhoog kringelt en eerlijk gezegd vraag ik me af of ze eigenlijk wel van plan is naar beneden te komen. Ik kan de thee naar haar toe brengen. Ik had daar even aan gedacht maar ik kan dat onmogelijk doen. Ze is boven aan de andere kant van de overloop voor mijn slaapkamer, achter de dubbele deuren met de glazen ruit, en ik ben in geen veertig jaar in dat gedeelte van het huis geweest. Ik vraag me af of ik er zelfs wel toe in staat ben. Ik zou me niet veilig voelen. Het is geen bijgeloof, daar ben ik veel te nuchter voor. Het is gewoon niet de Normale Orde der Dingen. Ik hou van orde.

Als de thee klaar is en ik zo gauw niet weet wat ik moet doen, vraag ik me af of ik, als ik naar de voorraadkamer ga en mijn hoofd tegen de houten deurpost of de muur aan de andere kant leg, iets op kan vangen van het gesprek dat ze voert. Ik probeer allerlei standen en hoewel ik haar niet echt duidelijk kan horen, begrijp ik toch dat ze aan het telefoneren is, een eenzijdig gesprek waarin ze volgens mij iemand voor zijn hulp bedankt. Haar stem sterft weg als ze wegloopt, haar voetstappen vertellen me dat ze door de gang naar de kleine badkamer, meteen links naast de deur van de overloop, gaat. Ik volg haar bewegingen als ik door de gang onder haar loop en ik hoor haar haar chauffeur vragen of hij 'het daarboven wil pakken'. Als ik tussen de twee voorraadkamers, de achterste trap en de keuken kruip en ingespannen naar haar bewegingen en geluiden boven mij luister, merk ik tot mijn verrassing dat ik enigszins voor me kan zien wat ze uitspookt.

Er komt nu iemand met een zware stap de trap af en ik hoor Vivien 'dankjewel' roepen vanaf de overloop. Ik ben weer teruggegaan naar de theepot en de theekopjes en als de chauffeur langs de keuken loopt, blijft hij even staan en pakt hij met een hand stevig de deurpost vast om naar binnen te leunen, op zoek naar mij. Ik concentreer me op zijn hand op de deurpost en denk: had hij hem daar maar niet gelegd, ik zal als hij straks vertrokken is flink hard moeten schrobben om hem eraf te krijgen. Dan kijk ik op en vang ik vluchtig zijn blik. Het klinkt misschien raar, maar dat vluchtige oogcontact brengt me geheel van mijn stuk; het is inmiddels heel erg lang geleden dat ik een volslagen vreemde in de ogen keek en het heeft zowel iets overheersends als iets indringerigs. Weet hij dat ik heb staan luisteren? Ik laat mijn blik instinctief verlegen naar de grond zakken, alsof ik me verontschuldig, maar als zijn andere hand het volgende moment in een ferme en vriendelijke golf omhoogschiet, wou ik dat ik dat niet had gedaan en ik besef dat ik hem verkeerd heb beoordeeld. Als hij voorbijloopt, roept hij vrolijk 'tot ziens'. Ik wil antwoorden maar ben niet snel genoeg. Ik voel me weer een klein meisje, terug op school, wachtend op de spot, de hoon, en nooit snel genoeg om te antwoorden.

Had ik je verteld dat Maud degene was die mij de zelfbeheersing had geleerd die ik zo hard nodig had als ik werd geplaagd? Ze vertelde me over een plekje in je hoofd waar je naartoe kunt gaan, een plekje waar je in kunt kruipen en dat je kunt barricaderen zodat niemand in je buurt kan komen en je niet hoeft te luisteren en je niet wordt gekwetst. Ik moest natuurlijk leren om mijn adem in te houden als ik door de tunnel wegrende van mezelf. Ik hoor alleen maar het gestamp van mijn voetstappen en hun echo's, echo's van echo's, die me op de hielen zitten, en de vlagen van de donkere wind die langs mijn oren giert en al het andere geluid tegenhoudt. Verre stemmen vermengen zich met de blazende wind, onherkenbare geluiden, onbegrijpelijke betekenissen in een constante verre stroom, die als een bolbliksem door de tunnel achter mij giert en die al rollend aanzwelt en me inhaalt met z'n snelheid en grootte en momentum. Tot ik eindelijk het einde bereik, in mijn eigen kamertje stap en de zware deur achter mij dichttrek en de gierende wind, de bol lawaai en de stortvloed aan voetstappen en echo's en onzin buitensluit. Ik kan de deur langzaam vergrendelen, veilig en zeker. Zelfverzekerd. Alle ijzeren staven, één voor één, van boven naar beneden; ik sla ze ongehaast en beheerst in hun krammen. Er is een oneindig aantal bouten dus ik kan er dichtschuiven zoveel ik wil om alle geruststelling die ik nodig heb te peuren uit het geluid waarmee ik ze hoor dichtvallen, één voor één, tot ik eindelijk helemaal alleen ben en slechts het geluid van mijn eigen rust kan horen. Vrede. Ik mag weer ademhalen, stil en kalm. En ik kan het controleren: is het opgehouden? Zijn ze weg?

Ik wacht en luister naar de auto; het portier wordt dichtgeslagen, de motor start en hij snort de oprijlaan af en laat mij en Vivien helemaal alleen achter. Ik hoor hoe de auto volgens mij het eind van de oprijlaan bereikt, stopt en daarna links het weggetje in draait en loeiend de steile heuvel op rijdt en weer even luider klinkt waar het weggetje op de top dichter bij het huis komt. Daarna is hij verdwenen en als ik naar het raam kijk, lukt het me niet de beukenhaag te ontwaren die maar vier meter van het keukenraam af staat. Het huis is in een dikke mist gevat. En – afgezien van het zware tikken van de twee klokken in de hal – in stilte.

Normaal gesproken zou ik blij zijn met deze mist, die zeker niet ongewoon is in de Bulburrow-vallei. Hij geeft me een veilig gevoel als hij de vallei opslokt als een deken die warmte en veiligheid brengt, een wijkplaats voor de rest van de wereld. Maar diezelfde mist lijkt me vandaag niet zijn gebruikelijke troost te brengen. Ik ben gewoon niet gewend aan de wetenschap dat een ander dit huis met mij deelt en misschien vind je het absurd, maar ik vind dat hoogst verwarrend. Waar mijn concentratie eerst louter gericht was op mijn eigen leven, is hij nu verschoven naar wat we allebei doen in relatie tot elkaar. Ik zou mezelf er met gemak van kunnen overtuigen dat Vivien en ik alleen op de wereld zijn, onlosmakelijk verbonden – verder bestaat er niets en onze enige hoop op vertroosting zijn wijzelf. Ik wacht tot ik haar hoor lopen, praten, schuifelen, wat dan ook, maar ik hoor niets. Ik ben verlamd door de stilte, staar naar de stilstaande mist buiten, zonder gedachten, bestaand in stilte, in een ruimte ergens anders.

Het is even na vieren als ik een vrachtwagentje voor het huis hoor stoppen. Vivien is niet naar beneden gekomen om thee te drinken. Ik loop de bibliotheek met zijn wanden met lege planken binnen, waar ik een beter zicht heb vanuit het raam en hoor eindelijk Vivien de trap af komen. Door de mist zie ik als een geestverschijning de contouren van een kleine vrachtwagen en ik kan de vage zwarte letters op de zijkant lezen: R & S MEUBELEN, CHARD. Twee jonge mannen springen elk aan een kant uit de cabine, doen de knarsende laadklep open en dragen een klein eenpersoonsbed in stukken het huis binnen, naar Viviens kamer. Ze komen terug voor een of ander klein tafeltje, een simpel rek om kleren aan te hangen, twee lampen

– waarvan ze er een weer naar beneden dragen en in de vracht-wagen terugzetten – en nog een paar spullen die ik niet goed kan zien. Al die tijd luister ik en word ik afgeleid en op een voor mij wezensvreemde manier beheerst door een groeiende behoefte te weten wat er aan de hand is. Ze blijven een tijdje boven en vanaf mijn luisterpost onder aan de achterste trap hoor ik dat ze vermoedelijk het bed in elkaar aan het zetten zijn, gedempte stemmen praten en lachen met tussenpozen. Ik kan niet goed horen wat er wordt gezegd, maar ik voel me op een vreemde manier gedwongen te blijven luisteren tot ik de mannen al lang en breed heb horen vertrekken in hun vrachtwa-gen.

'Ginny, lieverd, daar ben je,' verkondigt Vivien als ze even later de bibliotheek binnen komt lopen. 'Ik was daarnet in slaap gevallen. Compleet onder zeil,' zei ze. 'Het zal die plattelands-lucht zijn.' Ze gedraagt zich alsof ze niet beseft dat ze mij met de thee heeft laten zitten. Misschien is dat ook wel zo? Ik ben vergeten hoe uitputtend ik het vind om andermans stemming te voorspellen of aan te voelen in wat voor humeur iemand is.

Na die kortstondige gedachten zeg ik: 'Het komt vermoede-lijk door dit huis. Ik val overdag om de haverklap in slaap.'

'Maar goed, nu zijn we wakker. Zullen we een pizza gaan maken? Ik heb een paar pizzabodems en allerlei dingen om er-bovenop te leggen...' Haar stem klinkt zwakker als ze naar de keuken loopt met mij achter zich aan. Had ik eraan moeten denken om iets te eten te regelen voor vanavond, haar eerste avond? Hoe wist ze dat ik dat niet had gedaan?

Ik heb nog nooit pizza gemaakt. Ik kan me eigenlijk ook niet herinneren dat ik het ooit heb gegeten en iets weerhoudt me ervan dit aan Vivien te vertellen. Haar meubeluitbarsting was zo'n verrassing dat ik er nu niet zo zeker van ben hoe ze zal re-ageren. Ik persoonlijk vind het fantastisch dat we pizza eten; ik heb het zo vaak in de foldertjes die ik krijg zien staan en ik heb het altijd al eens willen proeven.

We hebben een geweldig leuke avond, discussiërend over of

olijven het best samengaan met ham of met champignons of met allebei, en hoeveel kaas erop moet. We praten ook over onze handen: zij heeft ook artritis maar niet zo erg als ik. Nieuwsgierig bestuderen we elkaars handen, bijna wedijverend over wie er het ergst aan toe is, en we behandelen uitputtend de gradaties van pijn en verlichting waarmee we hebben leren leven. We zijn het erover eens dat we niets met knopen kunnen en dat ritsen veel handiger zijn en dat we eigenlijk een schoenlepel met een heel lang handvat nodig hebben zodat we ons niet hoeven te bukken als we onze schoenen aantrekken. Ze vertelt me dat ze elke dag een aspirine neemt, wat volgens haar dokter haar gewrichtsknobbels symmetrisch houdt, en ze belooft me ook wat ontstekingsremmers te geven die ze op recept krijgt.

We klagen en keuvelen dus over handen en voeten en pizza, allemaal heel aangenaam, en daarna eten we pizza, ook heel aangenaam, zittend in leunstoelen in de kleine studeerkamer achter de keuken die wordt verwarmd door een vuur dat we hebben aangestoken in de haard en door het gezelschap dat we elkaar bieden. Maar nu is er iets verrassends: geen van ons beiden heeft het nog over het verdwenen meubilair, noch stellen we elkaar allerlei onderzoekende vragen waarvan we weten dat er later nog tijd genoeg voor is. Bijvoorbeeld: waarom heeft ze nú, na al die jaren, besloten om naar huis te komen.

5 – Het monster, de dief en de poppensoep

Twee dagen na mijn zesde verjaardag vond ik een monsterlijke rups tussen wat dood blad op het tweede terras van onze zuidelijke tuin. Hij was uitzonderlijk; zo dik als een spitsmuis en twee keer zo lang als mijn vinger, overwegend appelgroen maar bespat met vlekjes wit, paars en geel en hij had een glanzende, zwarte, scherp gehoekte staart. Ik bekeek 'm een tijdje, zoals ik dacht dat Clive zou doen. Hij zag er volgevreten uit, alsof hij elk moment uit elkaar kon barsten, op sommige plaatsen strakgespannen, op andere lubberig, en ik besefte zelfs toen, zes jaar oud, dat hij zich heel ongewoon gedroeg.

Ik had gezien hoe rupsen zich gewoonlijk op de grond gedroegen. Als belangrijke en sappige prooien voor vogels racen ze meestal doelgericht voort, waarbij ze alleen soms even stoppen om zich op te richten op hun achterpoten en de omgeving af te speuren om te zien waar hun volgende maaltje zich bevindt. Mijn rups was echter traag en sleepte zich voort over de grond, eerst de ene kant op en daarna, heel raar, de andere, en toen hij zich wilde oprichten was hij nog maar halverwege toen zijn grote, lethargische lichaam weer op de grond smakte, uitgeput door de inspanning. Zo kwam hij nergens en uiteindelijk schepte ik hem op, samen met het blad waar hij op lag, en legde hem in mijn trui die ik tot een buidel had gevormd. Terwijl ik mijn trui met beide handen vasthield, rende ik de hele weg terug naar huis om hem aan mijn vader te laten zien.

Toen ik vlak voor de deur van zijn studeerkamer was, stond ik abrupt stil, zo gebiologeerd was ik toen ik zag dat het beestje zich intimiderend naar mij oprichtte; hij strekte zich uit tot zijn volle twaalf centimeter en zwaaide met zijn pootjes, dansend in een plotselinge vlaag van kronkelende energie. En juist toen ik zo ingespannen naar hem stond te kijken, zag ik – je zult me moeten geloven – knobbelige wratten over de hele lengte van zijn rug oprijzen, die zwollen en bubbelden zoals een dikke, kokende stroop, en binnen een minuut telde ik er al acht. Toen begonnen de wratten te lekken. Ik zal je eerlijk vertellen dat ik nooit zo bang geweest ben als toen, en ik stond nog steeds als aan de grond genageld met mijn trui in mijn handen voor mij uitgestrekt, toen Clive zijn studeerkamer uit kwam. Hij zag me omlaag staren, mijn gezicht bleek van afschuw, alsof ik mijn eigen ingewanden uit mijn buik zag gulpen. Clive tuurde over me heen. 'Waar heb je hem gevonden?' vroeg hij, geschrokken noch opgetogen door hoe de rups eruitzag.

'Onder de sering,' fluisterde ik, terwijl ik mijn ogen strak op het weerzinwekkende beest gericht hield uit vrees dat hij over mijn trui omhoog zou wriemelen. Clive ging weer rechtop staan en in plaats van dat vreselijke ding van me over te nemen, begon hij een college te geven.

'Het is een ligusterpijlstaartrups,' zei hij. 'Ze houden ook van sering. En es. Hij wil zich gaan verpoppen en daarom heb je hem op de grond gevonden en niet in de struiken.'

'Nee, het is een andere,' viel ik hem streng in de rede, verbijsterd dat een expert als Clive het verschil niet kon zien. 'Ik heb heel veel ligusterpijlstaarten gezien,' zei ik, terwijl ik er schuin naar keek en mijn trui uitrekte om hem maar zo ver mogelijk bij mij vandaan te houden. Clive had er vorig jaar zelfs een paar op zolder gekweekt. 'En ze zijn groen met paars, wit en gele strépen,' zei ik, 'geen vlekken. En ze zijn glad, niet knobbelig.'

'Daarom is deze juist zo interessant,' zei hij, terwijl hij hem eindelijk voorzichtig met een zilveren opscheplepel van mijn trui plukte. 'Hij rilt, hij zweet en kijk,' zei Clive, terwijl hij een speld losmaakte die hij op zijn revers bewaarde en ermee naar wat slijm bij de anus van het dier wees, 'hij heeft diarree.' Hij keek me glimlachend aan. Hij nam hem mee naar zijn studeerkamer en ik hoopte dat hij hem misschien in het vuur zou gooien, maar in plaats daarvan kwam hij even later terug met de rups in een koektrommel, die vanbinnen bedekt was met mos en vanboven werd afgesloten door glas. Hij zette mij op de trap voor zijn studeerkamer en plaatste het trommeltje op mijn schoot zodat ik de rups door het glas kon bekijken.

'Als je iets interessants wil zien, moet je goed blijven kijken,' instrueerde hij.

En zo zat ik de volgende twee uur als gebiologeerd op de trap voor Clives studeerkamer met de trommel op mijn schoot. De rups werd geleidelijk donkerder van kleur en weldra zag ik hoe hij zichzelf spontaan kapot scheurde; hij begon achter zijn kop en reet zich vervolgens verder open, helemaal tot tussen zijn ogen, waarna de huid aan weerskanten van hem wegviel en de glanzende, mahoniekleurige pop eronder onthulde. Terwijl de huid van hem af bleef vallen, werden de paren pootjes, die zo even nog hadden gelopen, op slag levenloos en hingen slap omlaag, als een afgeworpen kostuum. Daar was niets ongewoons aan – ik had heel vaak rupsen zich zien verpoppen – maar hij was halverwege toen ik iets nieuws begon te zien. De glanzende nieuwe onderhuid van de rups begon overal open te barsten in kleine uitstulpinkjes, een voor een, een sneetje hier, een sneetje daar, en toen overal, en uit die gaten plopten de kronkelende, spitse kopjes van de larven van een heel ander dier, kleine doorschijnende maden die zich hongerig te goed deden aan de rups en het lichaam levend, van binnenuit opvraten. Ik bleef kijken, niet in staat me los te maken van het smerigste feestmaal dat je je kon voorstellen, en zag hoe die kleine larven zich niet alleen met rups vol schransten maar ook elkaar als het even kon gretig opvraten.

Die larven hadden zich weldra op hun beurt verpopt en onder het glas van de koektrommel wemelde het van de vliegen, met het lichaam van de voormalige ligusterpijlstaartrups half opgevreten door de vergeten voorouders van de vliegen. Later vertelde Clive me dat het sluipwespen waren, dat hun moeder de huid van de ligusterpijlstaartrups had doorboord en haar eitjes erin had gelegd, opdat die na het uitkomen geen tekort aan voedsel zouden hebben. De rups was een levende pick-nickmand geworden.

Dat gedenkwaardige moment op mijn zesde wond me der-mate op en deed me zo walgen dat ik sindsdien gefascineerd ben door deze diertjes. Vivien had geen interesse voor motten, dus was het altijd ik en niet zij die Clive hulp aanbood tijdens de drukste gedeelten van het jaar, en ik en niet Vivi die hem volgde in zijn beroep. Clive zei me vaak dat ik een geweldige lepidopterist zou worden. 'Je hebt het in je bloed,' zei hij dan. 'Niemand kan jou dat afpakken.'

Hij bleek gelijk te hebben. Maar pas een paar jaar later, tij-dens Mauds jaarlijkse oogstborrel, werd het me echt duidelijk dat het mijn roeping was. Ik ben altijd een gesloten persoon geweest en ik heb nooit van feestjes gehouden, dus had Maud me zoals gewoonlijk opgedragen mensen nootjes aan te bieden uit een hoge glazen schaal en zo liep ik rondjes door de kamer, hopend dat ze me zouden negeren. Oogcontact met mensen buiten mijn familie vond ik toen al bijna onverdraaglijk, dus in plaats daarvan tuurde ik, terwijl ik de glazen schaal voor me uit stak naar elk groepje feestgangers, naar de handen die de noot-jes uit de schaal namen, alsof ik hun porties registreerde.

Toen ik bij Mrs Jefferson, de vrouw van de rector, aankwam, herkende ik haar onmiddellijk vanaf haar middel tot de grond. Ze was een mollige, verweerde, laarzen-en-rok soort vrouw die, als ze ergens een mening over had, deze ook kenbaar maak-te. Ze zou het onbeleefd hebben gevonden om me te negeren, dus vroeg ze me, terwijl ze met haar vingertoppen vier nootjes nam, wat ik wilde worden als ik groot was. Ik vond Mrs Jeffer-son aardig en ik zou haar natuurlijk altijd een antwoord heb-ben gegeven, maar ik had geen idee wat ik later wilde worden; ik had er nooit over nagedacht. Ik bestuurde nog steeds het ele-gante matte randje van de glazen schaal, zoekend naar een ant-woord, toen Maud me vóór was – ze antwoordde vaak voor me – en zei: 'Deze hier? Die treedt in haar vaders voetsporen.'

Mrs Jefferson bukte zich zodat ik iets naar achteren moest om haar ruimte te geven.

'Dus het worden de nachtvlinders, Virginia?' vroeg ze ter hoogte van mijn oor. O ja? dacht ik.

'Ja, nachtvlinders,' antwoordde Maud resoluut ergens boven ons. Mrs Jefferson kwam weer overeind en ik ging wat van mijn nootjes aanbieden aan het kluitje mensen bij het raam.

Vanaf die dag leek iedereen te weten dat dat mijn bestemming was. Nu Maud het gezegd had lag de toekomst muurvast. Dus toen Vivi en ik later van Lady Mary's meisjeskostschool waren gegooid, was het een uitgemaakte zaak, een algemeen erkende verwachting, zelfs door mijzelf, dat ik mijn vaders leerling zou worden.

Vivi was vijftien toen ze van school werd getrapt omdat ze een paar bananen uit een doos naast het bestelbusje met fruit had gepikt toen dat de schoolkeuken kwam bevoorraden. Ze voerde aan dat ze ze alleen een beetje eerder had dan ze ze anders zou hebben gekregen maar miss Randal, het schoolhoofd, zag dat anders. Randy had uitgedokterd dat het hier om een langetermijnplan ging, waarbij Vivi elke week de levering had geklokt en notities had gemaakt over het tempo waarin de man met zijn dozen in en uit liep. Vivi was niet alleen een dief (Randy zei dat je dat wel of niet bent, het hoort bij je, zoals de vorm van je neus) maar het was ook nog een vooropgezette diefstal en er was slechts een oppervlakkig verschil tussen dit en een bankoverval (vroeg of laat leidde het een tot het ander). Het ging om het principe, zei Randy. Bij het ochtendappel haalde ze Vivi voor de hele school naar voren en moest ze tien keer 'ik ben een dief' zeggen. Vivi vond het grappig maar ik moest op de achterste rij om haar huilen en om het onmogelijke onrecht van het hele gedoe.

Maud ontving de brief die haar liegende, stelende dochter van school stuurde op een maandagochtend. Nadat ze over talloze van de smalle, door hoge heggen omzoomde weggetjes van het West Country was geraasd, stond ze tegen lunchtijd op Randy's deur te rammen en maakte ze zoveel stampij dat Ruby Morris naar 6m kwam gerend om mij te vertellen dat mijn moeder het personeel probeerde te vermoorden.

Over wat er daarna gebeurde, en waarom ik van school werd gestuurd, zal ik nooit de waarheid te weten komen. Maud zei dat ze zo woedend was over de vreselijke manier waarop Vivien was behandeld dat ze mij ook had meegenomen, als een soort straf voor hen, zei ze. Maar miss Randal vertelde me dat stelen erfelijk was en dat diezelfde eigenschap zich op een gegeven moment ook bij mij zou kunnen vertonen en het hoorde bij haar taak de school te beschermen tegen de onvermijdelijkheid van toekomstige voorvallen. Toen ik niet erg overtuigd keek, vertelde ze me dat ik, als ik de waarheid wilde weten, alleen maar op die school zat omdat Vivien er zat. We waren als een pakket gekomen, dus moesten we ook zo weggaan.

Ik was in haar kantoor en terwijl ze sprak, stond ze met haar rechtervuist leunend op haar bureau, haar arm op slot en gestrekt, als steunpunt voor haar gedrongen lichaam, heen en weer zwaaiend onder de druk van een lange en moeilijke ochtend. Achter haar hing een enorme reproductie van een olieverfschilderij: een olifant die op volle snelheid uit het canvas kwam denderen en ik verwachtte dat hij haar elk moment zou kunnen komen neermaaien.

Toen ik Maud over Randy's zusjespakket vertelde, werd ze woest, zei dat het onzin was, dat ze nog nooit zulke nonsens had gehoord en sindsdien vloekte ze nogal stevig als miss Randal ter sprake kwam. Daarna gaf ze me een preek over hoe slim ik was en wat een hoop pluspunten ik had, iets wat mijn ouders allebei regelmatig deden, moet ik zeggen. Dat soort complimenten gaven ze nooit aan Vivi.

Wat me nog het meest verbaasde was dat Maud helemaal niet boos op Vivi was omdat ze fruit had gestolen. Als je een paar bananen in een doos bij de schoolkeuken zag staan en je nam ervan zonder het te vragen, dan was dat nauwelijks een misdaad waarvoor je kon worden weggestuurd, zei ze. Ze beschuldigde miss Randal ervan dat die een excuus had gezocht om van ons af te komen. Ze zei dat de school bevooroordeeld was.

Volgens de school was ik dus ook weggestuurd maar volgens

de familie was ik uit protest en uit solidariteit met mijn kleine zusje vertrokken. Het is een van mijn meest glorieuze herinneringen.

Clive had gezegd dat we geen onderwijs meer nodig hadden, we waren zo ook al slim genoeg, dus ik wist dat ik na de lange zomer eindelijk Clives leerling zou worden.

Ik heb in mijn leven niet veel actieve keuzen gemaakt – zo'n mens ben ik niet – en ik heb me nooit verzet tegen wat het leven op mijn pad bracht, of er zelfs maar aan gedacht het een bepaalde richting op te sturen. Ik ben een van de gelukkigen die worden meegevoerd en wier leven vanzelf op zijn plaats valt. Het was alsof mijn uiteindelijke succes al aan het begin der tijden in het omvangrijke manuscript van het heelal stond gedrukt, als nietig onderdeel van de bredere big bang-/instortende sterrentheorie. Ik zou beslist beroemd worden, ook al zou ik proberen me ertegen te verzetten. Had ik je al verteld dat ik eigenlijk een tamelijk beroemde lepidopterist ben?

Mrs Jefferson zou het nooit hebben voorspeld; Vivi was degene die iets zou gaan maken van het leven dat ze bijna verloor toen ze acht jaar oud was, niet ik. Ik rolde er vanzelf in en nu zal mijn naam nog vele jaren worden gehoord; hij zal worden gefluisterd in de gangen van een of ander vooraanstaand instituut; men roemt mijn artikelen of mijn deskundigheid in praktijkexperimenten, de diepe inzichten van mijn conclusies of de scherpzinnigheid van mijn hypothesen. Ik hoop dat je me niet onbescheiden vindt als ik me voorstel dat die lof zich nu over de wereld zal hebben verspreid tot in de hoogst gewaardeerde entomologische kringen, in de toonaangevende universiteiten, genootschappen en andere elitaire academische instellingen. Zelfs hier, in de kleine boerengemeenschap van Bulburrow, hebben ze van mijn reputatie gehoord. Ik geloof dat ik hier gewoonlijk de Mottenvrouw genoemd word, naar wijlen mijn vader, de Mottenman.

Clive trad niet direct in het voetspoor van zijn schoonvader. Volgens mij was Clive de eerste van een nieuw lepidopteristenras. Hij was géén verzamelaar en hij wilde ook niet als zodanig worden beschouwd. Verzamelaars willen een verzameling voltooien. Sommigen willen alle soorten uit een bepaalde streek opspannen, anderen willen juist één soort uit alle delen van het land, terwijl weer anderen op zeldzaamheden jagen. Zolang de exemplaren kunnen worden samengebracht onder een of andere verenigende classificatie, en de hoeveelheid in die categorie een eindig aantal betreft, dan zal die groep zonder twijfel worden verzameld.

Clive had een ander oogmerk dan zijn collega's. Verzamelingen interesseerden hem niet en – onder ons gezegd en gezwegen – hij gaf ook niet veel om insecten. Clive wilde ontdekken hoe de natuur wérkte. Hij was geïnteresseerd in alle natuur maar hij had de mot tot onderzoeksobject gekozen omdat het, zoals hij zei, een oud dier is, waarvan de evolutionaire herkomst nog van veel vroeger dateert dan die van de vlinder, die, biomechanisch gezien, veel geraffineerder is. Hij wilde weten hoe een mot werkte, hoe al zijn ingewikkelde kleine procesjes het ding lieten leven, sterven, zich voortplanten, eten, bewegen, vervellen en metamorfoseren.

Er was een fundamenteel verschil tussen de manier waarop verzamelaars en Clive (en mensen zoals ik die na hem kwamen) deze insecten bestudeerden. Verzamelaars hebben één doel gemeen: ze zoeken naar het perfecte, onveranderde exemplaar, met een foutloze tekening en anatomische samenstelling. Een insect met een afwijking – bijvoorbeeld een vlekje te weinig, een vlekje te veel of een andere imperfectie of handicap – zou meteen worden afgedankt. Zo zou mijn zieke ligusterpijlstaartrups, die ik vond op de derde dag dat ik zes jaar was, door een verzamelaar linea recta en vol walging in het vuur zijn gegooid.

Om uit te vinden wat een mot tot een mot maakt, richtte Clive zich niet op de perfecte exemplaren. Destijds, in dat trage naoorlogse tijdperk, besefte hij eerder dan al die anderen – Thomas Smith-Ford, Robin Doyle en de gebroeders d'Abbrette – dat we de onvolmaaktheden van de natuur moesten bestuderen om de geheime codes van de erfelijkheid, en genetica en andere biologische mechanismen te ontrafelen. Clive zei altijd dat je meer over een machine ontdekte als het ding haperde en voor hem was dat ook zo ongeveer wat een mot was: een kleine robot die ooit zou kunnen worden teruggebracht tot zijn biomechanica, een formulaire vergelijking. Je kon elk onderdeeltje eruit halen en op tafel uitspreiden, zoals de onderdelen in een bouwpakket. Hij wilde de totale formule van de mot, zoals

$$5x + 2y + 11z + \text{(alle andere samenstellende delen)} = \text{Mot}$$

Clive zou een mot uit elkaar halen als een trui met borduursel, dus waar hij totaal geen interesse had voor perfecte insecten, raakte hij hevig opgewonden door een zesvlekkige sint-jansvlinder met vijf vlekken, een vleugelloze veelvraat, een staartloze eekhoorn, een blinde hageheld of een tongloze windepijlstaart (iets wat een veelvoorkomende deformatie bij die soort is, moet ik zeggen). Als je erachter kunt komen wat er bij hen is misgegaan, zei hij, dan zou je veel meer ontdekken over hoe de natuur werkte.

Terwijl de meeste lepidopteristen zich toelegden op het kweken van het perfecte insect, legde Clive zich toe op het kweken van het perfecte gedrocht. Clive en ik hebben meer misbaksels ontworpen en geproduceerd dan ik me kan herinneren. Gedurende ons beider lange carrières hebben we tijdens de lente honderden, misschien wel duizenden 'verstoorde omstandigheden' (zoals ik ze graag noem) opgesteld, waarbij we een hele zolderkamer wijdden aan experimenten met misvormingen. Soms hadden we een bepaald doel voor ogen, bijvoorbeeld het kweken van een bepaalde afwijking bij de lindepijlstaart, maar vaak rommelden we gewoon wat met ongunstige omstandigheden en legden we de afwijkingen vast die daaruit ontstonden, waarbij we naar patronen zochten en naar inzicht in de geheimen van de natuur. Als een onduidelijke god hebben we hun hele winter getransformeerd, of we veranderden de omstandigheden tijdens hun verschijning, we gaven ze vroege zomers, late vorst, overstromingen. We gebruikten vaseline om hun ademspleetje te verstoppen en hun zuurstoftoevoer af te sluiten; we doorboorden hun hoornachtige omhulsels, lieten ze tijdens de winter bevriezen of verschijnen in onnatuurlijke lichtspectrums. We hebben ze in alle mogelijke combinaties van chemicaliën uit ons lab gedompeld, besprenkeld of geweekt; we hebben hun vleugelschilden afgesneden; hun takjes, hun mos of hun modder verwijderd. Maud vond dat experimenten met gedrochten een zieke vertoning van wetenschappelijke perversie was en Vivi noemde het de Frankensteinkamer.

Een mot is zo'n simpele machine in het dierenrijk – een skelter in verhouding tot de moderne auto – en er zijn veel kinken in de kabel nodig om te voorkomen dat hij loopt. Het is die intrigerende eenvoud, het idee dat je de samenstellende delen uit elkaar kon trekken en hem dezelfde regenachtige dag weer in elkaar kon zetten, dat als je zijn vel wegtrok, je kon zien hoe het binnenwerk liep, dat die mot zo'n boeiend schepsel maakt om te bestuderen. Motten hebben een universele aard: er zijn geen individuen. Ze reageren stuk voor stuk op een voorspelbare en herhaalbare manier op een bepaalde omstandigheid of prikkel. Het zijn voorgeprogrammeerde robots, die niet kunnen leren van ervaring. We weten bijvoorbeeld dat ze altijd op dezelfde manier zullen reageren op een geur, een feromoon of een bepaald lichtspectrum. Ik kan de geur van een bloem nabootsen zodat een mot op die geur zal afkomen, zelfs als ik ervoor heb gezorgd dat hij dan regelrecht op een muur afgaat en zichzelf doodvliegt. Elke keer zal elke mot zich doodvliegen. Het is die consistentie die hen tot een wetenschappelijk feest maakt. Je hoeft geen apart element van individualiteit in te calculeren.

Hoewel een mot complex genoeg is om een uitdaging te zijn, is hij ook weer niet te complex om in alle fasen op succes te rekenen. Clive, die de onderdeeltjes ervan had teruggebracht tot op een bijna moleculair niveau, tot een reeks spontane reacties, had zichzelf ervan overtuigd dat het niet lang zou duren voor we al hun combinaties van oorzaak en gevolg zouden kunnen voorspellen en daarna misschien zelfs elke cel in kaart zouden kunnen brengen en hen in hun geheel zouden kunnen vorm-geven als robots, in termen van moleculen, chemische stoffen en elektrische signalen. In Clives obsessieve geest was het dus niet onvoorstelbaar dat we op een dag in de niet al te verre toe-komst hun complete chemische formule zouden kennen. En deze ene obsessie werd gevoed door Poppensoep.

Als je midden in de winter een cocon doorsneed, liep er een dikke, romige vloeistof uit en verder niets. In de herfst gaat er een rups die cocon in en in de lente komt er iets totaal anders uit: een mot, compleet met papierachtige vleugels, pootjes als haren en voelsprieten. Maar datzelfde schepsel brengt de win-ter door als een grijsgroene vloeistof, een oersoep. De wonder-baarlijke afsmelting van een dier tot een omhulsel met vloei-bare chemische stoffen en zijn prachtige wedergeboorte in een ander dier, was een feit dat Clives obsessie eerder als een ont-zagwekkende puzzel voedde dan hem ontmoedigde. Hij meen-de dat dit zijn grote ambitie alleen maar makkelijker maak-te omdat het, hoe ingewikkeld ook, sléchts een puzzel was en voor Clive betekende dit dat het mogelijk was. Want alle che-mische stoffen die nodig waren om een mot te maken zaten er-in, pal voor zijn neus, in de Poppensoep, zoals hij het noemde, in het hoornachtige omhulsel van een cocon. Zijn fixatie op de onbekendheid van de inhoud van een cocon beleefde elke win-ter een piek en bracht hem ertoe talloze uren op zolder door te brengen met het ontleden en het achterhalen van de biochemi-sche formule van zo veel mogelijk chemische verbindingen in de cocon en de veranderende moleculaire toestand ervan tij-dens de transmutatie.

Ik denk dat de chemische samenstelling van de Poppen-soep hem uiteindelijk gek heeft gemaakt, hem heeft verteerd en ten slotte heeft gevloerd. Want weet je, Clive twijfelde er niet aan dat hij op aarde was om iets te ontdekken, om ons te on-derwijzen, de wereld vooruit te helpen. Het was voor hem on-denkbaar dat zijn bestaan geen hoger doel diende, dat het even waardeloos kon zijn als de levens van de diertjes die hij bestudeerde naar zijn opvatting waren. Mijn familie was fanatiek. Ze leken uiteindelijk allemaal ergens door verteerd te worden.

Zaterdag

6 – Methodologie

Ik ben weer wakker, voor de tweede of zelfs derde keer vannacht. Misschien ben ik wel helemaal niet ingedommeld.
Nachten zijn voor mij een eindeloze onderneming van waken
en half waken en over de overloop lopen, op jacht naar slaap.
Ik vrees het begin ervan, ken het lange pad der slapeloosheid
dat ik de komende acht uur zal moeten gaan. Ik wou zo graag
dat er een duidelijk omlijnd patroon was, maar het wordt alleen maar erger door de eindeloze onvoorspelbaarheid: ik lig
stil en overtuig mezelf ervan dat ik nog niet wakker ben geworden, dat ik nog steeds in een droom zweef en daarin kan terug-
glippen als ik wakkere gedachten buitensluit; of ik sta op en ga
ijsberen over de overloop op zoek naar de vermoeidheid die
overdag zo natuurlijk over mij komt; of ik probeer mezelf te
vermoeien met andere zorgen dan die over slapeloosheid.

Ik hoorde de klok in de nacht, luider en helderder dan ooit
tevoren – en daar luidt hij weer, hoewel ik niet weet of het echt
is. Ik hoor hem soms als het stormt, ook al hangt hij aan de andere kant van het huis; hij klinkt dan niet als een gong maar als
een ver getinkel wanneer de klepel aan de binnenkant langs de
rand schampt. Soms ook hoor ik hem in mijn slaap of als de
lucht buiten kalm en stil is. Dan weet ik dat het niet de echte
klok is maar het zwakke, niet-aflatende gebeier in mijn oren,
de echo van die enkele slag die nog altijd sinds mijn elfde in
mijn hoofd gevangen zit en daar terugkaatst, die wel zwakker
wordt maar nooit ophoudt, die zich nooit helemaal laat absor-
beren; de slag die ik hoorde toen ik haar zag vallen.

Ik vind het geluid onverdraaglijk. Ik merk dat het helpt om
aan positieve dingen te denken. Ik herinner mezelf aan waar ik

goed in ben, waar ik om bekend ben. Had ik je verteld dat ik een behoorlijk beroemde – ja , zo mag ik mezelf toch wel noemen – wetenschapper ben?

Deze nacht is bijzonder onrustig geweest. Ten eerste ben ik uitgeput wakker geworden, alsof ik van het slapen en rusten nog moeër ben geworden. Ten tweede is er een vloed aan lang vergeten herinneringen mijn hoofd binnengedrongen die zich een weg naar het oppervlak hebben gekrabbeld en de voorgrond van mijn geest in beslag hebben genomen. Ik sta doorgaans niet graag stil bij het verleden. Ik heb altijd gedacht dat je je ouderdom versnelt zodra je het verleden meer ruimte van je gedachten toestaat dan het hier en nu. Maar ik kan je zeggen dat ik me sinds Viviens komst gisteren dingen van een halve eeuw geleden veel helderder herinner dan wat ik vorige week heb gedaan, alsof haar aanwezigheid hun de moed gaf uit het verleden omhoog te kruipen. Ik heb aan dingen gedacht waar ik niet meer bij heb stilgestaan sinds ze plaatsvonden. Niets belangrijks en vaak slechts vluchtige, onherkenbare momenten die naar mijn aandacht dingen en hoogst vermoeiend verward en chaotisch worden in mijn geest. Mijn kindertijd, mijn familie, school, en dan heb je nog de spelletjes waarvan ik me net herinnerde dat ik ze altijd met dokter Moyse speelde, kaartspelletjes die hij zelf had bedacht. Ik kan je niet vertellen of het echt was of dat het iets was wat ik had gedroomd, maar ik herinner me hoe de herinneringen eraan me kwelden. Ik voel dat we vaak speelden. Op verschillende tijden, verschillende plaatsen: in de keuken en het is zonnig buiten; gewikkeld in een plaid in de zitkamer terwijl het hagelt of sneeuwt; op de bank in de bibliotheek. Ik zeg het niet, maar die spelletjes zijn nogal saai en Vivi mag nooit meedoen. Het is privé. Ze mag niet eens toekijken. Maud brengt me koekjes, ze woelt door mijn haar, ze kijkt over onze schouders.

Hoewel ik weet dat dokter Moyse vond dat ik niet erg goed was in die spelletjes, had hij er altijd meer plezier in dan ik.

Het voelt alsof Vivien al eeuwen thuis is, maar ze is pas gisterenmiddag gekomen, precies vijftien uur en dertien minuten geleden. Ik heb haar vannacht gehoord, twee keer, geloof ik. Ik weet zeker dat ik haar naar de keuken heb horen gaan en daarna floot de ketel, dus ik mag aannemen dat ze een kop thee voor zichzelf heeft gezet. Thee met veel melk, is me opgevallen. Zoals zij hem graag heeft, zou ik hem onmogelijk kunnen drinken; hij heeft amper een zweempje kleur. Ik vraag me af of Vivien 's nachts even rusteloos is als ik en of we elkaar ooit op een van onze nachtelijke uitstapjes zullen tegenkomen en nog een eigenschap die we delen ontdekken. Vervormde vingers en nachtelijk ronddolen. Ik weet alleen maar dat ze volgens het klokje naast m'n bed om 00.55 uur is opgestaan om thee te zetten en daarna nog eens om 03.05 uur, toen ze naar het toilet ging, of liever, toen ze klaar was op het toilet. Ik heb haar toen niet horen opstaan, maar nadat ze had doorgetrokken, hoorde ik vanuit mijn bed het water door de leidingen op de overloop spoelen in zijn race naar beneden via de pijp in mijn badkamer.

Ik reik naar mijn wekker en druk de lindegroene knop bovenop in om hem te verlichten. Te midden van het spookachtige fluorescente schijnsel van zijn wijzerplaat geeft hij 05.03 uur aan. Een welkome vooruitgang in de nacht. Als het half vijf is geweest, heb ik het gevoel dat ik in de laatste etappe zit, dat ik nu weldra naar de dageraad kan kijken en luisteren, die me naar het begin van de dag stuwt. Maar vóór half vijf weet ik dat ik mezelf nog een keer bij mijn bewuste zelf moet proberen weg te halen voor de nacht voorbij is.

Ik heb het misschien al gezegd, maar ik ben buitengewoon gespitst op de tijd. Vroeger was dat niet zo, maar toen ik wat ouder werd, ben ik gaan beseffen hoe belangrijk die is. De tijd bijhouden, op tijd komen en weten hoe laat het is. Tijd is m'n kompas. Tijd en Orde. Alle dingen hebben een orde en mensen zouden ordelijk moeten zijn, en ik vind dat orde in de meeste gevallen een zeker tijdselement vergt.

Ik heb zes klokken: een horloge aan beide polsen (digitaal links, met wijzers rechts), een klokje naast m'n bed, een scheepsklok in de keuken, een staande en een hangklok in de hal (die allebei achterlopen, maar liefst vier minuten per week, en die op zondag verzet en opgewonden moeten worden). Ik vind het fijn om te weten dat ik, wanneer ik maar wil, de juiste tijd kan aflezen en als ik dat niet kan, raak ik van slag en maak ik me zorgen over de volgende keer dat Michael komt en ik het kan controleren. Er zitten soms een paar weken tussen zijn bezoeken en ik zie hem niet altijd. Michael komt alleen in die gedeelten van het huis waar flagstones liggen – de keuken en de voorraadkamers – en hij komt altijd via de achterplaats binnen, nooit door de voordeur. Het is geen regel van mij – het moet er een van hem zijn – maar als ik boven aan het rusten ben zal hij me niet storen en kan ik hem wel eens missen.

We hebben allemaal onze eigenaardigheden, zeker op mijn leeftijd. Sommige mensen ontwikkelen bij het ouder worden een vrees voor seniliteit, anderen voor invaliditeit, geheugenverlies, verwarring, waanzin. Waar ik bang voor ben, is tijdloosheid, een gebrek aan structuur in mijn leven, een eindeloos Nu.

In het schemerlicht kan ik net de weinige vormen in mijn slaapkamer onderscheiden: de kale vurenhouten kast met vier diepe laden waar ik wat kleren in bewaar; het mahoniehouten nachtkastje (met lade), dat bijna klaar is met het afschudden van z'n fineer, en een oude rieten leunstoel, wit, die ooit een groen met wit gestreept kussen had. Hij staat vlak naast de badkamerdeur, maar met de voorkant naar de muur omdat ik de hoge rug gebruik als rustpunt op mijn tocht van mijn bed naar de badkamer op die ochtenden dat het me niet in één keer lukt. Verder staat hier alleen nog het reusachtige eikenhouten bed waar ik in lig, dat ik van Maud en Clive heb geërfd; het komt tot mijn middel en heeft gotische klauwpoten.

Het licht gulpt nu door de rij ramen met verticale stijlen in de zuidmuur tegenover me. Nieuwe ranken aan de wilde wingerd geven een griezelig silhouet; ze wijzen naar me met een jong, brutaal air. Het is uitputtend om naar ze te kijken zoals ze daar opgekruld als de tong van een kameleon klaarliggen om zich uit te rollen en naar het volgende steunpunt in hun lente-invasie van mijn kamer te schieten. Er zijn nu vijf ruitvormige glasruitjes uit het bovenste stuk van het meest rechtse venster (pal tegenover mijn bed) gebroken of uit hun lood gevallen. Ik heb het niet zien gebeuren; ik werd gewoon op een winterochtend wakker en voelde een extra tocht door de kamer gaan. Het is alsof alle elementen van de natuur samenwerken om een oud, verwaarloosd gebouw langzaam – onmerkbaar, zelfs – naar zijn ondergang te voeren, waarbij de regen, de vorst en de wind op een of andere manier de toegang voor binnendringende planten veiligstellen.

Het is twee minuten over zeven als ik het zachte gepiep hoor van de dubbele klapdeuren die haar overloop van de mijne scheiden, gevolgd door hun gefluister als ze elkaar bij het terugklappen passeren. Ik zie Vivien voor mijn geestesoog de trap af komen en omdat ik weet welke treden kraken, kan ik haar snelheid en voortgang inschatten. Even later hoor ik de waterleidingen in huis bonken en dreunen, wat ze altijd doen als je eerst de koude kraan in de keuken opendraait. Het is vreemd om na al die jaren iemand anders in huis te hebben en ik ben te moe om op te staan en naar haar toe te gaan, te moe om een ander mens aan te kunnen.

Ik ben overdag altijd moe. Soms, en vooral in de winter, blijf ik de hele dag in bed en ben dan heel tevreden alleen met mijn gedachten, ongestoord en onopgemerkt. De volgende dag betaal ik daar natuurlijk artritisch voor. Ik heb gemerkt dat de soepelheid van mijn gewrichten 's ochtends, en de pijn erin, direct gerelateerd zijn aan de hoeveelheid oefening die ze de dag ervoor hebben gehad – in de orde van meer oefening, minder pijn. En het weer, natuurlijk. De schommelingen en de seizoenen kondigen zich diep in mijn gewrichten aan. Ik zweer je dat ik veranderingen in de luchtdruk veel eerder voel dan het kwik, en mijn voorspellingen kloppen altijd. Maar mijn instinct voor het weer is meer dan een fysieke aankondiging. Ik voorspel het al mijn leven lang als noodzakelijk onderdeel van mijn beroep: het leven van een mot is haarfijn afgestemd op het naderende weer en het is vaak het gedrag van de motten zelf dat mij de eerste en meest onfeilbare aanwijzing voor een naderende droogte geeft.

Geloof me, ook al zie ik nu buiten slechts een deken van lage wolken, toch voel ik dat de lente er aankomt, vol vernieuwde energie.

Er wordt op mijn deur geklopt.

'Goedemorgen,' zegt Vivien en ze scharrelt zonder op een uitnodiging te wachten de kamer binnen met een dienblad met twee kopjes thee erop.

'Ik zal de gordijnen maar niet opendoen,' zegt ze.

'Er zijn geen gordijnen.'

Ze lacht schor, maar slikt dat dan opeens in. 'Het was een grapje, Ginny,' fluistert ze.

Natuurlijk was het een grapje. Het verbaast me dat ik het niet oppikte. Ik heb in geen tijden een grapje gemaakt.

'Je hebt echt te lang alleen geleefd,' zegt ze, alsof ze mijn gedachten heeft gelezen. Haar gezicht is weer keurig opgemaakt. Maud heeft geprobeerd me te leren hoe je make-up opbrengt maar ik heb nooit begrepen waarom dat nodig was. Ze zei altijd dat ze zich naakt voelde zonder en ik heb haar met natuurlijke lippen nooit verder dan haar slaapkamer zien komen. Ze waren altijd rozerood.

'Ik heb thee voor je,' zegt Vivien. Ik zie de thee als een zoenoffer, de meubels zijn vergeten. Ze blijft midden in de kamer staan en heel even denk ik dat ze naar mij staat te kijken, maar als ik rechtop ga zitten besef ik dat dit niet zo is. Ze bestudeert het bed, het hoge eikenhouten hoofdeinde achter me – bijna zwart door jarenlang boenen – met zware, achthoekige hoekpalen en fleur-de-lispinakels. Het is een van de weinige oude meubelstukken die nog over zijn en hoewel ik ook vind dat het oude bed van Maud en Clive nogal bizar is, ligt het wel enorm lekker. Het is moeilijk om een bed op te geven waar je aan gewend bent geraakt.

'Waar zal ik hem zetten?' vraagt ze, terwijl ze haar aandacht abrupt weer op het dienblad in haar hand richt.

'Waar je maar wilt.'

'Je hebt meer oppervlakken nodig,' merkt ze vaag op, terwijl ze om het bed heen loopt om het dienblad op het nachtkastje aan de andere kant te zetten. Daarna veegt ze met haar hand over de bovenrand van het robuuste hoofdeinde en kijkt naar het warrelige stof dat zich in haar handpalm heeft verzameld. Ze trekt een vies gezicht. 'Je houdt misschien niet van rommel, Ginny, maar *flup* vind je niet erg,' waarmee ze me aan Vera's kooswoordje voor stof herinnert terwijl ze het flup afveegt aan haar kamerjas. 'Ik zal het huis een keer een grondige beurt moeten geven. Heb je goed geslapen?'

'Ik moest steeds denken aan dingen die we altijd deden toen we klein waren, dingen die ik vergeten was,' zeg ik.

'O. Hopelijk was het leuk.'

'Inderdaad,' zeg ik. 'Maar toen herinnerde ik me de kaartspelletjes met dokter Moyse.'

'Kaartspelletjes?'

'Ja, als dokter Moyse en ik...' maar Vivien onderbreekt me.

'Allemachtig!' roept ze uit. 'Je hebt toch niet nog steeds die rare dromen over dokter Moyse?'

'Ik heb er eigenlijk heel lang niet meer aan gedacht.'

'Nou, ik vind het vervelend voor je,' zegt ze, terwijl ze met een plof op mijn voeteneinde gaat zitten.

Ik ben licht geschokt. Ze deed het zonder na te denken, alsof het vanzelf ging, maar ik heb de afgelopen pakweg veertig jaar nu niet bepaald iemand gehad die op mijn bed kwam zitten. Ik weet eigenlijk niet of ik het wel leuk vind. Ik wil graag dat ze daar zit maar ik vraag me toch af hoe lang het zal duren voor ik de lakens weer rechtgetrokken zal hebben. Ik ben pietluttig als het om lakens gaat.

Vivien speurt de lege kamer af die ooit van onze ouders was. Het is een mooie kamer, gelegen op het zuiden, met een hoog plafond en een eikenhouten vloer die door ouderdom westwaarts afloopt, dus ik moest drie *British Country-*

side-tijdschriften onder de poten van mijn bed proppen om het horizontaal te maken. Destijds was hij allesbehalve leeg. Hij stond tjokvol met antieke meubelen, schilderijen en foto-lijstjes, vergulde spiegels, schalen met potpourri en geverniste sierkalebassen, een verzameling opgezette zeevogels op een plank boven de schilderijenrail, slordige kleren en allerlei rommel.

De ramen, die nu kaal zijn, waren ooit omkranst door dikke gordijnen van groene zijde en de grote bordeauxrode zomerklokjes, die uitbundig over het behang dansten, zijn nu verschoten roze en onder de hele breedte van de vensterbanken en in de hoeken van de kamer versierd met een reeks watervlekken, alsof een hond er zijn geurvlag heeft geplant. Op sommige plaatsen heeft het papier helemaal losgelaten en onthult het een vochtig, poederachtig pleister dat af en toe los gaat zitten en dan in een grote lawine omlaag stort. Het is geen oninteressant tijdverdrijf om te kijken naar het voortschrijden van het vocht door de muren, het afbladderen van de verf op het plafond en de opmars van de wilde wingerd over de muur en door het raam.

'Herinner je je de kroonluchter?' vraagt Vivien, terwijl ze omhoogkijkt naar de eenzame koperen haak die midden in een weelderige krans van blad en rozen hangt, het pronkstuk van het pleisterwerk van het plafond.

De kroonluchter was zelfs voor zo'n grote slaapkamer gigantisch; hij strooide zijn geluk brengende stralen de kamer in, ving het licht van de vensters en brak het, stuurde het, combineerde en reflecteerde het, niet beschroomd om zijn beheersing van de wetten der refractie te tonen. Maud had hem uit de nog grotere en statigere salon beneden gehaald, waar hij, zoals ze terecht dacht, nauwelijks werd opgemerkt en toen het naar haar zeggen mode was om wandlampen te hebben. Maud hield van stevige uitspraken, niet van zwakke.

'Mis je hem niet?' zegt Vivien weer, maar voor ik de kans heb te zeggen dat ik dat niet doe, gaat ze verder: 'Weet je nog dat Maud ons hier liet liggen als we ziek waren? Ik heb uren naar die kroonluchter liggen staren en stelde me dan voor dat het twinkelende licht zou helpen me beter te maken.'

'Heus? Ik dacht altijd dat hij op het punt stond boven op me te vallen,' zeg ik. 'Ik lag voortdurend naar die haak bovenaan te kijken en probeerde te ontdekken of hij het zo dadelijk zou gaan begeven. Uitputtend.' Ik zucht: 'En dan die sprei van nepbont van ze. Herinner je je die nog?'

'O, dat ding,' zegt ze. 'Vreselijk. Ik ben heel blij dat je hem hebt weggedaan. Ik dacht altijd dat hij wemelde van de luizen.'

Maud had zich prettig gevoeld tussen haar kleren en rommel en dus was de kamer, net zoals de rest van het huis, statig en rommelig tegelijk, vol warmte en eigenheid. Clive, die een iets strengere persoonlijkheid had, had geleerd de bende te negeren; of eigenlijk dacht hij er maar liever niet over na, aangezien hij altijd op het punt van allerlei belangrijke wetenschappelijke ontdekkingen stond.

Mijn beide ouders zeiden dat ze op het moment dat ze elkaar zagen, wisten dat ze voor elkaar bestemd waren, hoewel ze meestal elkaars tegenpool leken. Toen Mauds vader een slimme jonge chemicus, Clive Stone genaamd, in dienst nam als leerling, hielden Maud en Clive er volgens alle verhalen vervolgens een jaar lang een geheime relatie op na. Toen ze trouwden, ging mijn grootvader met pensioen en aangezien zijn vrouw een paar jaar eerder aan tuberculose was overleden, verhuisde hij monter naar een van zijn jachtgronden – Brazilië – waar hij de rest van zijn dagen sleet met het achtervolgen van zeldzame vlinders en mooie vrouwen. Clive verhuisde naar het huis van zijn schoonvader en zette de bevordering van onze kennis over de mottenwereld voort binnen de zolders, kelders en bijgebouwen van Bulburrow Court. Maud plaagde hem er soms mee en zei dan dat hij met de zolder was getrouwd en haar er gratis bij had gekregen, gezien de enorme hoeveelheid tijd die hij er in zijn eentje rondscharrelde.

Ze zeiden dat het hun liefde voor natuurbehoud was – lang voor dat in de mode kwam – die hen had samengebracht, maar ik denk dat ze zelfs daarvan ieder een andere benadering hadden. Maud hield van de natuur. Elk diertje en plantje moest gekoesterd worden en het wonder van de natuur was iets wat behouden moest worden. Ze was een pionier op het gebied van natuurbehoud en zag reeds in de jaren dertig in dat we de natuur moesten helpen door natuurlijke habitats te cultiveren en aan te planten, in plaats van aan te nemen dat de natuur zichzelf wel zou redden. Van al die habitats bracht ze de meeste tijd door in haar weiden en besprak die uitgebreid met de tuinlieden: wanneer het zaad geoogst en waar het gezaaid moest worden, welke grassen woekerden en gesnoeid moesten worden. Zo nu en dan kwam ze thuis uit een ander deel van het land waar ze een paar hooibalen van een nieuwe soort die ze wilde had gehaald, zoals peen of ratelaar, of een nieuw type knolspirea. Vervolgens ging ze op een dag zonder wind door de weiden banjeren om het hooi rond te strooien, in een poging het gras ermee te infiltreren.

Clive was eerder gefascineerd door de natuur dan dat hij ervan hield, alsof hij het wonder wilde behouden om het te kunnen ontrafelen. Samen veranderden ze de tuinen en landerijen van Bulburrow in een ecologisch toevluchtsoord waarin ze alle mogelijke soorten habitat creëerden – moeras en weide, bos en heuvelland, heide en veen – en dat ze in de loop der jaren voorzagen van berken, en elzen, en wilgen, iepen, linden, populieren en pruimenbomen, meidoorn, kamperfoelie, sleedoorn en liguster. Elke centimeter werd overgegeven aan iets wat een mot, een rups of een pop nuttig of smakelijk zou kunnen vinden.

De reuzen van de familie, de pijlstaartvlinders, werden dus gelokt met linden voor de lindenpijlstaart, dennen voor de dennenpijlstaart, populieren en espen voor de populierpijlstaart en voor de ligusterpijlstaart liguster, es en sering. De vierenhalve hectare weideland die van de tuin naar de beek liepen, waren gediensdig aangelegd voor grasliefhebbers zoals de spinselmotten en de drinkers, wier harige zwarte rupsen je op warme lente-ochtenden gemakkelijk luidruchtig de dauw van het hoge gras kon horen zuigen. Bij de beek werden moerasplanten geïntroduceerd om het goudvenstertje en de grauwe monnik te voeden, de hermelijnvlinders en kleine hermelijnvlinders kregen wilgen, terwijl er verscheidene bosjes, moerassige stukjes met oude beuken, iepen en eiken onderdak boden aan eekhoorns, getande spanners, berkenspanners en wilgenhoutvlinders. Er werden met zorg pruimen- en perenboomgaarden onderhouden, niet voor hun fruit maar voor de bladeren die de rupsen van de psi-uil, de bonte bessenvlinder en ander vruchtenliefhebbers aantrokken, en op de heuvelkam in het noorden zou je duizenden feloranje en zwart gestreepte rupsen van de sint-jakobsvlinder aantreffen, en de rietspinner, de donsvlinder, de gewone gouduil en de agaatvlinder zouden er over wilgenroosjes, kruiskruid, winde en zuring dansen en fladderen, in de warmte van hun korte zomerleven.

De velden waren wild en onverzorgd gelaten en werden verstikt door onkruid; hun hagen werden overwoekerd door wilgen en walstro, bramen en sleedoorn. Een schande voor een boer maar een walhalla voor families zoals de tandvlinders, de donsvlinders en de spinners, wier wijkende bestaan ernstig wordt bemoeilijkt door het temmen van de natuur op het platteland. En de stedelijke tuinsoorten werden niet vergeten. De geometrische terrassen aan de zuidkant waren gemodelleerd en prachtig verzorgd met sering, buddleia, nicotiana, urnen met ooievaarsbek en oleander, petunia en fuchsia, wingerd en balsemien, allemaal in de hoop op een waarneming van de grote beer, het groot avondrood, de perzikkruiduil, de drietand of de uitgestrekte tong van de windepijlstaart die nectar steelt uit de rozige kelken van de plant waarnaar hij is genoemd. Zelfs die welig tierende wingerd buiten m'n slaapkamerraam, die de zuidelijke muur in de herfst diep, aristocratisch rood verft, was in de eerste plaats geplant in de hoop dat hij de schuwe doodshoofdvlinder zou aantrekken.

'Mag ik erbij komen, schat?' vraagt Vivien. 'Ik heb het koud.'
Ik knik. 'Als je wilt.'
'Eigenlijk is het ook mijn bed,' zegt ze, en ik huiver als ze de lakens en dekens naar achteren slaat en onder de randen van

het bed lostrekt om erin te stappen. Het maakt nu niet meer zo heel veel uit omdat het, als ik eerlijk ben, even moeilijk is om een kant van het bed op te maken als om opnieuw te beginnen en alles van voren af aan te doen. De lakens zijn langs de bovenrand met veiligheidsspelden aan de deken vastgespeld en moeten onderaan op een bepaalde manier worden ingestopt. Ik heb er een hekel aan als ze in de war raken en je met je voeten onder in bed kunt trappelen zonder weerstand te voelen omdat ze los zijn. Ik zou waarschijnlijk sowieso al het beddengoed afhalen en helemaal opnieuw beginnen. Het duurt 55 minuten en er is een vaste methode voor. Meestal hoef ik het maar eens in de veertien dagen te doen, als ik de lakens was. Ik weet hoe vervelend het is, dus als ik 's avonds naar bed ga, zorg ik er altijd voor dat ik tussen de lakens glijd zonder het bovenste verder naar achteren te trekken dan strikt noodzakelijk is. Als ik er eenmaal in lig en ik weer helemaal opnieuw heb gecontroleerd of ze strak genoeg zijn, lig ik heel stil. Als ik 's morgens opsta – ook heel voorzichtig – lijkt het bed nauwelijks beslapen.

Ik heb nooit nee tegen Vivian gezegd als ze bij mij in bed wilde, niet wanneer ze dat soort intimiteit aanbiedt. Toen we klein waren, kroop ze vaak bij mij in bed als ze verdrietig, eenzaam of bang voor de wind was, en dingen waarover ze met me wilde praten hadden de gewoonte om midden in de nacht bij haar op te komen, dingen die nooit tot de ochtend konden wachten. Destijds voelde ik me vereerd en nu voel ik me, afgezien van de saaie klus van het rechttrekken van de lakens, hetzelfde. Vivi wist mij altijd op een fantastische manier het gevoel te geven dat ik bijzonder was door te doen alsof haar wereld en de mijne vanzelfsprekend één waren, zonder barrières ertussen.

'Ginny en ik gaan wandelen,' kondigde ze altijd aan, zonder mij iets te vragen, maar het gaf mij het gevoel dat ik speciaal, uit een wereld vol mensen, was uitgekozen om met haar te gaan wandelen.

Dus als Vivi vraagt of ze bij mij in bed mag, is dat geheel

mijn voorrecht. Ze nestelt zich op wat vroeger Mauds kant was, rolt haar lichaam op tot een balletje, zoals het meisje dat ze vroeger was. Haar hoofd rust op haar bovenarm terwijl haar hand omhoogreikt en haar vingers kinderlijk de panelen met gotisch houtsnijwerk op het hoofdeinde achter haar aftasten, alsof ze die als een blinde leest. Heel even dwaalt ze met haar vingers af in haar gedachten. Ik bedenk dat voor elke minuut die ik met haar doorbreng ik steeds minder van de oude vrouw zie die gisteren op mijn stoep stond en steeds meer van het kleine meisje dat ik altijd heb aanbeden.

Ik bestudeer haar terwijl ze naast me ligt. Wat nog het meest is veranderd, zijn haar ogen. Ooit waren ze stralend en intens blauw, bezaaid met natuurlijke zilveren spikkels die hen lieten twinkelen, zo stralend en levendig en hypnotiserend als het meisje zelf. Maar nu zijn ze vervaagd tot een zwak grijsblauw, mat geworden door het leven dat ze hebben gezien.

'Woont er nog iemand die ik ken in het dorp?' vraagt ze ten slotte.

'Nee, volgens mij niet. Michael is er natuurlijk nog, nog altijd in de stallen.'

'Het is wel duidelijk dat hij niets meer aan de tuin doet,' zegt ze, verwijzend naar de wirwar van kreupelhout en het wilde oerwoud waarin onze ooit zo keurig onderhouden terrassen en weiden zijn veranderd.

'Nee. Hij verhuurt die grote tenten in de perzikkassen voor feesten en hij heeft er een kapitaal mee verdiend.'

'Heeft hij onze kassen gekocht?'

'Jaren geleden, met de stallen en het stukje land bij het laaggelegen bosje. Hij slaat er de feesttenten in op.' Viviens ogen zijn gesloten, de oogleden trillen rusteloos terwijl ze luistert. 'Een paar jaar geleden bood hij aan dit huis te kopen, waarbij ik dan in de stallen zou mogen wonen.'

Ze opent snel haar ogen, heldere gedachten wekken een achtergebleven twinkeling. 'Ruilen met de tuinman, schat? Wat moet er van deze wereld worden?' Ze lacht. 'Zou je dan ook het werk in de tuin hebben gedaan?'

Ik vertel haar dat de dochter van Charlotte Davis, Eileen, nu in Willow Cottage woont. Michael vertelde me dat ze een paar jaar geleden is teruggekomen, na de dood van haar moeder. 'Maar ik heb haar nog niet gezien. Herinner je je de Davissen?' vraag ik.

'Ja, natuurlijk,' antwoordt ze terwijl ze haar hoofd op haar elleboog steunt. 'Mevrouw Davis en haar geliefde trekpaarden. Hoe heetten ze ook weer?'

'Alice en Rebecca.'

'Alice en Rebecca,' verzucht ze. 'Inderdaad. Je thee is koud geworden, schat.'

'Dat geeft niet,' antwoord ik met spijt in mijn stem – maar eerlijk gezegd zou ik hem nooit hebben opgedronken. Er zit veel te veel melk in en er is thee op het schoteltje geknoeid. Mijn thee moet precies de juiste mix van sterkte en kleur hebben en daar is een vaste *methode* voor.

7 – Ontbijt

Vivien verlaat mijn slaapkamer en ik begin met de dagelijkse routine van het aankleden. Daarna breng ik de kop-en-schotel naar mijn badkamer en giet de koude thee in de wasbak. Het lukt me om hem precies in het afvoergaatje te mikken, zonder dat er ook maar een druppel op het witte porselein komt en ik ben heel tevreden dat ik mezelf de moeite van het schoonmaken heb bespaard.

Als ik beneden in de keuken kom is Vivien er niet, maar er is voor mij een ontbijtje gedekt op de tafel, met een paar sneetjes koude toast die tegen de suikerpot staan. De boter en de jam zijn tevoorschijn gehaald en er staat een ei in een eierdop met een eierschaar ernaast. Heeft Vivien hiermee ontbeten? Ik loop naar de kast om mijn cornflakes en een kommetje te pakken, maar zelfs als ik ga zitten, heb ik niet de minste trek.

Ik kijk naar Simon die stil ligt te slapen op een kussen voor het dressoir en vraag me af waar ze is. Ik weet dat ze in huis is, want als ze was weggegaan, zou ik de deur hebben gehoord. Ze heeft ontbeten en nu is ze ergens in het huis verdwenen. Zelfs de vogels buiten stoppen even met zingen zodat ik kan luisteren. Stilte.

Dit huis is ruim 2800 vierkante meter, inclusief de kelders en de zolderkamers. Mijn ouders waren de eersten die de woonruimte gingen beknotten door geleidelijk kamers die ze niet gebruikten af te sluiten. De noordvleugel sloten ze grotendeels af toen we nog kinderen waren, en de rest ervan toen Vera er eindelijk uittrok toen ze stierf. Toen ik later in mijn eentje was sloot ik de rest van de kamers af, behalve de ruimten die ik nog gebruik – de keuken, bibliotheek, werkkamer, mijn slaap-

kamer en badkamer – en de hal en de overloop die deze allemaal verbinden. Ik heb de deuren 47 jaar geleden afgesloten en
ben nooit meer teruggegaan, niet om de staat van hun verval
te aanschouwen, noch toen Bobby de meubelen en troep weg
kwam halen. Ik wilde niet bij het verleden blijven stilstaan; dat
kon je maar het beste ongestoord en verpakt in het stof laten
liggen, zonder erin te gaan rommelen. Leef voor vandaag, zeg
ik altijd. Het is gevaarlijk om het verleden open te gooien. Ik
had met Bobby afgesproken dat hij het hele zaakje zou ontrui-
men, en wat hij niet kon verkopen, zou hij dumpen om mij te
besparen dat ik het zelf zou moeten uitzoeken.

Telkens als ik Bobby's vrachtwagen de oprijlaan af zag rijden, voelde ik de last van het verleden lichter worden en er-
achteraan zweven. Ik keek hem na tot hij helemaal uit het zicht
was verdwenen, met niet alleen onze kindertijd en mijn leven
aan boord, maar ook anderhalve eeuw van het Bulburrow-tijd-
perk. Het was een verrukkelijke loutering. Ik vind het moeilijk
je uit te leggen waarom, om het onder woorden te brengen. Ik
kan alleen maar zeggen dat het een geruststelling is te weten
dat die kamers helemaal leeg zijn en als ik ze nooit meer zie,
hoef ik me ook geen zorgen te maken over wat er zich in af-
speelt, het stof en het vuil en het geleidelijke verval. Misschien
is het zo dat ik aan de ene kant niet tegen de aanblik van de
rommel kan maar aan de andere kant me die kamers aan de
andere kant ook niet anders wil herinneren. Het is nu vreemd
en zelfs verontrustend om te weten dat Vivien ergens diep in de
ingewanden van het huis rondloopt en het zo besmet.

Ik sta op van tafel en loop naar de deur van de hal. Ik wil
graag – op het paniekerige af, geef ik toe – weten waar ze is en
wat ze doet. Misschien kan ik enigszins bepalen waar ze is door
heel goed te luisteren vanaf bepaalde plaatsen in de hal. Bulburrow is een huis van echo's, nog meer sinds er geen meubilair meer in staat. Het geluid verplaatst zich door de lege ruimten – de gesel van het weer aan de ene kant, het piepen van een
deur aan de andere – dus misschien kan ik ook de geluiden van
Vivien opvangen. Ik heb een smoes nodig. Ik loop terug naar

de tafel en schenk wat melk in een glas, ook al drink ik eigenlijk geen melk, en daarna begeef ik me met het glas in m'n hand naar de hal. Ik weet dat het onbeleefd is en het me niet aangaat, en dat ik me niet langer mag fixeren op waar Vivien is, maar ik hoop dat je begrijpt dat het zo nieuw, zo anders voor me is om iemand in huis te hebben dat ik het niet kan laten. Bovendien doe ik er niemand kwaad mee.

Ik sta in de schaduw van de keukendeur en kijk de hal in. Jake de varkenskop hangt hoog boven me aan de muur te grijnzen. Rechts van me, tegenover de bibliotheek, is de kelderdeur en weer iets verder begint de grote, gebogen eikenhouten trap aan zijn geleidelijke klim. Naast de eerste brede trede is een deur naar de kleine studeerkamer achter de keuken.

Ik loop recht vooruit, zo soepel als mijn verzwakte benen het toelaten, passeer links het portaal en sta stil onder de brede omlijsting van de deur naar de bibliotheek. Ik merk dat mijn vingers, die het glas te stevig omklemmen, moe worden en neem het in mijn andere hand; ik houd het klaar om naar m'n lippen te brengen voor het geval Vivien de trap af of uit de bibliotheek of de werkkamer zou komen Ik leg mijn hoofd tegen de deur – niets te horen – en daarna schuifel ik als een krab langs de muur van de hal en blijf zo nu en dan staan om het glas naar mijn mond te brengen en te luisteren, maar er is geen geluid. Ik passeer de trap bij de muur aan de overkant en sta stil bij de deur van de salon. Ik luister opnieuw. Niets. Wat verderop is nog een deur, die naar een ander gedeelte van het huis leidt: de orangerie, de loggia, het tuinschuurtje en de achterste binnenhof. Ook dat gedeelte is als het ware verboden terrein. Zou ze daarheen zijn gegaan? Wat heeft ze daar nu te zoeken?

Het valt me nu opeens in, met een plotseling begrip, dat Vivien *iets zoekt*. Dat is nogal vreemd, vind je niet? Gisteren stommelde ze over de hele eerste verdieping. Ik dacht toen dat ze zich aan het installeren was, maar nu begin ik te snappen dat het om iets heel anders gaat. Vivien is thuisgekomen met een heimelijk motief, en ze wil me er niet over vertellen.

Dan hoor ik haar. Voetstappen, ver weg en boven mij, en dan

een hoestende Vivien. Van hieraf kan ik over de trap omhoog-
kijken naar het gewelfde plafond met daarnaast het enorme
glas-in-loodraam dat pas met de avondzon tot leven komt. Als
ik de trap op sluip hoor ik haar voetstappen opnieuw en op de
overloop halverwege weet ik dat ze op zolder is. Er zijn twee
manieren om op zolder te komen. De voor de hand liggende is
via de wenteltrap achter een deur naast de grote overloop maar
onder ons gezegd en gezwegen denk ik dat Vivien de achtertrap bij de voorraadkamer op is geglipt, anders had ik haar wel
gehoord.

Het is eigenlijk helemaal geen zolder, het is de tweede verdieping, maar omdat er op de eerste verdieping zoveel woonruimte was, is hij altijd de zolder genoemd en is hij geheel aan
de motten overgedragen. Drie grote 'museumkamers' herber-
gen de beroemde verzamelingen die mijn onversaagde voor-
vaderen uit heel de wereld bijeen hebben gebracht, tentoon-
gesteld in glimmend geboende Brady-kasten. Dan zijn er nog
de larvenkamers, overwinteringshokken, poppenbakken, met
netten behangen verschijningskamers, droge kamers, vochtige
kamers, opslagkamers, een grote privébibliotheek, het laboratorium en een kleine werkplaats waar Clive zijn eigen bakken
en kweekkasten in elkaar flanste van kratten en munitiekisten,
potten en koektrommels. Ik had Bobby niet op zolder gelaten,
dus daar is niets weggehaald.

Maar wat doet Vivien daar? Ze is nooit geïnteresseerd geweest in de motten. Dat had ik me nooit helemaal gerealiseerd
tot die zomer dat we van school werden gestuurd.

Maud had ons gevraagd haar jam af te dichten die ze klaar
had staan voor het oogstfeest. Dat was gewoonlijk een van onze
favoriete klusjes: een pan vol afgedankte kaarsstompjes smelten en de vloeibare was op de jam in de potjes gieten. Maar Vivi
was zwijgzaam en nukkig, zoals het grootste deel van de zomer.
Ik denk dat het haar ergerde dat ik blij was dat we naar huis
waren gestuurd terwijl zij het vreselijk vond. Ze pakte de soeplepel en schepte nonchalant de hete was op, die ze op weg naar
de eerste pot slordig op het werkvlak liet druppen, waarna ze er

zo veel zo snel in goot dat het oppervlak van de jam verstoord raakte en er wat was langs de pot droop in plaats van dat hij zich bovenop verspreidde. Meestal was ze niet zo onzorgvuldig. Daarna bewoog ze de druppende lepel over de rand van de pot via de werkbank naar de volgende, waar ze ook wat in kwakte.

'Mag ik het eens proberen, Vivi?' vroeg ik zo lief mogelijk.

'Is het je niet netjes genoeg, Virginia?'

'Ik wil het graag doen,' en dat was net zo waar als dat ik niet wilde toekijken hoe zij er een bende van maakte. Ze reikte me de soeplepel aan. Ik doopte hem in de was en roerde ermee rond, waarbij ik de laatste harde klompjes smolt alsof het smeltende chocola was. Daarna schepte ik de zachte was eruit, hield de lepel naar achteren om de druppels aan z'n buik op te vangen, goot voorzichtig was over de jam en keek hoe die zich verspreidde en de glazen rand glad opvulde. Ik goot langzaam en gelijkmatig en zonder te knoeien. Daarna hield ik de lepel scheef om de stroom te stoppen en ging verder naar de volgende pot. Vivi ging zitten en begon vierkantjes geruite stof uit te knippen met een kartelschaar. Later, als de was was afgekoeld, zouden we ze met twijngaren op de potjes binden.

Ik had gemerkt dat als Vivi een lange tijd stil was, dit vaak betekende dat ze iets te zeggen had. Ik had ook gemerkt dat het niet altijd verstandig was haar ernaar te vragen: als ik dat deed en het bleek om iets te gaan wat ik liever niet had geweten, eindigde ze altijd met 'Maar je vroeg het zelf...'

Ze beëindigde haar knippen in stilte. 'Ginny,' zei ze, terwijl ze de kartelschaar bestudeerde en ermee in de lucht knipte, 'heb jij nooit het gevoel dat je uit moet breken en hier vandaan moet, dat je je eigen leven weer terug moet krijgen? Maud en Clive nemen altijd alle beslissingen voor ons. Waarom mogen we niet zelf beslissen wat we willen doen? Het is niet eerlijk. Heb jij nooit dat gevoel, Ginny?'

Ik had dat helemaal nooit. 'Ik geloof het niet,' bekende ik.

'Echt niet?' Ze schudde gelaten haar hoofd, alsof ik haar had teleurgesteld.

Ik concentreerde me op het begieten van de laatste jampot.

'Is het niet duidelijk hoe ongelukkig ik hier ben? Is je dat niet opgevallen?'

'Ik wist dat je verdrietig was omdat we van school zijn gestuurd.'

'Alleen omdat dít het alternatief is,' snauwde ze, alsof ze op mijn reactie was voorbereid. 'Dit is geen leven, dit huis en die stomme motten van Clive. Wat moet ik hier in godsnaam? Oud worden en insecten ontleden?' zei ze, alsof ze walgde van zijn leven. Met mijn antwoord had ik haar onbedoeld het startsein voor een kleine tirade gegeven. 'Ik kan hier niet blijven, Ginny. Ik had vriendinnen op school. Hier is niemand, behalve jij en ik. Maar ik ga hier niet blijven om gesmolten was op Mauds jam te gieten. Jij mag dat leuk vinden, maar ik vind het niks.'

Vivi had een van haar buien en ik kon niets zeggen wat dat kon veranderen. Ik roomde wat was af van de bovenkant van de pan. Hij begon net een velletje te vormen en dus rimpelde hij een beetje toen ik de lepel erdoor trok. Ik hield de rug van mijn hand onder de soeplepel en goot er wat was op, druppel voor druppel, en keek hoe de kleine doorzichtige bergjes mat werden.

'Maud en Clive proberen mij niet eens te begrijpen. Ik voel me zo...' ze zocht het goede woord '...eenzaam. Zou er iets mis met me zijn, Ginny? Ik heb geprobeerd uit te vinden wat me mankeert.' Ze krulde haar lippen naar binnen en wreef ze tegen elkaar om te voorkomen dat ze ging huilen maar langs haar onderste oogleden verzamelden zich toch al tranen, die eroverheen drupten en naar de plooi van haar neus gleden.

'Ik vind ze vaak heel redelijk...' begon ik.

'Ze doen redelijk tegen jóú,' onderbrak ze me, terwijl ze zich sniffend vermande. 'Ze luisteren niet naar mij. Ze luisteren alleen maar naar jou.'

Vivi's gedrag was destijds een verrassing voor me, maar ik besef nu dat ze de school niet met hetzelfde voordeel als ik had verlaten. Want weet je, Maud had nooit tijdens een borrel aan geïnteresseerde dorpelingen Viviens toekomst bekendgemaakt

– terwijl het algemeen bekend was dat ik zou blijven en Clive zou helpen met de motten – en Vivi had (samen met de rest van de dorpelingen) geen flauw idee van wat zij zou gaan doen. Het leek Maud en Clive in het geheel niet te interesseren en ik kon Viviens frustratie wel begrijpen. Ze hadden zo hun manier om haar zorgen weg te wuiven: 'Het komt wel goed met Vivien,' zeiden ze altijd. 'Maak je geen zorgen om Vivien.' Maar onder ons gezegd en gezwegen zagen ze het verkeerd om: met mij ging alles goed en Vivien was degene die altijd in een lastig parket zat of zich druk maakte over de volgende hindernis in het leven. Per slot van rekening was het Vivi, en niet ik, die van de klokkentoren was gevallen en haar baarmoeder had gescheurd, Vivi door wie we van school waren gestuurd, en Vivi die niet hier bij het afdichten van de potjes jam wilde zijn.

Later op die avond gleed Vivi naast me in bed. Ik voelde haar tasten naar mijn hand en haar opgewonden vingers door de mijne vlechten; ze speelde ermee, boog en strekte ze op dringende wijze, prikkelde me. Ik wist dat ze me wakker wilde maken, met me wilde praten.

'Ben je wakker, Ginny?' vroeg ze ten slotte.

'Ja,' zei ik, terwijl ik daas van de slaap overeind ging zitten. 'Wat is er?'

'Je begrijpt toch wel dat ik niet kan blijven?' zei ze. 'Je weet dat ik weg moet, toch?'

Ik vroeg me af of ik dat wist. Ik had nooit aan mezelf gedacht zonder dat Vivi ook ergens in die gedachte was. Ik had nooit een droom gehad waarin zij niet voorkwam. Ik leek alleen maar compleet te zijn als ik bij haar was, alsof zij op een of andere manier de delen van mij vormde waaraan het mij ontbrak. Ik kon me het leven zonder haar niet voorstellen.

'En ik dan?' vroeg ik.

'Jij hebt de motten,' antwoordde ze vaag, alsof ze dacht dat die een zusje konden vervangen.

Daarna strekte ze zich uit en kuste mijn wang. 'Dank je, zussie,' zei ze. 'Clive en Maud begrijpen het misschien niet, maar ik wist dat jij dat wel zou doen.' Ze kneep nog eens in mijn hand en opeens voelde ik me op een bijzondere manier verbonden met mijn prachtige, bevlogen, kleine zusje en alles leek volkomen duidelijk: we begrepen elkaar.

Toen vertelde ze me het plan.

De volgende dag liet Vivi me na het avondeten zien waar ze zich zou verstoppen. Ze nam me mee naar de voorraadkamer en deed de keukendeur dicht. Ze klom op de werkbank en reikte omhoog om een rechthoekig paneel boven de deurpost te verplaatsen. Het was wit geschilderd, net als de muren. Ik had daar wel eens vagelijk een vierkante parellijst gezien; er waren allerlei lege tussenruimten en toegangsluiken in het huis en ik had er nooit aan gedacht om die open te maken en er een blik in te werpen. Vivi dus wel. Ze kroop zo naar binnen door het vierkante gat. Gisteren had ze me al – in het holst van de nacht – beschreven hoe ze, als ze eenmaal binnen was, langs de spanten kon kruipen om achter de muur van de studeerkamer uit te komen, boven de deur naar de keuken.

Ik ging naar de studeerkamer en wachtte tot ik haar drie keer hoorde kloppen. Ik klopte terug en ging toen onze ouders naar de studeerkamer roepen voor een dringende zaak.

'Wat is er, Virginia?' vroeg Maud verbluft. Ik had haar tijdens een telefoongesprek gestoord. Ze had zich in de vensternis genesteld, Clive zat aan zijn bureau en Vivi hield zich op handen en knieën achter de muur muisstil en luisterde hoe haar plan ten uitvoer werd gebracht.

'Ik wil met jullie over Vivi praten,' begon ik.

Maud wierp een blik naar Clive en kneep haar ogen samen.

'Ga door,' zei Clive, maar hij leek niet bijster geïnteresseerd, zoals hij de bovenla van zijn bureau opentrok en met zijn pennen speelde.

'Ik vind dat jullie haar naar Londen moeten laten gaan voor een secretaressecursus,' flapte ik er uit.

Ik geloof dat Clive net iets wilde gaan zeggen toen Maud hem voor was. 'Zo, vind je dat?' Ik geloof dat ze bijna moest lachen. 'En waarom dan wel?'

Clive leek alleen maar interesse te hebben voor het grafiet van zijn potloden. Hij keek er ingespannen en ernstig naar terwijl hij ze een voor een uit de la nam en de punten tegen het topje van zijn middelvinger duwde om hun scherpte te bepalen. Ik wou dat hij zich ermee ging bemoeien en eindelijk eens een mening had over iets wat zo belangrijk was voor Vivi.

'Omdat ze dat heel graag wil doen en ik zou het niet eerlijk vinden om haar tegen te houden. Ze wordt hier niet gelukkig... en ik ben ook niet gelukkig als zij zo verdrietig is,' zei ik.

'O, Ginny, toe nou toch...' zei Maud. 'Maak je maar geen zorgen over Vivien. Het komt wel goed met haar.' Hierdoor wilde ik tegen haar gaan schreeuwen, haar vertellen dat ze dat nooit meer mocht zeggen, haar vertellen dat het helemaal niet goed ging met Vivi – hadden ze niet gemerkt hoe ongelukkig ze was? Maar de woorden bleven vastzitten in mijn hoofd en vonden geen weg naar buiten.

Maud keek weer naar Clive.

'Vivien heeft je zeker hiertoe aangezet?' Ze zuchtte. Vivi had me verteld dat Maud dat zou zeggen.

'Nee.'

'Ze is vijftien jaar en ze gaat helemaal nergens heen,' zei Maud op besliste toon.

Ik keek omhoog naar het houtwerk boven de deur naar de keuken en stelde me voor hoe Vivi's hoop wegzonk tussen de spanten erachter.

'Ze blijft mooi hier en...'

Maud werd onderbroken door Clive, die zijn bureaula weer dichtsloeg. 'Sorry,' zei hij, omdat het lawaai ons gesprek had afgebroken. 'Bedankt dat je ons dit bent komen vertellen, Virginia.' Hij stond op. 'Ga nu maar weg; je moeder en ik zullen nadenken over wat je hebt gezegd.'

Ik geloofde hem natuurlijk niet. Hij had totaal geen interesse getoond voor wat ik zei. Voor wat ik had willen zeggen. Vivi zou teleurgesteld zijn dat ik niet langer had gepraat; ze zou zeggen dat ik niet genoeg mijn best had gedaan. Ik probeerde iets te bedenken om het gesprek te verlengen, een ander gezichtspunt naar voren te brengen, alles waardoor ze er nog eens over zouden gaan nadenken. Maar Clive had me afgebroken. Hij had duidelijk gemaakt dat hij er niet meer over wilde praten. Misschien vereisten zijn stompe potloden zijn aandacht, dacht ik gemeen.

Ik wachtte zenuwachtig in Vivi's kamer tot ze zou terugkomen en me zou vertellen wat er daarna was gebeurd. De wand naast haar bed was bedekt met affiches, ansichtkaarten en boodschappen van haar vriendinnen. De affiches waren een eigenaardige mengeling van dierenplaatjes en filmsterren die ze uit tijdschriften had gescheurd. Een grappige foto van een ezel met een platte strohoed waarin gaten voor z'n oren waren geknipt hing pal naast Ava Gardner die verleidelijk een trekje van een sigaret nam.

Toen Vivi terugkwam, vertelde ze me dat ze hun hele gesprek had gehoord. Clive had blijkbaar tegen Maud gezegd dat ze Vivi naar Londen moest laten gaan, hoewel ik me niet kon voorstellen dat hij zo doortastend kon zijn. Ze hadden er een fikse ruzie over maar uiteindelijk was Clive krachtig opgetreden, zei ze. Zijn besluit stond vast en hij wilde er verder geen woord meer over horen. Ik was verbaasd. Niets ervan klonk zoals de Clive die ik had gezien, die zijn potloodpunten had zitten testen. Ik vroeg me af of ze alles uit haar duim zoog.

Vivi leunde met haar hoofd tegen de muur, naast een recalcitrante James Dean in *Rebel Without a Cause*. Ze had zijn films nooit gezien, dus ik vond het maar vreemd dat ze – samen met de meesten van haar vriendinnen – zo hard moest huilen toen hij de maand ervoor omkwam bij een auto-ongeluk.

'Wat zei Maud?' vroeg ik.

'Ze maakte zich zorgen dat jij en ik dan niet elkaar zouden hebben, maar Clive zei dat ze niet zo raar moest doen, dat we op een gegeven moment toch ieder onze eigen weg zouden gaan.' Ze keek op naar James Dean, met zijn halfopen jack en een uitdagende, ontembare blik onder zijn gefronste wenkbrauwen, alsof eigenlijk alleen dat affiche het kon begrijpen.

Mijn kamer was geel geschilderd en ik had niets aan de muren gehangen. Toen Vivi een paar weken later naar Londen vertrok, leek het alsof haar slaapkamermuur uitdrukte hoezeer ik haar zou gaan missen, herinner ik me nog.

Ik sta op de overloop met mijn hoofd zo ver als maar kan naar achteren gebogen, hou mezelf met mijn rechterhand in evenwicht aan de lijst van de lambrisering en tuur omhoog naar het plafond. Ik volg haar voetstappen boven me. Ze is nu in de museums, loopt langzaam, stopt. Er schraapt iets over de vloer. 45 seconden later hoor ik haar in de zolderbibliotheek, nog meer geschuifel en geschuur, daarna stilte. De plof van een boek dat op de vloer landt. Ze is nu in de opslagkamer, die niet boven mij maar boven de andere overloop is, de overloop die achter de dubbele deuren buiten mijn grens ligt. Zwakke, verre geluiden. Ze loopt volgens mij nu op het laboratorium af. Een zacht geklop. Stilte.

Opeens komt ze er aan, ze loopt doelgericht over het plafond recht boven me naar het begin van de wenteltrap. Ik haast me de grote trap af waarbij ik zwaar op de dikke leuning steun en twee keer klotst er een beetje melk uit het glas op de trap, maar ze komt snel. Ze is nu op de overloop. Vanaf de onderste trede stap ik opzij de kleine studeerkamer in, ik doe de deur dicht en ga snel op de opgevulde lederen zitting van het haardscherm zitten, onhandig balancerend met mijn glas.

Vivian doet de deur open en loopt naar binnen. Mijn hart gaat nog tekeer. Het verbaast me dat zij, die maar drie jaar jonger is dan ik, zoveel energieker is. Zij daalde de twee verdiepingen bijna even snel af als ik één. 'O, hallo,' zegt ze. 'Nou, je hebt gelijk. Het is hier echt helemaal leeggehaald.' Ze gaat in de vensternis zitten. 'Ze hebben zelfs de marmeren haardstenen uit de salon en de grote schouw weggehaald.'

'Heus? Wat raar,' zeg ik, in alle oprechtheid, en ik laat het glas melk van mijn lippen zakken alsof die gedachte me ervan weerhoudt de melk op te drinken. Waarom had Bobby die willen hebben, vraag ik me af. Hij had ze vast niet kunnen verkopen. Ze waren voor dit huis gemaakt.

'De schouw. De haardstenen.' Vivien zucht vol walging. 'Stel je voor!'

Ik probeer het.

'Hoe ziet het eruit? Wat zit er onder de haardstenen?' vraag ik haar.

'Er is gewoon een groot gat. Het moeten heel dikke marmeren platen zijn geweest. Het is net... nou, het is net een groot graf, schat,' zegt ze bars. 'Zeg eens, Ginny, heb je iets van Maud bewaard, iets persoonlijks? Ik zou graag iets van haar hebben.'

'Nee, ik dacht het niet,' antwoord ik.

'Weet je het zeker? Misschien een parfumflesje, of een sierkalebas? Gewoon iets wat me aan haar herinnert.' Ik bestudeer de melk in mijn hand. Mijn hand en de buitenkant van het glas zijn nat doordat ik eerder heb geknoeid, dus houd ik het een eindje van me vandaan. Als het drupt, zal het op de vloer druppen in plaats van op mij.

'Een blouse die je als poetslap hebt bewaard?' helpt ze me.

'Er zijn heel veel spullen van Clive, al zijn apparatuur en de observatiedagboeken en verslagen...'

'Ik wil niks van Clive,' snauwt ze. 'Ik word liever niet aan hem herinnerd, dank u,' voegt ze er harteloos aan toe.

'Vivien,' zeg ik, van mijn stuk gebracht, 'ik weet dat je denkt dat hij mij voortrok, maar hij hield ook van jou, wat voor ruzies jullie ook gehad mogen hebben.'

Er ligt enige walging in haar blik. 'Doe niet zo dom,' kaatst ze terug, resoluut maar niet onaardig. 'Hij spon een zijden cocon om jou heen, alsof je een van zijn specimina was.'

'Dat is absurd. We hebben gewoon samengewerkt, meer niet.' Ik ben geschokt dat ze zo'n verkeerd beeld van onze vader heeft.

'Hij liet iedereen naar jouw pijpen dansen, Ginny. Zelfs de wereld had de andere kant op moeten draaien als dat nodig was geweest,' voegt ze eraan toe.

Ik heb geen idee waar ze het over heeft. Ik had nooit gedacht dat we zulke tegenovergestelde herinneringen aan Clive konden hebben. Ik kan me niet herinneren dat hij ooit bijzonder zijn best voor me deed; niemand, trouwens. Hij ging altijd veel te veel op in zijn werk. Volgens mij verzint ze het. Ik heb altijd gedacht dat het onmogelijk was Clive níét aardig te vinden. Hij was doorgaans zo'n passief persoon, zo rustig, ik zou bijna willen zeggen onzichtbaar. Afgezien van zijn werk had hij nooit ergens een uitgesproken mening over. En als dat wel zo was, heb ik dat beslist niet gemerkt. Hij bemoeide zich met zijn eigen zaken en liet die van anderen met rust, en ik begreep niet hoe hij ooit iemand had kunnen beledigen. Vermoedelijk begreep ik hem beter dan Vivien omdat ik met hem had gewerkt en we meer gedeelde interesses hadden. Daar kwam het op neer, verschillende interesses, en ik had gedacht dat ze dat begreep. Ik probeer de kwestie luchtig af te doen. 'Vivien, we weten allebei dat Clive niets had kunnen laten omdraaien. Hij was zo in de ban van zijn eigen kleine wereldje.'

'Wat bedoel je?'

Ik dacht dat het duidelijk was. 'Hij had geen idee wat er buiten het lab verder in het huis gebeurde.'

'Wat? Clive?' Ze lacht bijtend. 'Ik vrees dat je de verkeerde voor je hebt, Ginny. Clive kon vanuit dat lab nog een rat in de voorraadkast ruiken,' zegt ze.

'Een rat in de voorraadkast?'

'Geef me die melk als je hem toch niet opdrinkt. Hij drupt op de vloer,' zegt ze om van onderwerp te veranderen, en ik ben blij toe: ik wil niet weer een zinloze ruzie. Ik wil ook niet dat ze beseft dat ik die melk niet drink, dat het een smoesje was om haar te kunnen bespioneren, dus zet ik het glas aan mijn mond en kiep ik de melk een beetje omhoog zonder dat ik er echt van nip. Ze kijkt naar me, dus doe ik alsof ik nog meer drink; dit keer hou ik het glas nog schever tot ik voel hoe de melk mijn lippen bedekt. Had ik maar iets genomen wat ik niet vies vind. Zoals ze naar me kijkt, denk ik even dat ze heeft geraden dat ik maar doe alsof ik drink, maar als ze zucht en zegt: 'Zou je je melksnor niet even afvegen?' weet ik dat ze mijn melksmoes toch niet heeft doorzien, dus kan ik ophouden.

Vivien loopt achter me aan naar de keuken. 'Nou, is er nog iets van Maud?'

'Nee, sorry,' zeg ik. 'Niets.'

8 – De leerling

Mijn officiële inwijding in de wereld van de entomologie als Clives leerling was in de herfst van het jaar dat Vivi naar Londen vertrok, toen ik hem naar Londen vergezelde voor een openbare lezing voor de Royal Entomological Society. De titel was: 'De reactie van de rode dennenspanner op veranderende lichtspectrums'. Clive instrueerde me over hoe en wanneer ik de dia's moest doorklikken en welke tekens hij me zou geven als ik een volgende moest laten zien. Hij verheugde zich allerminst op de lezing. 'Openbaar' betekende dat iedereen toegang had, en Clive had weinig op met deeltijdliefhebbers. Nadat hij was afgestudeerd in de scheikunde had hij zelf geen verder onderwijs van belang gehad over het onderwerp en hij werkte ook niet onder het toezicht van een instituut, dus hij had ook een amateur genoemd kunnen worden, maar hij zag zichzelf graag als de gelijke van de academici. Dat was het enige waarin Clive zich een snob betoonde. Hij had een doctoraat ontvangen en had beurzen toegekend gekregen op dezelfde manier als universitaire professoren, en hoewel hij nog geen opzienbarende ontdekkingen had gedaan, genoot hij bekendheid door de publicatie van een hele reeks artikelen over zeer uiteenlopende onderwerpen, van de dichotomie van soorten tot het onttrekken en analyseren van een heleboel minder belangrijke biochemische stoffen die hij nauwgezet had geïdentificeerd.

Clive zei dat de amateurs bestonden uit ex-medici (die tenminste onderlegd waren), ex-militairen (die alleen maar geïnteresseerd waren in het verzamelen van fraaie exemplaren om die naast hun medailles uit te kunnen stallen) en geestelijken (die veel te veel vrije tijd hadden, al te vaak belust op discussie en dictatoriaal waren en overal tegenin gingen – doden en verzamelen, evolutietheorie, de wreedheid van de natuur). Hij vertelde me dat hij weinig zin had in dezelfde oude vragen en argumenten van deze laatste sectie van het publiek en nog geen twintig minuten na aanvang werd hij uitgedaagd door een gretige man met een glad gezicht, een bril en een wijkende kin.

'Bedoelt u dat de mot niets te zeggen heeft over of hij naar het licht vliegt of niet? Hij kiest niet zelf, zijn acties liggen absoluut vast en er is geen proces van besluitvorming?' zei hij, op een vaak geoefende manier.

'Goedemiddag, eerwaarde,' begon Clive, en ik vroeg me af welke van alle eerwaarden die Clive had genoemd of om wie Maud had gelachen, deze mocht zijn. 'Ja, ik geloof dat insecten niet in staat zijn een beslissing te nemen,' zei hij.

'Maar, maar, doctor Stone, we hebben allemaal gezien hoe een rups doelbewuste beslissingen neemt, of hij nu gaat zoeken naar een plekje om te verpoppen, een ondergrondse kamer graaft, een zijden slinger spint of zichzelf vastklemt in een spleetje van een rotte boom. Hij moet voorafgaand aan de voorbereiding op zijn verpopping natuurlijk hebben beslóten dat hij ging verpoppen,' zei de eerwaarde.

'Nee.'

'Nee?' De eerwaarde leek lichtelijk verbijsterd en blikte de ruimte rond, op zoek naar steun.

'U weet dacht ik wel dat ik geloof dat het onwillekeurig gebeurt, Mr Keane,' antwoordde Clive kalm. Het is dus Keany, dacht ik. Ik wist alles over hem. Hij had nog nooit een preek gehouden zonder een verwijzing naar een mottenjacht. Hij zette lichtvallen in zijn kerkje in Cotswold en onderbrak een dienst om die te bekijken en zijn gemeente er vervolgens enthousiast voor te maken.

'Onwillekeurig? Wat? Zoals de spier die ons hart laat pompen? Gelooft u echt dat die insecten levende automaten zijn? Ze hebben geen emoties, geen gevoelens, geen voorkeuren en geen verstand?' vervolgde de eerwaarde met geoefende welsprekendheid en geveinsd ongeloof, waarbij zijn stem in volume en toon aanzwol naar een dramatisch hoogtepunt.

'Dat doe ik,' zei Clive, alsof hij een gelofte aflegde.

'Niet eens een bewust doel, doctor?'

Clive stond terecht. Hij krabde met nerveuze irritatie over de stoppeltjes in zijn nek. 'Ik weet niet eens of wíj eigenlijk wel een bewust doel hebben,' zei hij. In de zaal klonk goedkeurend gelach op, maar ik wist dat het geen grap was. Clive maakte geen grapjes, en zeker niet zulke gevatte, bagatelliserende grapjes. Hij vervolgde in alle ernst: 'Dat willen we natuurlijk graag geloven, om ons bestaan meer zin te geven.' Ik zag een groepje mensen op de voorste rij naar voren leunen en naar elkaar kijken als stoute schoolkinderen die niet begrepen waarom ze een standje kregen. Ik zat vooraan op een stoel in de schaduw naast de projector en keek eens goed naar het hele publiek.

Maud had me ooit verteld dat Clive een buitenbeentje onder de buitenbeentjes was. Ze mocht die mensen niet. Ze zei dat ze bijnamen en hebbelijkheden aannamen om zichzelf interessanter te maken. Ze cultiveerden het buitenissige kenmerk waar ze om bekend wilden staan en als ze geluk hadden, werd dat weldra synoniem aan hun naam en werd het in één adem daarmee genoemd: 'Ah, ik ken die dr. Toogood wel; hij is de man die z'n thee met een chirurgisch tangetje omroert.' 'Natuurlijk, Lionel Hester, die z'n motten op z'n hoed prikt als hij op jacht is.'

Maud zei dat ze vaak in de hemeltergende veronderstelling verkeerden dat ze als excentriekelingen ook best als genieën konden worden beschouwd of op z'n minst hoopten dat ze daar abusievelijk voor werden aangezien. Ze zei dat ze hun collectieve gekunsteldheid uiteindelijk had doorzien toen Major Fordingly (die een tamme meeuw had) ooit met veel aplomb aan haar verkondigde: 'Het is misschien moeilijk onderscheid te maken tussen excentriciteit en genialiteit maar het is beslist beter uniciteit te dulden dan originaliteit te smoren.' Nou, dacht Maud, *mooi niet*. Ze zei dat je beter kon erkennen wie je was, zelfs als je dan moest toegeven dat je saai was en een saai hobby'tje had, dan dat je dat in een potsierlijke poging tot uniciteit probeerde te verhullen. Bij Clive lag het natuurlijk anders. Maud zei dat Clive de enige was die niet probeerde excentriek te zijn en het wel was.

Vanaf mijn plaats in de schaduw op het podium keek ik die ruimte vol charlatans rond en probeerde een van hun aangeleerde gewoonten te ontdekken.

'Deze diertjes zijn voor u dus niet meer dan machines?' vroeg iemand uit het midden van het bebaarde gehoor aan Clive.

'Per definitie geen machines, nee. Ze leven. Maar volgens mij is elke actie die een insect doet het gevolg van een reflex, een taxis of een tropisme. Hun bestaan is volkomen mechanisch.'

'Dus een mierenleeuw vermaalt een worstelende mier even emotieloos als een machine een mensenhand vermorzelt?' ronkte de kinloze eerwaarde op de voorste rij luid en poëtisch, nog altijd pogend emotionele verontwaardiging te wekken onder het publiek.

'Ja.'

De eerwaarde stond op om de hele zaal toe de spreken.

'Een rups heeft geen idee waarom hij een cocon spint of voor zichzelf een holletje graaft in de grond?' vervolgde hij, terwijl hij zijn handen omhoogwierp met shakespeariaanse intensiteit.

'Inderdaad,' antwoordde Clive, op een rustige verveelde toon.

'Als een vrouwelijke mot haar eigen larven zag, zou ze die dus niet herkennen als de hare en zelfs niet begrijpen dat die tot haar eigen soort of klasse van dieren behoren? Ze heeft geen moederlijke gevoelens?'

'Liefde, bedoelt u?'

'Ja... liefde.'

'Ik weet niet hoe het met liefde zit,' zei Clive iets energieker. 'Ik denk dat veel dieren liefde voor hun nageslacht tonen.'

'Kijk aan,' zei de predikant, die zich op zijn stoel liet neervallen en hard met de handen op de knieën sloeg in een vertoon van triomf.

'Ik geloof alleen dat liefde op zichzelf niet meer is dan een mechanisch proces,' zei Clive, zodra de predikant dacht dat de zege was binnengehaald.

'Maar liefde is een emotie, doctor Stone,' antwoordde de eerwaarde met een zekere bitsheid.

'Ja, en een emotie is alleen maar het symptoom dat wordt veroorzaakt door een chemische stof die vrijkomt in de hersenen en het centrale zenuwstelsel, die op zijn beurt andere gedeelten van de hersenen prikkelt om dit gevoel op te wekken.'

'Uw overtuigingen zijn nog onwaarschijnlijker dan ik dacht,' gaf de poëtische eerwaarde zijn laatste woedende oordeel.

Ik kon zien dat Clive blij was dat de kwestie was afgesloten en dat hij kon verdergaan met zijn lezing. Hij wilde niet in discussie met deze mensen. Hij wist gewoon wat hij wist maar helaas voor hem had wat hij wist altijd hartstochtelijke tegenstand aangetrokken.

Na afloop kwam iedereen samen bij een drankje om over de lezing te praten en nieuwtjes uit te wisselen over motten en vlinders uit het hele land. Ik zat vastgeplakt aan Clives schouder en hij stelde me voor aan iedereen die we tegenkwamen. Toen hij me naar Bernard Cartwright leidde, was ik opgelucht dat ik eindelijk een vertrouwd gezicht zag. Bernard had vaak op Bulburrow gelogeerd, ofwel als hij op weg was naar het West Country voor veldonderzoek om met Clive over zijn nieuwste onderzoek te praten, of voor een weekend, als vriend van de familie. Bernard was een echte academicus. Hij was professor op een Londens college, en een paar weken geleden had hij het rupsenhormoon geïsoleerd dat het vervellen in gang zet, dus hij was nu een begrip in dat heel kleine en exclusieve entomologische wereldje. Toen we hem naderden, sprak hij net een groepje mannen toe.

'Een klier scheidt een hormoon af in ons hoofd, dat een zenuw prikkelt, die vervolgens een spier activeert, onwillekeurig, zonder dat we het weten,' was hij aan het zeggen.

'Gefeliciteerd met je artikel, Bernard,' onderbrak Clive hem en hij gaf hem een hand.

'Bedankt, Clive. Goed praatje, zoals altijd heel levendig. Hallo, Virginia,' zei hij tegen mij, waarna hij naar voren boog en in mijn oor fluisterde: 'Vind je het leuk zoals je vader ze op de kast jaagt?' alsof Clive hen expres had opgehitst. Vervolgens moest hij hard lachen en ik huiverde toen een fijne nevel van spuug mijn gezicht bedekte.

'Vertel eens, Clive, waardoor scheidt de klier dat hormoon volgens jou eigenlijk af?' vroeg een van de mannen in de groep.

'Vermoedelijk door iets wat nog niet is ontdekt,' antwoordde Clive.

'Je ontwijkt de vraag, als ik dat mag zeggen.' Een ander lachte.

'Nee. Ik kan als je wilt gaan speculeren dat het een ander hormoon is,' zei Clive, 'eentje dat wordt vrijgegeven als coëfficiënt van een mechanisch proces zoals de groei, misschien. Voor Bernard,' en hij knikte naar zijn makker, 'het hormoon vond dat de huid van een rups losmaakt en vrijgeeft in bepaalde fasen van zijn groei, dachten jullie vermoedelijk dat een rups uit eigen beweging beslóót om zijn huid af te werpen als die een beetje te ongemakkelijk, te krap begon te zitten. We weten nu dat hij er niet aan dácht om zijn huid af te werpen, en ik zou zeggen dat er aan de rups nog véél meer gedachten worden toegeschreven.'

'Ik vrees dat ik het niet met je eens ben,' zei dezelfde man.

'Nee. Dat weet ik,' zei Clive, die andermaal tevreden was met een staakt-het-vuren, en het gesprek kabbelde verder naar een ander onderwerp.

Ik keek naar de veelgeprezen Bernard. Hij was een enorm lelijke man. Hij was klein en had een panvormig gezicht, met een klein neusje in het midden en ook kleine oogjes. Bernard moest stilletjes tegen de middelbare leeftijd aan zitten, maar leek jonger door zijn bolle wangen en glimmende teint en doordat hij erom bekendstond op een Triumph-motorfiets over het platteland te zwieren. Hij had een luide, onbehoorlijke lach, maar hij was tenminste een vrolijke man en had een vriendelijk gezicht, dacht ik. Als hij Bulburrow bezocht, had hij altijd oog voor Vivi en mij en maakte hij een praatje met ons of kwam hij bij ons zitten voor een potje domino, anders dan de wat duffere collega's van Clive, van wie de meesten bij binnenkomst straal langs ons heen liepen. (Maud zei dat de meesten haar ook negeerden. Ze wisten zich geen raad met vrouwen, zei ze.)

Toen hij me naar hem zag kijken, bewoog hij zich zijdelings naar me toe, legde zijn hand op mijn rug en trok me wat dichter naar zich toe. 'Ik hoor tot mijn genoegen dat je bij ons team bent gekomen,' zei hij in een onderonsje, terwijl hij zijn hand over mijn hele rug liet glijden. Daarna ving hij mijn blik en hield die vast, zijn pafferige gezicht vlak voor het mijne, dus ik kon niet anders dan medelijden hebben met zijn overmatige onnatuurlijke lelijkheid.

Ik nam aan dat hij een reactie verwachtte. 'Ik ben blij dat ik bij het team ben,' antwoordde ik, met een hikkend lachje en een idiote glimlach. Iets anders wist ik niet te zeggen.

'Mooi zo,' zei hij. 'In dit spel heb je bondgenoten nodig, dus onthoud dat ik een bondgenoot ben.'

'Bedankt,' zei ik, opnieuw glimlachend.

Daarna liet hij zijn hand van onder aan mijn rug over mijn billen zakken, die hij lichtjes vastgreep en een beetje schudde. En daarna liet hij hem daar liggen. Ik wist niet wat ik moest doen of zeggen. Ik voelde warmte opstijgen naar mijn gezicht en we draaiden allebei ons hoofd tegelijk terug om weer deel uit te gaan maken van het gesprek van de groep. Zijn hand lag nog altijd om mijn billen gebogen maar onze lichamen waren zo dicht bij elkaar dat niemand het zag. Was het amicale vriendelijkheid? Het gevolg van een krappe ruimte? Of werd ik geliefkoosd? Het antwoord was minder duidelijk dan je zou denken. We stonden min of meer in een hoekje gedrukt dus de ruimte was nogal beperkt, en daardoor werd mijn inzicht sowieso al wat vertroebeld – de intimiteit die wordt getolereerd in een volle bus is taboe in een lege. Alle mogelijkheden schoten door mijn hoofd. Hij voorkwam dat ik verder naar achteren, tegen de muur werd gedrukt. Zijn hand kon nergens anders heen. Hij was gewoon vergeten dat hij daar lag, aangezien mijn achterwerk door onze vertrouwdheid door de jaren heen niet als een bijzonder persoonlijke plaats werd gezien.

Bernards eigen verwarrende gedrag weerhield mij er ook nog eens van tot een conclusie te komen. Hij leek zo ingespannen naar het gesprek in de groep te luisteren, met zijn hoofd naar voren gestrekt, dat ik ervan overtuigd was dat hij onmogelijk aan zijn hand kon denken dus het was nog het waarschijnlijkst dat hij gewoon was vergeten, waar hij hem had gelaten. Het kon een oprechte vergissing zijn geweest, maar toch vond ik die vreemde hand rond mijn achterwerk een eigenaardig onaangenaam gevoel. Ik kneep mijn bilspieren een paar keer samen in de hoop dat hij de beweging zou voelen en zijn vergissing zou beseffen – het equivalent van een scherpe misprijzende blik – maar hij verschoof hem alleen een beetje, zo verdiept was hij in het gesprek dat zich voor hem voltrok.

'Je zou denken dat een hond instinct heeft, nietwaar?' vroeg een walrusachtige man aan mijn vader.

'Ja.'

'Waar trek je in het dierenrijk dan de grens tussen dieren die instinct hebben ontwikkeld en dieren die dat niet hebben gedaan?'

'Dat doe ik niet. Alle dieren hebben instinct. Het verschil is dat de meeste dieren zich daar niet bewust van zijn. Wat dat ons onderscheidt van andere dieren, is zelfbewustzijn. En vraag me niet waar ik in het dierenrijk de zelfbewustzijnsgrens trek, want dat kan ik je niet zeggen, maar reken maar dat die niet duidelijk zal zijn. Het zal om minieme verschillen gaan, en er zullen heel veel dieren met maar een heel klein beetje zelfbewustzijn zijn.' Clive ratelde in één adem zijn gedachten af, en ik besefte dat hij diezelfde dingen al veel vaker had gezegd. Hij vervolgde: 'Wat neemt volgens jullie de besluiten voor een pop als hij in vloeibare vorm verkeert? Er zijn geen hersenen meer. Het is een oersoep. Jullie menen toch zeker niet dat Poppensoep kan denken. Zijn genetische code regelt de processen, zoals een sleutel een deur opent. Het is geen besluitvormingsproces.'

108

Er vormde zich inmiddels een kluitje om hem heen, als een ontevreden menigte en toen ik zag dat hij de frequentie waarmee hij in zijn nekbaard krabde opvoerde, wist ik dat hij zich steeds ongemakkelijker voelde.

'Wat is zelfbewustzijn dan precies? Is het een ziel, denkt u?' vroeg iemand.

Clives beproeving was nog lang niet voorbij.

'Tja, dat is een onderwerp voor een heel ander soort lezing.'

'Dat weet ik, maar ik wil graag weten hoe u erover denkt. U bent nogal uitgesproken over alles,' merkte iemand cynisch op.

'Ik ben een reductionist, dus ik geloof niet dat zelfbewustzijn een geestelijke eigenschap is. Ik denk dat het misschien een bijproduct van de evolutie is.'

'Een bijproduct? Als was het een vergissing?' kwam het antwoord.

'Nee. Nou ja, ik weet het niet...' Clive wachtte even, maar het was duidelijk dat hij het wel wist. Hij vervolgde aarzelend: 'Als dieren verder ontwikkeld raken in hun biochemische processen, wordt het misschien te ingewikkeld om alles in termen van reflex en reactie te willen indelen. Het is in feite een simplificatie om de hersenen van het dier verantwoordelijk te maken voor het bepalen van zijn eigen oplossingen, om het te laten leren door herinnering en herkenning, om zijn omgeving in te kunnen schatten en zelfstandig beslissingen te nemen.'

Hij zei het allemaal zo snel, alsof hij het heel vaak had geoefend, dat het ongeloofwaardig klonk, als een acteur die zonder enige inleving zijn tekst voordraagt. Ik had het warm en voelde mij ongemakkelijk en het kwam mij voor alsof ik mijn ergste nachtmerrie had verzonnen en er werkelijkheid van had gemaakt. Bernards hand lag nog altijd op mijn billen en nu bewoog hij zijn duim strelend op en neer. Wat het bewust of onbewust? Het was dezelfde vraag als waar alle aanwezigen het antwoord op wilden weten. Dacht Bernard dat dit ons tot bondgenoten verenigde in het team waar hij het over had? Clive zag er doodvermoeid uit. De menigte drong steeds verder op. Ik hoorde de spot en de algemene minachting voor Clives laatste redenering.

'Ik heb de waarheid niet in pacht,' zuchtte hij uitgeput. 'Het is mijn hypothetische overtuiging dat alles, inclusief zelfbewustzijn, teruggebracht kan worden tot chemische en mechanische reacties en minuscule anatomische veranderingen binnen ons centrale zenuwstelsel.'

De walrusman keek met zijn hoofd scheef naar Clive in een mengeling van medelijden en walging. Clive krabde aan zijn baard. De groep werd almaar groter tot ik horden mensen zag die om ons heen dromden, ons insloten en deden krimpen. Ik kon niet helder denken. De vloer smolt onder mijn voeten en ik begon te zwaaien alsof ik me op een boot bevond. De Hele Hand streelde nu over mijn achterwerk, met draaiende bewegingen. Het plafond begon omlaag te vallen. De deur aan het andere eind van de kamer stond volgepakt met mannen met baarden en lange halzen die allemaal tegelijk vragen stelden en ze verbruikten alle zuurstof in de kamer, ze namen er grote teugen van, slokten hem gretig op. De Hand streelde harder, grote, uitbundige cirkels met de vlakke hand, alsof hij bijenwas in meubilair wreef. Clive krabde aan zijn baard. Opeens was ik naakt. Bernard was een hond vol instinct, hijgend, kwijlend. Ik kreeg geen lucht. Ik sloot mijn ogen zodat ik naar dat plaatsje in mijn hoofd kon gaan waar ik kalm zou kunnen blijven terwijl ik langzaam stikte.

Ten slotte hoorde ik Bernards sonore stem, niet naast me maar voor me, ongeveer een meter van me vandaan. Het was onmiskenbaar: hij had het over een of andere boiler die hij in zijn huis had geïnstalleerd en liet vervolgens zijn luide, kenmerkende lach horen. Ik deed mijn ogen snel open en zag hem – dacht ik – twee stappen voor me met zijn handen wapperen terwijl hij sprak. Béíde handen. Pas toen ik naar hem keek, begon de Hand Die Mijn Achterwerk Omvatte langzaam op te lossen. Ik keek onopvallend over mijn schouder om te zien of daar niets was.

Ik stond nog steeds naar Bernards handen te staren toen iemand hem een schotel met vol-au-vents aanreikte. In plaats van dat hij met een hand er eentje nam en met de andere de schotel doorgaf, grepen beide handen naar een vol-au-vent en namen beide er behoedzaam een tussen duim en wijsvinger. Terwijl hij zijn overtollige vingers gestrekt hield, propte Bernard ze een voor een lusteloos in zijn reusachtige mond, en na beide keren zag ik hoe hij zijn wijsvinger en duim tegen elkaar wreef om ze van pasteikruimels te ontdoen. Ik voelde een braakneiging opkomen. Die pietluttige vingers hadden beslist over mijn achterwerk gewreven. Maar toch voelde ik nog steeds zijn hand daar en zag ik dat die er niet was. Ik was nogal verhit en erg in de war.

Clive zweeg de hele treinreis naar huis. Toen we eindelijk laat op die avond thuiskwamen, gaf Maud me een glas sherry, maar ik kon hem niet drinken. Aangezien Clives jicht het hem verbood, had ze denk ik graag een glaasje met mij gedronken, maar de vorige keer dat ik sherry had geproefd, had ik het niet lekker gevonden.

Ze had haar best gedaan voor het avondeten. Ze had varkensvlees in cidersaus gemaakt en het zilver op tafel gelegd, en ik wist dat ze wilde dat we gingen zitten en haar alles over onze eerste lezing samen als onderzoeksteam zouden vertellen. Ze had het die ochtend, voor we vertrokken, zo spannend gevonden en bleef me maar goede raad geven en dingen bedenken die ik kon verwachten: luister, zeg niets, blijf aan de rand van het podium zitten zodat je je niet geïntimideerd voelt door zo'n zaal vol mensen – en ik begreep dat ze nu graag wilde weten hoe het was gegaan. Natuurlijk besef ik nu dat we haar de tijd hadden moeten gunnen en haar diner hadden moeten eten en haar alle details hadden moeten vertellen die haar naar haar gevoel bij die dag betrokken zouden hebben, maar Clive en ik waren zo moe dat we meteen naar bed gingen. Maud hield me tegen toen ik de trap op liep.

'Weet je zeker dat je niet even een glaasje wilt?' vroeg ze, terwijl ze zichzelf nog eens inschonk.

Ik schudde mijn hoofd verontschuldigend.

Toen stelde ze me een rare vraag: 'Hoeveel hadden er een baard?'

Grappig, dacht ik. 'Alle mannen hadden een baard,' zei ik.

'O, dat weet ik ook wel,' lachte ze. 'Wat ik eigenlijk bedoelde was: waren er vrouwen?'

Op dat moment besefte ik de ware positie van mijn ongekozen carrière. Er zouden niet alleen heel veel botsingen en discussies bij komen kijken, maar ik zou op twee punten voortdurend strijd moeten leveren: ten eerste, net zoals Clive, om geaccepteerd te worden in de academische kringen zonder de diploma's die dat konden schragen, en ten tweede om een vrouw te zijn in dit alleen-voor-mannendomein, ook al had de beroemde Bernard Cartwright mij persoonlijk welkom geheten bij het team.

9 – Nog een val

Nu wil ik je vertellen over wat er zo'n vier jaar later gebeurde. Het was 1959, het jaar dat alles veranderde. Het was het jaar van het Congres in Plymouth en het jaar – ik zal het nooit vergeten – dat Bernard Cartwright de handschoen wierp.

Maar eerst moet ik je over Vivi vertellen. Terwijl ik het druk had met Clive en de motten, was Vivi in een nieuw leven gegleden in Londen, waar ze een appartement deelde met twee meisjes die ze op de secretaressecursus had ontmoet. Ze kwam onregelmatig op bezoek, ook al probeerde Maud haar naar huis te lokken, maar ze schreef om de week. Maud had de brieven altijd als eerste te pakken. Ze greep de post zodra die arriveerde en liep er dan mee terug naar de keuken, bladerend door de enveloppen in de hoop Vivi's handschrift te zien.

Maud had gehoopt dat Vivi na haar cursus thuis zou komen en in de buurt een baan zou vinden, maar in plaats daarvan ging ze bij een Londens advocatenkantoor werken. Na een paar maanden was ze vertrokken en had ze iets interessanters gevonden, zei ze, bij de uitgeverij van een krant, maar zelfs toen was ze rusteloos. Ze stapte over naar een dokterspraktijk en werd daarna de privésecretaresse van een freelancejournalist. Daarna raakte ik de tel kwijt van haar verschillende baantjes. Het scheen mij toe dat ze, telkens als ze thuiskwam, weer iets anders had, en ze wist ons er altijd van te overtuigen dat de volgende baan veel beter zou zijn dan de vorige.

Toen Vivi uit huis ging, besefte Maud volgens mij niet dat het voorgoed zou zijn. Maar Vivi wilde iets van haar leven maken, en noch een vervallen landhuis in Dorset, noch een zolder vol motten waren goed genoeg. Ooit, schreef ze in een van haar brieven, zou ze op een filmset gaan werken, misschien zelfs bij Pinewood, want ze had iemand ontmoet die iemand kende die iemand zocht.

In die periode hadden Clive en ik een opmerkelijk partnerschap gevormd en ons onderzoek op Bulburrow werd overladen met werk en beurzen. Dat lag niet louter en alleen aan onze briljante samenwerking. Je herinnert je misschien dat de jaren vijftig een bloeitijd voor experimentele wetenschap waren, met onder andere de uitvinding van de elektronenmicroscoop en de elektronische chip, het wijdverbreide gebruik van antibiotica en immunisatie, het dubbel spiralende DNA van Crick en Watson, en dan had je nog de genetica.

Samen met de fruitvlieg *Drosophilia* werd de mot hét proefdier van dat moment, om precies dezelfde redenen die Clive twintig jaar eerder had vastgesteld en tegen het einde van de jaren vijftig leek het alsof iedereen een beetje mot wilde. De traditionele lepidopteristen werden aan de kant geveegd toen alle andere wetenschappelijke beroepsgroepen – moleculair biologen, biochemici en met de name de nieuwe evolutiegenetici – de mot voor hun onderzoek kaapten. Kettlewell publiceerde zijn inmiddels beroemde beschrijving van melanisme bij de berkenspanner, en de evolutiegenetici Sheppard en Fisher gebruikten allerlei mottensoorten als hulp bij het duiden van de erfelijkheidswetten en het gedrag van chromosomen die voor voortdurende variatie zorgen. Chemici namen het veld over en probeerden antwoorden, vergelijkingen en formules te vinden voor de vragen waar Clive, Bernard en anderen zoals zij zich jarenlang over hadden verwonderd: het benoemen van de specifieke onderdelen die de levenscyclus van de mot bepalen; het in gang zetten van de overwintering of verschijning; de moleculaire processen die een mot naar het licht drijven, die etherische olie uit de geurklier van een vrouwelijke mot vrijmaken, en de structuren in een mannetje waarmee deze het met wind mee kilometers ver kan ruiken. Al deze beschouwingen, en daarnaast ook de chemische analyse van elk samenstelsel – pigmenten, hormonen, feromonen, enzymen, de neurale remmers en stimulators – of op z'n minst een onderzoek naar hoe die werkten of hun chemisch gedrag, lagen opeens voor het grijpen en het leek wel een race om er als eerste bij te zijn en er als eerste over te publiceren.

Natuurlijk hadden Clive en ik bij de start een lichte voorsprong, aangezien Clives eenzame levenswerk, waar in het verleden vaak spottend over werd gezegd dat het tussen twee wetenschapsgebieden in bungelde, nu werd bestormd door onderzoeksinstellingen die uit waren op het grote geld. We kregen het druk. We publiceerden meer dan tien artikelen per jaar, gaven twee keer zoveel lezingen en de beurzen kwamen gestaag binnen.

Tot slot moet ik je vertellen over de Robinson-val. Het was de enige echt opwindende gebeurtenis tijdens die vier jaren dat ik leerling was. Het was Maud die er voor het eerst over had gelezen in een van haar tijdschriften, *British Countryside*, geloof ik. De Robinsons waren twee broers uit Kent die een revolutionair nieuw ontwerp voor een lichtval op de markt brachten, en dat zorgde voor meer dan een lichte beroering. Ik weet nog dat Maud speciaal met het blad naar het laboratorium kwam nadat het met de post was gearriveerd. Ze stond aan het eind van de werkbank en las het verbluffende hoofdartikel op sensationele toon voor: 'Een Robinsons-val die één nacht in Hampshire is geplaatst, verzamelt meer dan 20.000 exemplaren van de zwarte c-uil, *Amathes c-nigrum L.*, *Caradrinidae*, naast grote aantallen van andere soorten.'

Ik heb nooit begrepen waarom Clive niet naar buiten stormde om er terstond een te kopen, maar hij leek geen interesse te hebben, ook al doken er weldra in elk entomologisch blad van het seizoen verhalen over zijn successen op. De Rolls-Royce onder de mottenvallen, zoals hij bekend kwam te staan, bestond uit een kwikdamplamp in een slim ontworpen glazen stolp. Hij werkte net zoals een kreeftenfuik. Vanaf het moment dat het gaat schemeren, als de meeste motten in de lucht zijn, vliegen ze, aangetrokken door het licht, de klokvormige stolp in en eenmaal binnen kunnen ze geen uitweg meer vinden. De

Robinson-val betekende een radicale doorbraak in het vangen van motten en – wat schokkender was – veranderde de heersende opvattingen over hun landelijke verspreiding en zeldzaamheid. Motten waarvan men eerst dacht dat ze zeldzaam waren, bleken opeens welig te tieren en andere kwamen voor op plaatsen waar ze nooit eerder waren gevonden. En dus werd de hele verzameling nationale gegevens, die berustte op meer dan een halve eeuw aan nauwgezet verzamelde verspreidingsdata, in één klap waardeloos en de veilinghuizen, die destijds een aardige cent verdienden aan het verhandelen van collecties van zeldzame insecten, hadden het nakijken toen de prijs van die niet-zo-zeldzaamheden die onder de hamer kwamen van de ene op de andere dag kelderde. Zelfs dat kon Clive er niet toe bewegen er een te bestellen.

Toen ik Maud ernaar vroeg, zei ze dat Clive er natuurlijk graag een wilde maar dat hij er te trots voor was. Ze zei dat hij altijd zijn eigen instrumenten maakte, naar zijn eigen, gedurende vele jaren geperfectioneerde specificaties en hij weigerde te geloven dat zijn eigen ontwerpen geen optimale prestaties zouden leveren. Ik geloofde haar niet. Zo eigenwijs was Clive niet.

Gedurende die prachtige jaren van ons partnerschap bleef Clive steeds vasthouden aan zijn levensdoel: het achterhalen van de samenstelling van de Poppensoep en daarmee het onthullen van de geheimen van de metamorfose, en elke herfst dreef dat ons met een schepje en een beitel naar de brede paden in de plaatselijke bossen of de beschutte randen langs de geploegde velden, op zoek naar die kleine, moeilijk te vinden poppen die zich zo diep in Clives fascinatie hadden vastgehaakt. We waren tot aan de volgende lente ondergedompeld in deze ambitieuze onderneming en analyseerden de inhoud van de cocons in de verschillende fasen van hun ontwikkeling in een poging het patroon, de oorzaak, de gouden sleutel tot het miraculeuze proces van de metamorfose te vinden. Maar het was frustrerend en vruchteloos, en we vonden weinig patronen. Een team in Amerika had bekendgemaakt dat de pigmentatie binnen de zich ontwikkelende pop werd beïnvloed door de temperatuur, maar uit onze eigen observaties was gebleken dat temperatuur geen effect had op de ontwikkeling van de pop, noch op het in gang zetten van de reorganisatie van het imago in wording. Hij had volgens onze bevindingen ook geen invloed op of controle over de snelheid waarmee de fagocyten het weefsel en de organen van de larf afbreken, een proces dat in lengte kon variëren van een paar dagen tot een paar jaar, afhankelijk van de soort. We zagen ook geen invloed op de actieve fase van het poppenleven, de reorganisatie van het nieuwe insect, of de tijd van verschijning. Nu we temperatuur hadden uitgesloten, gingen we op zoek naar andere oorzaken, zoals hormonen, en veranderingen in polariteit of pH, maar na drie jaar waren we nog geen stap dichter bij het vinden van de prikkel, katalysator of het mechanisme dat het begin van de genetische reorganisatie activeerde.

Uiteindelijk boekten we wel wat succesjes op andere gebieden, met name op het terrein van pigmenten. Ik herinner me vooral Clives grote enthousiasme toen hij ontdekte dat het rode pigment van rode Britse motten – de bonte beer, de sintjansvlinder, en de rode weeskinderen – niet dezelfde samenstelling had als dat van onze rode vlinders, maar eerder overeenkwam met dat van veel voorkomende continentale soorten, wat volgens Clive nieuw licht wierp op de evolutionaire weg van de Britse motten, waarvan hij de details uitvoerig besprak in een lezing tijdens een internationaal entymologiecongres in Plymouth.

Dit congres voert me naar de gebeurtenissen van 1959, omdat het in de lente van dat jaar plaatsvond. Clive liet zijn lezing – zonder mijn medeweten – culmineren in een zeer indrukwekkende stunt die hét onderwerp van gesprek van de rest van de driedaagse conventie zou worden.

Er zijn maar twee Britse motten, de haagdoornvlinder en de vliervlinder, die allebei een fluorescerend geel pigment in hun vleugels hebben en ze worden daarom beide als *Selidosemindae* geclassificeerd. Maar Clive toonde voor het voltallige publiek op spectaculaire wijze de fout in deze universele classificatie aan toen hij een extract van de fluorescerende samenstelling van elk van deze twee soorten onder een ultraviolette lamp hield. Dat toonde onmiskenbaar aan dat de twee fluorescerende samenstellingen in feite een heel verschillende chemische samenstelling hebben. Na die geduchte demonstratie besloot hij met een oproep tot een volledige taxonomische herziening van alle geslachten, gebaseerd op dit nieuwe biochemische bewijs. Het leverde een felle discussie op: moeten we wel of niet opnieuw classificeren als we evolutionaire paden vinden die in tegenspraak zijn met onze op observatie gestoelde classificatie en nomenclatuur? Clive was, zoals je je wel kunt voorstellen, heel precies als het ging om correcte classificatie.

Wat ik het vreemdst vond, was dat ik geen idee, niet eens een vermoeden had dat Clive dit spektakel zou gaan opvoeren en het hele classificatiesysteem zou aanvallen. Ik kende de lezing die hij zou gaan geven uit mijn hoofd, ik had hem die vaak genoeg horen oefenen, maar die laatste stunt had hij nooit gerepeteerd. Je zou verwachten dat hij er wel iets over zou hebben gezegd maar het was voor mij een even grote verrassing als voor alle anderen.

Het meest gedenkwaardige van het Plymouthcongres was echter wat er gebeurde toen we thuiskwamen.

We vertrokken op een dinsdagmiddag en kwamen op vrijdag rond theetijd weer thuis. Toen we naar binnengingen, was het stil in huis en er was niemand om ons te begroeten. Ik gleed bijna uit over een stapel post op de vloer van de hal. Vroeger was Basil misschien als eerste bij de deur geweest maar hij was een paar jaar eerder gestorven nadat zijn nieren het hadden begeven. We riepen Maud, maar anders dan gewoonlijk kwam er geen antwoord. In de keuken belaagde een grote berg afwas het aanrecht en uit de propvolle afvalbak kwam een weeïge rottingsgeur. Het was niets voor Maud. In de bibliotheek lagen de kussens op de bank er slap bij en de gordijnen waren half gesloten. Op het mahoniehouten kaarttafeltje plakten een kopje zonder schotel en een klokhuis, die zeker vlekken zouden achterlaten. Op andere plaatsen waren de dingen eigenaardig verschoven: een van de voorouders had een klap gekregen en hing scheef tegen de wand langs de trap, een klein ingelijst certificaat was van de lambrisering op de vloer gevallen en het hele huis had een licht wanordelijke sfeer.

Clive ging nu snel te werk, hij controleerde een voor een de kamers beneden. Ik volgde hem. Ik voelde de trage, misselijkmakende paniek van een kind dat zijn moeder in de stad even uit het oog heeft verloren. Clive zei niets maar ik voelde zijn angst. Die lag in zijn korte, afgemeten stappen, in de wijze waarop hij elke deur openzwaaide alsof hij moedig het hoofd bood aan zijn eigen gevreesde verbeelding, in de kortaffe, beheerste manier waarop hij haar naam uitsprak – 'Maud' – als hij een kamer binnen ging, indringend maar niet hard. Mijn mond was droog. Mijn maag danste. Eerst inspecteerden we de benedenverdieping: het tuinschuurtje, de ondiepe vijver in de orangerie, de steile stenen trap die vanaf de loggia omlaag liep, achterlangs naar het huisje waar de vleeshaken hingen...

Er was beneden geen spoor van haar te bekennen dus gingen we terug naar de hal. Maar juist toen Clive voor mij de trap op liep, zag ik tot mijn onvoorstelbaar grote opluchting bovenaan Maud, die elegant omlaag schreed in een groen met blauwe avondjurk met pauwenopdruk.

'Hallo, schatten van me,' riep ze halverwege, gloeiend van enthousiasme. 'Goede reis gehad?'

Haar jurk was hoog gesneden met een ronde hals en omklemde haar smalle middel met een sjerp. Ik had haar in geen tijden zo feestelijk gekleed gezien. De strakke, met kant afgezette mouwen eindigden op haar bovenarm en rond haar hals hingen in lage lussen twee snoeren amberkleurige kralen, samengebonden in een losse knoop. Het was het soort dingen dat ze droeg toen ze veel jonger was. Rond haar polsen rinkelden doffe zilveren armbanden en in haar rechterhand hield ze een voor een kwart gevuld glas sherry. Ze mocht dan het huishouden hebben verwaarloosd, ze had beslist de nodige aandacht aan zichzelf besteed. Ze zag er zonder meer schitterend uit.

'Het lijkt alsof je een feestje hebt gehad,' zei Clive, die een blik in de keuken wierp.

'Inderdaad, schat. Ik heb heel veel feestjes gehad terwijl jullie weg waren. En maak je geen zorgen om het opruimen. Het is allemaal onder controle.'

'Ik maak me geen zorgen,' zei hij, terwijl hij haar op de trap begroette met een kus.

Ik stond nog steeds haar verschijning te bewonderen. Ik wist zeker dat ik haar nog nooit in die jurk had gezien, maar toch deed hij me ergens aan denken. Als ik maar niet zou proberen erop te komen, dacht ik, zou het zo meteen wel onverwacht uit mijn geheugen opduiken.

'Heb je echt feestjes gehouden?' vroeg ik.

'Nee, ik pláág je maar een beetje, lieverd.' Ze trok een gek gezicht, pakte mijn neus en schudde er zachtjes aan. 'Ik neem je bij de neus.'

Ze leek bezield, rusteloos. 'Ik heb een cadeautje voor je, Clive. Het kan een vroege verjaardag worden,' zei ze koketterig, hoewel zijn verjaardag niet in deze helft van het jaar was.

Ze zette het glas op de leuning van de antieke bank in de hal en haalde er een grote, in bruin papier verpakte doos met een touw eromheen onder vandaan. Ze zei: 'Kijk eens aan, schat,' en streek toen met haar handen het middel en daarna de zijkanten van haar jurk glad. 'Wat denk je dat het is?' vroeg ze. 'Herken je het?'

Hij keek naar het pakket. 'Nee, ik heb geen idee. Wat is het?'

Ze lachte. 'Maak open,' spoorde ze hem aan. 'Toe dan, maak open.'

Clive haalde zijn zakmes tevoorschijn. Hij sneed behendig het touw door en scheurde het papier open. Nog voordat het er helemaal af was, ving ik een glimp op van wat er op de doos geschreven stond. 'Het is een Robinson-val!' riep ik uit, terwijl het papier eraf viel.

'Inderdaad,' zei Clive effen.

Toen herinnerde ik me zijn onverholen minachtig voor de Robinson-val. Hij had heel duidelijk gemaakt dat hij er geen wilde. Ik besefte natuurlijk hoeveel moeite Maud moest hebben gedaan om het bedrijf van de broers in Kent te achterhalen en ervoor te zorgen dat hij voor onze thuiskomst gearriveerd zou zijn en ik was bang – terwijl Clive nonchalant de doos openmaakte en de onderdelen uitstalde – dat hij ondankbaar zou zijn.

Maar hij wees het cadeau niet botweg af, zoals ik had gedacht. In plaats daarvan inspecteerde hij de onderdelen om te zien hoe het ontwerp in elkaar stak en mompelde minachtend iets over gebreken die hem meteen opvielen. Daarna begon hij het ding in elkaar te zetten voor hij zelfs maar de handleiding bekeken had. Al snel ging hij volledig op in de assemblage; hij bestudeerde de werking en de duurzaamheid van elk klein onderdeeltje voor hij het in de constructie aanbracht. Ik begon in te zien dat Clive eigenlijk heel opgewonden was. Maar zelfs toen, toen hij het apparaat in elkaar stond te zetten, vloekte hij over het slecht passende peertje en de stof van de rand, die goedkoper was dan hij zelf zou hebben gebruikt.

Maud bood aan een glas bitter lemon voor hem te gaan halen maar volgens mij hoorde hij haar niet. Ik weet nog dat hij, met de val half in elkaar, een stap achteruit deed, en bijna een lach onderdrukte toen hij zonder zijn ogen ervan af te houden, zei: 'Dit is echt heel mooi, heel mooi. Dank je wel, Maud.' Hij liep eromheen, op een armlengte afstand, als een handelaar die eerst het hoofd en daarna de flanken van een zojuist aangeschaft paard bekijkt. 'Kijk eens. Hij is prachtig. Echt magnifiek.' Maud had zich geen uitbundiger reactie of overdadiger dankbaarheid kunnen wensen, maar ze ging naar de keuken om het eten op te dienen alsof het hele gebeuren haar niet meer interesseerde.

Ik liep haar achterna om te zien of ik kon helpen. Het was grappig om Clive in de kamer ernaast halve zinnetjes tegen zichzelf te horen mompelen: 'O, nu snap ik het.' 'Ja, zo hebben ze dat dus gedaan.' 'Interessant... maar volgens mij kan dat nooit blijven zitten.' 'De wind gaat daarmee aan de haal.' Soms vloekte hij uit frustratie, ik denk wanneer iets niet paste, en soms liet hij een kort, schril lachje horen. De klanken en woorden vloeiden ongeremd uit zijn mond, alsof hij de enige mens op de wereld was.

Clive was zo blij met zijn nieuwe Robinson-val dat het eigenlijk een vergissing bleek te zijn geweest hem die voor het eten te geven. Het leek erop dat Maud daar ook al achter was, gezien de halfslachtige manier waarop ze hem aan tafel riep. Nadat we daar zo'n tien minuten hadden gezeten, was het wel duidelijk dat het uitgesloten was dat Clive erbij zou komen.

Maud en ik zaten met zijn tweeën en aten. Ze had kleine boeketjes op de tafel gezet en hem gedekt met het familiezilver, zoals ze dat jaren geleden had gedaan. Ik was vergeten hoe knap mijn moeder was, ook al paste de jurk die ze droeg niet bij haar leeftijd. De halslijn was te preuts, de taille te mooi en de elegante, met kant afgezette mouwtjes sneden in de lubberende huid van haar bovenarmen, waarvan de rest er losjes uithing en trilde als ze haar eten sneed. Toch kon je goed zien hoe mooi ze ooit geweest moest zijn en zelfs nu was ik onder de indruk van hoe knap ze na een beetje moeite was. Ze had haar gezicht wat extra kleur gegeven en haar ogen lichtten op met blauwe oogschaduw. Ze had haar wimpers bewerkt met de wimpertang en ze krullend en meisjesachtig omhoog geduwd. Maar Mauds eerdere enthousiasme was geweken. Ze was stil en had geen trek. Ze maakte een fles wijn open.

Zolang ik me kon herinneren, had Clive voor hij naar bed ging elke avond onveranderlijk een mottenval, een simpel, zelfgemaakt geval, op de platte vensterbank voor het raam van de salon gezet. Hij noemde die de Nachtwacht. Die was niet voor serieus verzamelen, meer een controle om te zien welke motten er die nacht waren langs geweest, wat voor soort weer en temperatuur hen had gebracht of zelfs, in sommige gevallen, om het naderende weer te voorspellen.

De avond dat Maud hem z'n Robinson-val gaf, zette hij die op de vensterbank van de salon en verving hij de val die meer dan tien jaar de Nachtwacht had gehouden. Die nacht, tijdens de uren van lichte slaap, werd ik gekweld door nieuwsgierig-heid naar de zeldzame bezoekers die we in deze nieuwe won-derbaarlijke val zouden aantreffen, en 's morgens stormde ik meteen naar beneden om te gaan kijken. Clive was er al en schonk er buitengewoon veel aandacht aan. De stolp was wel-iswaar behoorlijk vol, maar toen ik mijn ogen erover liet gaan, zag ik meteen dat er geen grote verrassingen waren, geen pa-rels. Het lijkt nu misschien onbelangrijk – zoals het mij destijds toescheen – maar die ochtend deed Clive iets wat ik heel eigen-aardig vond.

Meestal bekeek hij 's ochtends de Nachtwacht even vluchtig, krabbelde bijzonderheden neer en liet de hele zwik dan vrij. Heel soms vond hij een zeldzaam exemplaar waarmee hij wil-de kweken, of een met een pigment dat hij wilde analyseren. Dan druppelde hij een paar gram tetrachloormethaan in de bak om hen te verdoven en pikte hij de exemplaren eruit die hij hebben wilde. Maar die ochtend graaide hij erin rond met zijn handen, als een amateur, en verwoestte daarbij – dat wist ik ze-ker – een aantal prachtige specimina. Grote beervlinders, rode weeskinderen, een puntige zoomspanner, een kortzuiger, een paar soorten dwergspanners werden genegeerd in het spoor van zijn ondoorgrondelijke manie. Ik dacht dat hij misschien uit was op het eikenweeskind, opgehitst door dat iriserende ro-ze, maar waarom niet eerst de stolp verdoofd? In plaats daar-van bleef hij minstens een minuut rondgrabbelen, waarbij hij er een paar vermorzelde en andere beschadigde, tot hij einde-lijk een klein, onopvallend grijs minimotje te pakken had dat mij niet eens was opgevallen.

Er zijn bijna duizend soorten grote motten in dit land, maar bijna drie keer zoveel kleine – soms minuscule – dwergmotten. Het zijn er veel te veel om allemaal een naam te kunnen heb-ben, dus toen Clive die ene te pakken had, wist ik niet eens wat het er voor een was. Ik dacht alleen maar: wat een eigenaar-dige afweging om zoveel mooie, grote motten te beschadigen om zo'n saai, mogelijk naamloos kleintje te kunnen vangen. Z'n vreemde gedrag hield daarmee niet op. Hij prikte keurig door het borststuk met de nagels van zijn duim en wijsvinger, een manier van doden die je gewoonlijk alleen als laatste red- middel toepast, bijvoorbeeld wanneer je in het veld bent en je geen gif bij je hebt, of als je specifiek probeert de bijwerkingen van sommige giffen te voorkomen, zoals verkleuring door am- moniak of verstijving door cyaankali. Met knijpen zul je het li- chaam altijd een beetje pletten, en het is beslist niet de manier die ik gekozen zou hebben om zo'n motje te doden. Ik zou hem met een in salpeterzuur gedoopte naald in zijn buik hebben geprikt.

'Het is de *Nomophila noctuella*,' verkondigde Clive ten slotte, terwijl hij hem in een klein pillendoosje legde.

Ik zou pas twee jaar later, op de dag dat Maud stierf, ontdek- ken waarom hij er zo buitengewoon veel interesse voor had.

10 – Bernard werpt de handschoen

Een week na het congres ontving Clive een telegram. Het was van Bernard, die toen hoofd biologische wetenschappen aan een noordelijke universiteit was geworden.

JIJ DOET HAAGDOORNVLINDER STOP IK DOE VLIERVLINDER STOP HET IS EEN WEDSTRIJD STOP BERNARD STOP

'Stomme spelletjes,' pruttelde Clive, en hij smeet het telegram laatdunkend in de prullenbak in de hal. 'En dat noemt zich nu professor,' voegde hij eraan toe, terwijl hij door de keuken liep.

Ik dacht dat het daarmee was afgelopen dus lette ik er aanvankelijk niet op. Maar – en dat is het grappige – het bleek dat Bernard iets doorhad van mijn vader wat ik niet zag: dat zo'n soort uitdaging een onweerstaanbare aantrekkingskracht voor hem had en dat hij die nooit zou laten liggen, zelfs niet met het oog op het gezonde verstand en de tijdsdruk op onze toch al krappe schema's.

Hij had het nog niet als frivool afgedaan of ik zag Clive al berekeningen krabbelen op het blocnootje dat hij altijd in zijn jaszak droeg voor 'observaties', maar pas na de lunch, toen hij zijn hele strategie voor het analyseren van de fluorescentie van de haagdoornvlinder uiteen had gezet, besefte ik dat hij de handschoen opnam. Hij toonde zich nog steeds geïrriteerd over Bernards boodschap, dus ik begrijp niet waarom hij besloot er kostbare tijd en energie aan te verspillen terwijl we al tot over onze oren in het door beurzen gesteunde onderzoek zaten.

Voor alle duidelijkheid: Bernard daagde ons uit voor een wedstrijd in het analyseren van de fluorescerende samenstelling van de twee soorten nachtvlinders: hij zou de vliervlinder doen en wij de haagdoorn. Eerst zouden we het mengsel moeten extraheren, een redelijk simpel proces waarbij je het dier in de vijzel fijnstampte en de resulterende smurrie een aantal keren met alcohol distilleerde. Ook het analyseren van de samenstelling zou gemakkelijk, zij het ietwat bewerkelijk zijn: het is een reeks strategisch ontworpen testen, waarvan de resultaten via een proces van eliminatie, als een laboratorium-Cluedo, naar het type samenstelling waar het om gaat, zo niet naar zijn specifieke empirische formule, leiden. Er moesten een hoop proeven worden gedaan: de chlorideproef voor urinezuur; lakmoesproef voor pH; chromatografie voor solventie; hydrogenatie, distillatie, oxidatie en zuren/basen-reacties.

Wat was dan het moeilijke van de onderneming? De uitdaging lag niet in de chemie, maar in de bereiding, zoals Clive het zei. Het was een kwestie van hoeveelheden: om voldoende fluorescerende stof te verzamelen voor een analyse, moesten we meer dan 25.000 haagdoornvlinders vermorzelen, had Clive berekend.

Dat was het dus. We stortten ons halsoverkop in Bernards uitdaging.

Je kunt niet zomaar nachtenlang een lichtval opzetten en maar hopen dat je heel veel haagdoorns zult vangen. Tegen de tijd dat het jachtseizoen voorbij is, heb je er nog maar een paar honderd. Wij hadden er duizenden nodig, en snel ook, wat enige geslepenheid vergde. Clive stelde een ambitieus plan op. We hadden ten eerste maagden nodig.

Motten hebben net als wij een zwak voor zoet en alcohol, en de haagdoornvlinder vormde daar geen uitzondering op. Als je de tijd neemt om hun favoriete recept te maken, er wat stroop door roert en dat op bomen en hekken smeert, komen ze van heinde en verre om zich te goed te doen en tegelijkertijd vast te plakken aan de stroop, klaar om te worden verzameld.

Clive liep dus naar de voorraadkamer en begon als een heks bij een ketel een mengsel te brouwen dat uiterst aantrekkelijk was voor haagdoornvlinders, die vooral houden van wijn, gegiste banaan en rum. Na een tijdje kwam hij terug met een kleverige, papperige pan vol zurig geurende stroop.

Clive wist waar en wanneer de haagdoorns in de vlucht zouden zijn en zin in iets zoets zouden hebben. Elke ochtend en avond bekeek hij zijn barometer en zette hij de hygrometergegevens in een grafiek, geduldig wachtend op de ideale omstandigheden. Motten komen niet op suiker af als er een noordoostelijke of oostelijke wind waait, of als de atmosfeer hen niet bevalt. De eerste drie weken was het weer sloom en kalm, te helder, te warm of te droog, maar halverwege de vierde week was er een sterke stijging van het kwik. Het betrok in de schemering en 's nachts werd het een beetje dik en zwaar, gespannen en dreigend, heet en donderachtig, geen zuchtje wind...

'Vanavond,' zei Clive samenzweerderig, 'maar de haagdoorns zullen niet voor tien uur gaan vliegen.'

Even voor het radionieuws van tien uur kwakten we de stroop op zes van de linden langs de oprijlaan, en kort na het nieuws kwamen we terug om veertien verse gele haagdoornwijfjes op te halen, waarvan er twee zwanger en twaalf maagd waren.

We hechtten vooral veel waarde aan de maagden. Eenmaal binnen, kneep ik ze een voor een in hun achterwerken en daar drupte vervolgens het krachtigste afrodisiacum uit de natuur uit. Mannetjes kunnen het van acht kilometer afstand oppikken, zelfs vanuit een met rook gevulde kamer die tegen de wind in ligt. Met dit krachtige brouwsel zouden we alle mannelijke haagdoornvlinders in Zuidwest-Dorset verleiden onze kant op de zwermen om mee te doen aan onze experimenten.

Behalve lichtvallen, die we langs de meidoornheggen plaatsten, hingen we overal lokaas met de geur van wijfjes op en begonnen we de haagdoornvlinderpopulatie van het omringende platteland te verzamelen. Elke nacht kwamen er honderden en elke dag had ik de bewerkelijke taak om hen in groepjes te verdoven en te keuren; ik vergaste de mannetjes, redde de zwangere wijfjes, waarmee we konden kweken, en kneep de maagden uit voor meer brouwsel. Het leek wel een militaire operatie, de massa-executie van de plaatselijke haagdoornpopulatie, en tijdens die lange, doodse zomer zat ik dagen- en wekenlang de exemplaren die meteen vergast konden worden te scheiden van exemplaren waar we levend meer aan hadden.

Clive en ik waren die zomer zo verdiept in ons werk dat we om zeven uur even snel iets gingen eten en dan tot diep in de nacht doorwerkten. De herfst die erop volgde, was buitengewoon somber, met dagen waarop de mist weigerde op te trekken, alsof er voorgoed een avondschemer die de hele dag duurde over de Bulburrow-vallei hing. Als ik erop terugkijk, zie ik wel hoezeer ik verwikkeld raakte in Clives ongezonde obsessie met zijn werk, maar geloof me, ik ga me niet verontschuldigen voor de problemen die eruit voortkwamen.

Op een dag vroeg in de herfst waren Clive en ik bezig met het doden en tellen van de tweede generatie haagdoorns van de voorafgaande nacht. Het was de beste vangst van het seizoen geweest; de val was een en al glinstering van iriserend geel waardoor het leek alsof we een enkel hemels wezen hadden gevangen, dat uit protest kronkelde in zijn stolp. Terwijl we ze jubelend aan het tellen waren, meer dan tweeduizend in één val, kwam het in ons op het resultaat aan Maud te laten zien. Op dat moment besefte ik tot m'n schande dat we haar al twee dagen niet hadden gezien.

Uiteindelijk vonden we haar kamperend in de bibliotheek. Ze was er gaan wonen, zei ze vrolijk. De kamer stonk. De gebruikelijke geur van oude boeken en meubelolie was nu doortrokken van aangebrande toast, muffe adem en sterke drank. Ze lag voor de bank op de grond, haar hoofd steunend op haar hand, haar doorgaans zo beheerste haar nu los en kwaad. Her en der slingerden boeken, en ook een paar afleveringen van *The Ideal Home*, waarop ze geabonneerd was. Binnen handbereik bevonden zich twee borden met kruimels, een yoghurtbeker en een KitKatwikkel. Er lagen brieven van Vivi over de vloer verspreid, samen met een paar geverniste kalebassen die doorgaans in een schaal in de vensternis uitgestald lagen. De stofzuiger lag op zijn kant onder het raam alsof hij uit zijn kast in de hal was komen stormen in een zelfstandige poging tot hulp maar op het laatste moment was omgetuimeld uit afschuw over wat hij allemaal zag. Ik telde vijf flessen Garvey's-sherry, in verschillende staat van gevuldheid, en zeven tumblers. Het was even na half elf 's ochtends.

'Heb je ontdekt hoe je een mot moet maken?' Ze grinnikte.

Clive mompelde afkeurend en liep weg.

Ik was geschokt. 'Nog niet, mama,' zei ik, onthutst door de toestand van haar en de kamer en mijn eigen egoïsme waardoor ik niet had gezien wat er van haar was geworden. Er raasde een zieke golf van schuld en liefde en schaamte en een allesoverheersend tekortschieten door mij heen.

'Het spijt me zo, mama,' zei ik, knielend om haar te omhelzen. 'Het spijt me zo verschrikkelijk.' Ik begon te huilen, nam haar in mijn armen en voelde haar een beetje verstijven alsof de rolwisseling te onnatuurlijk voor haar was.

'Waar heb je in vredesnaam spijt van, schatje?' Ze giechelde, haar kin groef in mijn schouder. 'Het kan me echt geen donder schelen of jullie het goddelijke geheim van de motten hebben ontdekt,' brabbelde ze. 'Nooit gedaan ook,' fluisterde ze. 'Maar vertel het niet aan papa.' Haar elleboog gleed weg, haar hoofd sloeg tegen de vloer en ze lachte van pure pret naar het plafond.

'Nee,' zei ik, terwijl ik rechtop ging zitten. 'Dít spijt me,' en ik gebaarde naar de kamer om me heen.

'Wat?'

'Nou, de kamer. En jij ligt er zo bij en...'

'Je bedoelt alle troep, schat?' zei ze, terwijl ze met haar armen uitgestrekt op de vloerplanken lag. 'O, daar hoeven we ons geen zorgen om te maken, lieverd, gewoon even wat stoffen en vegen en... het kan wanneer we maar willen, weet je,' zei ze, terwijl ze overging op een soort zingzang.

Ze had geen benul meer van zichzelf. Waarom zou ik nog

proberen haar mee te delen wat ik zag? Wat zou de echte Maud geschokt zijn als ik haar nu met mij mee de kamer in kon nemen en haar déze Maud, zoals ik haar nu zag, kon laten zien. Maud, een van de meest fatsoenlijke mensen van dit dorp. Het viel me ineens in dat dit deels mijn schuld was. De echte Maud zou genoeg vertrouwen in mij hebben gehad om te zorgen dat dit nooit zou gebeuren. Ze zou erop hebben vertrouwd dat ik zou opletten en zou zorgen dat het nooit zover kon komen. Ik had haar in de steek gelaten ook al stond zij altijd als eerste klaar om mij te helpen. Ik had haar teleurgesteld omdat ik me te lang en te veel om mijn eigen werk en leven had bekommerd om te kunnen zien wat er moest worden gedaan.

'Hoe laat is het, schatje?' vroeg ze en ze ging weer zitten.

De luiken waren dicht en ik had niet verwacht dat ze zou weten hoe laat of welke dag of welk jaar het was. Maud was er helemaal niet. Ik keek op m'n horloge. 'Het is net half elf.' Ik liep naar de luiken om ze te openen. ''s Morgens,' voegde ik eraan toe.

Wat er toen gebeurde, kwam als een donderslag bij heldere hemel.

'Wat bedoel je daarmee, Virginia?' blafte Maud agressief tegen mijn rug. 'Wat bedoel je met "'s Morgens"?'

Ik draaide me langzaam om. Ik wilde zeggen dat ik er niets mee bedoelde, maar toen ik mijn mond opendeed, kwam er geen geluid uit.

''s Morgens,' herhaalde ze, een verzwakt stemmetje imiterend. 'Hoe durf je zo neerbuigend tegen me te doen. Luister, meisje. Dat soort gedrag pik ik niet van jou. Begrepen?' Ze schreeuwde nu tegen me en had zich opgehesen en leunde met haar rug tegen de bank.

'Kijk me aan,' beval ze en ze keek me recht in de ogen op de meest angstaanjagend directe manier, een blik die ik nog nooit van haar had gezien, haar ogen scherp, wild en levendig. Ze wees met een vinger naar me en vervolgde: 'Je denkt misschien dat je heel wat bent omdat je papa nu helpt met zijn werk, en je denkt misschien dat de wereld draait om wat jij doet, maar

Ginny,' en ze hield op met schreeuwen, bleef wijzen en liet haar stem dalen, zo laag en gruizig dat hij trilde, 'je moet nog een hoop leren en ik wil je nóóit meer zo tegen mij horen praten. Het kan me niet schelen wat je van mij denkt, of hoe bijzonder jij jezelf vindt, maar je zult me met respect behandelen omdat ik je moeder ben. Begrepen? Heb-je-dat-begrepen?' herhaalde ze, opnieuw schreeuwend.

11 – Arthur en de kannibalen

Ik nam de rest van de dag vrij om voor Maud te zorgen en het huis op te ruimen. Na het eten belde Vivi. Maud lag diep in slaap op de bank in de bibliotheek, waar ik haar ingepakt in een deken als een gedeukt worstje had achtergelaten. Als Vivi hier was geweest, zou ze Maud nooit in die toestand hebben laten belanden, dacht ik. Ze zou het probleem al vroeg hebben aangepakt. Ze zou Maud bij de schouders hebben gepakt, haar eens goed door elkaar hebben gerammeld en haar hebben gezegd dat ze zich moest vermannen. Dat is wat een goede dochter zou hebben gedaan.

Vivi praatte tegen me maar ik luisterde niet. Was het al eerder duidelijk? Waren alle tekenen dat Maud zoveel was gaan drinken al aanwezig geweest? Ik was zeker verblind door mijn eigen ambitie? Het was ons die zomer goed uitgekomen om met rust gelaten te worden bij ons werk. Toen herinnerde ik me een belofte die ik Maud ooit had gedaan, na Vera's dood. Ze liet me beloven dat ik haar nog eerder de hersens in zou slaan dan dat ik haar een dood als die van Vera zou laten sterven. Ze zei: 'Ginny, ik wil snel en waardig sterven. Dat moet je goed onthouden.' Ik wist zeker dat Maud wilde dat 'waardig' ook op haar dagelijkse gedrag van toepassing was, en ik wist dat ik haar daarin had teleurgesteld.

Vivi zei dat ze het weekend na het volgende thuiskwam. 'En ik heb een verrassinkje,' zei ze.

Ik vroeg me af of het net zo verrassend zou zijn als de dingen die zich onlangs hier in huis hadden afgespeeld. Ik wilde haar zielsgraag vertellen dat Maud die ochtend tegen me had geschreeuwd maar hield me in, deels omdat ik wist dat Vivi dan naar huis zou stormen om er ruzie over te maken, en deels omdat ik wist dat het mijn schuld was. Ik had vast neerbuigend tegen Maud gedaan, ook al was het niet mijn bedoeling geweest. En ik had niets gedaan om te voorkomen dat ze in die toestand belandde, en daarvoor verdiende ik een uitbrander. Maar Maud vergiste zich over mijn arrogantie. Ik heb mezelf nooit arrogant gevonden.

'Ik neem Arthur mee,' zei Vivi. 'Arthur, mijn vriendje,' voegde ze er na mijn zwijgen aan toe.

Ik hoorde dat Maud zich roerde en dacht dat het nieuws over Vivi's naderende komst haar zou opvrolijken. Toen ik naar binnen ging, werd ik besprongen door de scherpe geur van ranzig braaksel. Ik liep door de kamer en schoof de luiken rond de erker open, zodat het zilveren daglicht over de vloerplanken schoot en op Maud sprong. Ze had zich nauwelijks bewogen. Haar gezicht was losjes en ontspannen, haar mond stond open en haar wangen hingen slap, tijdelijk verlost van alle druk van het leven. Maar ze had overgegeven in haar slaap: een opgedroogd korstje liep over de deken en vloeide op het gele zijde van de bank en verder omlaag, waar het in de spleet tussen de vloerplanken een plasje had gevormd. Ik ging een emmer en een zwabber halen en toen ik terugkwam zat ze rechtop, met een verwilderde blik in haar ogen.

'Hallo, Maud. Je hebt een beetje gespuugd,' informeerde ik haar terwijl ik druk in de weer ging, niet in staat haar aan te kijken. Ze keerde langzaam terug naar het hier en nu.

'O, o, schatje, wat walgelijk, o, jij bent een lieverd. Ik moet... Ik voel me niet zo lekker,' zei ze. Ze zag er vreselijk uit, oud zelfs. Ze stak haar hand uit en gebaarde dat ik de troep niet moest opruimen, greep toen mijn arm en hield die stevig vast. 'Wat is er gebeurd, schat?' zei ze. 'Ik kan het me niet herinneren.' Haar ogen smeekten om begrip. Ik leidde haar blik met de mijne naar een fles Garvey's amontillado die een meter verder leeg op de vloer lag.

'O. O ja,' zei ze, en ze liet mijn arm los, waarop ze een klein bleek bandje achterliet waar haar vingers het bloed hadden weggeknepen.

'Vivi komt binnenkort thuis, het weekend na het volgende. En ze neemt Arthur mee,' zei ik.

'Arthur?'

'Haar vriendje.'

'Vivien,' zei ze. 'O, nee.' Ze stortte weer op de bank, verslagen door de dag voor die goed en wel begonnen was.

Ik wist wat ze dacht. 'Maak je geen zorgen, Maud, ik zal je helpen,' zei ik en ik legde mijn hand op haar arm.

'Heus, schatje?' vroeg ze. 'Heus waar?'

Toen, op dat moment, wisselden we een onuitgesproken geheim uit. We wisten allebei wat voor soort hulp ze nodig had. Als ze haar waardigheid wilde behouden, moest ze een bondgenoot hebben. De drank had haar nu volledig in zijn greep en ze had mij nodig om alles te doen om dat te verhullen, om haar beschamende gewoonte te verbergen. Dat ik het wist, kon ze nog wel verdragen, maar dat een ander en met name Vivi het zou ontdekken, zou te vernederend zijn. Nu het mij ontbrak aan moed om haar te helpen stoppen, zou ik in plaats daarvan haar handlanger worden, op wacht tussen haar en de buitenwereld, ervoor wakend dat ze zichzelf niet zou verraden.

Vivi en Arthur kwamen aan op een vrijdag, vlak voor de lunch, een dag eerder dan verwacht. Vivi zag er uitgeput uit. Ze was in geen zes maanden thuis geweest en het leek alsof er veel was veranderd. Zodra ik haar zag, besefte ik dat ik haar nooit over Maud zou kunnen vertellen. Het was niet alleen omdat ik Maud beloofd had dat niet te doen, maar ook vanwege die onverwachte wig die zich tussen mensen drijft zodra een van hen uit huis gaat, alsof ze van team veranderd zijn. Hoewel ze toch een dochter en een zusje was, was Vivi nu officieel een Gast en de boodschap moest natuurlijk zijn dat we het zonder haar uitstekend redden. De loyaliteit van de mensen in het huis, hoe instabiel ook, woog dus veel zwaarder dan alle externe liefdes- en vriendschapsbanden. Toen Vivi Bulburrow verliet, deed ze afstand van haar recht er echt nog bij te horen; ze had nu de Gastenstatus, dus had ik die week het huis onnatuurlijk schoon geschrobd.

Toen ze aankwamen, maakte ik soep van een paar courgettes die ik in de voorraadkamer had gevonden en sleepte ik Clive van de zolder en Maud uit de bibliotheek vandaan om samen met ons te komen eten: een geveinsde familie.

Ik voelde tegenover iedereen een zware verantwoordelijkheid om te zorgen dat alles rimpelloos verliep: tegenover Maud, om haar geheim te verdoezelen; tegenover Vivi, om Arthur zich thuis te laten voelen; en tegenover Clive, om voor hem de ware wereld naar de zijne te vertalen. Ik had gevoel alsof ik een grote voorstelling dirigeerde. Ik beschermde iedereen tegen elkaar, en een paar van hen ook tegen zichzelf.

Arthur Morris was een bakker, of liever: hij hielp zijn vader in diens bedrijf, dat brood leverde aan winkels in heel Londen. Het was een lastig gespreksonderwerp als je vrijwel niets wist van bakkerijen of de nieuwe zelfbedieningswinkels die uit Amerika kwamen, zoals Arthur vertelde.

Vivi had hem zo'n vier maanden geleden voor het eerst aan mij genoemd maar ik had pas sinds kort door dat ze iets hadden. Arthur had kort, zwart, golvend haar en twee buitenmaatse sproeten op zijn voorhoofd. Als hij lachte, en dat deed hij vaak, sprongen er twee kuiltjes in zijn wangen en je kon zien dat zijn voortanden een beetje scheef stonden. Hij was heel enthousiast, over vrijwel alles, en hij leek buitengewoon dankbaar dat hij bij ons mocht zijn, alsof het een lot uit de loterij was. Hij praatte veel, over winkelschema's en klantengedrag, maar Clive had tijdens de lunch duidelijk meer interesse in het gedrag van een luie horzel die op een sneetje brood naast zijn elleboog was geland en langzaam langs de rand liep. Al met al vond ik het een bof dat Arthur zelf het gesprek op gang hield omdat niemand anders daar een poging toe deed.

Het viel me op dat niemand iets gemeen had met Arthur,

zelfs Vivi niet. Hij was zelden buiten de stad geweest en zij was er nog maar net binnengegaan. Arthur wist alles over zelfbediening en niets over insecten; Vivi wist nauwelijks iets over winkels en veel over insecten. Arthur was reuze optimistisch en gretig; Vivi zag overal obstakels.

Ik was de soepkommen aan het afruimen toen Arthur van wal stak met een uitvoerige beschrijving van het bakkerijterrein dat, zo vertelde hij, aan de westkant van Wainscot Road lag. Clive veerde bij die naam op alsof het de clou van het hele lunchgesprek was. 'Wainscot Road? Wat interessant,' zei hij, levendiger dan hij de hele dag was geweest. 'Waarom heet hij Wainscot?'

'Ik heb eigenlijk geen idee,' antwoordde Arthur met zijn hoofd ietwat scheef, wat de indruk wekte dat die vraag, nu hij zo werd gesteld, best interessant was.

'Weet je dat niet?' zei Clive vol ongeloof. 'Je werkt in een bakkerij aan Wainscot Road...'

'Ik werk er niet,' corrigeerde Arthur hem, beleefd, zonder arrogantie. 'Ik leid hem.'

'Maakt niet uit,' zei Clive, waarbij hij de opmerking met zijn hand terug naar Arthur wuifde alsof het een vlieg was, 'je leidt een bakkerij aan die weg maar je hebt nooit de moeite genomen om uit te vinden hoe die aan zijn naam komt?'

'Clive!' riep Vivi uit, maar hij negeerde haar en ging door tot Vivi's vriendje had beloofd dat hij na thuiskomst de oorsprong van de naam van de weg zou gaan opzoeken. Want er was – wist Arthur dat? – een heel mottengeslacht dat de *wainscots* heette, dus hij zou heel graag willen weten of die straat naar deze motten of, en dat achtte hij waarschijnlijker, naar de zeer beroemde familie aan wie de motten ook hun naam dankten, was genoemd. Arthur beaamde monter dat dat belangrijk en ook buitengewoon interessant was en dat hij zou uitzoeken hoe de straat aan zijn naam kwam, maar ik had de indruk dat hij dacht dat Clive niet helemaal serieus was.

Toen dat gesprek eenmaal beklonken was, wilde ik me al voorbereiden op een ongemakkelijke stilte toen Vivi het moment in één klap redde, volkomen moeiteloos. 'Clive is heel slim, hè, Clive?' plaagde ze.

'Nou...' begon Clive serieus, wie Vivi's speelse sarcasme was ontgaan.

'Maar waar hij vooral heel goed in is, Arthur, is dat hij absoluut elk gesprek op motten weet te brengen. De meeste mensen vinden het onvoorstelbaar moeilijk om in een gesprek iets over motten te berde te brengen, maar Clive vindt dat de meeste gesprekken uiteindelijk vanzelfsprekend op motten uitdraaien, nietwaar, Clive?' Pas toen Maud en ik giechelden begreep Clive dat hij vriendelijk werd geplaagd en perste hij er een dun glimlachje uit. Arthur zat vol bewondering naar Vivi te staren.

'Clive,' ging Vivi bazig verder, 'waarom laat je Arthur niet een paar exemplaren zien? Dat zou hij prachtig vinden.' Ze wendde zich tot Arthur. 'Clive heeft motten uit de hele wereld. Sommige zijn groter dan je hand.'

Ik ontspande een beetje, voelde mij iets minder verantwoordelijk. Vivi nam het heft in handen. Ze was zuivere, frisse lucht en daar vulde ze langzaam het huis mee, ze reanimeerde de ruimte en trok ons weer naar elkaar toe.

De verzorging van rupsen is zoals de verzorging van de jongen van andere dieren. Ze vragen voortdurend aandacht. Onze zolder en onze salon en ook zo nu en dan een groot deel van ons zuidelijke terras stonden vol larvenbakken met daarin onze zelf gecreëerde plaag van haagdoornvlinderrupsen. Nadat we Arthur een rondleiding door het museum hadden gegeven, bood hij aan mee te gaan op onze ronde langs de rupsen om te helpen de bakken schoon te maken, ze vers voedsel te geven en ze te controleren.

De haagdoorn is een donkerbruine rups met groene spikkels, die zich doorgaans met zijn achterpoten aan een takje vastklampt, zijn stijve doch gekromde lichaam voor zich uitsteekt en zo griezelig veel lijkt op de wilde takken van de braamstruik waarop hij meestal te vinden is. Ter vervolmaking van het algehele effect heeft hij halverwege zijn rug twee bulten die precies op een stel knoppen lijken. Het duurde even voordat Arthur er een had gevonden, maar toen hij hem eenmaal had ontdekt, was hij zo verrukt dat hij een spel maakte van hoeveel hij er kon ontdekken in elke bak. Hij stelde met jongensachtig enthousiasme een spervuur aan vragen, wat ons ertoe aanzette hem de beginselen van hun dagelijkse verzorging bij te brengen. Clive ging geleidelijk over op zijn lezingstem en gaf Arthur tips: hun blaadjes moesten vers zijn, maar niet de prilste en sappigste want van die rijkdom konden ze wel eens diarree krijgen. 'Het begin van diarree verspreidt zich als een virus door een larvenbak en het is bijna altijd fataal voor de hele groep,' vertelde Clive hem. Ik merkte dat hij genegenheid voor Arthur begon op te vatten. 'Je moet ook controleren op de griep, vlooien en parasitaire vliegen, wespen en mijten, en aangezien rupsen eigenlijk amper meer zijn dan een zak vloeistof zijn ze buitengewoon ontvankelijk voor dehydratie, verdrinking, zweten, zout...'

'Het ziet er voor een rups niet al te best uit,' onderbrak Arthur hem speels.

'En hun ergste vijand? Oorwurmen,' antwoordde Clive.

'Oorwurmen?'

'Vreselijk. Vreselijk,' zei Clive, terwijl hij heftig het hoofd schudde. 'Als er een diersoort op aarde was die ik voorgoed zou kunnen verwoesten, dan zou het de oorwurm zijn. Ze weten de onverwoestbaarste bak binnen te dringen om mijn rupsen te teisteren...'

'Wat is dit?' onderbrak Arthur hem. Hij had een jampot met blaadjes opgepakt en tuurde erin, op zoek naar een minder enerverend onderwerp dan oorwurmen.

'Waarom zit dat arme kereltje helemaal alleen?' vroeg Arthur, nadat hij de bewoner eenmaal had ontdekt.

'Hij is een kannibaal,' zei Clive, bijna trots als een ouder die blind is voor de asociale gewoonte van zijn nageslacht.

'O?' zei Arthur, die nu naar de pot keek alsof hij hem zou laten vallen.

'Sommige worden geboren met lekkere trek in hun broertjes

en zusjes. Ze eten nadat ze zijn uitgekomen allemaal hun omhulsel op maar sommige gaan daarna door en eten hun broers en zusjes op.'

'Dat is walgelijk,' zei Arthur op besliste toon, terwijl hij de pot neerzette.

'Nou ja, het zijn gezonde proteïnen,' redeneerde Clive. 'Sommige soorten, zoals de ligusterpijlstaart en de doodshoofdvlinder, bestaan louter uit kannibalen en ze zullen geen kans laten liggen om aan elkaar te gaan knagen, maar bij andere zitten er maar een of twee in een groep. Het is de kunst die te ontdekken voor ze beginnen want als ze eenmaal op gang zijn, ben je gezien. Ze doden de andere behoorlijk snel.'

'Dus als ze eenmaal zijn uitgekomen, moet je ze voortdurend in de gaten houden om de kannibalen er bijtijds tussenuit te kunnen plukken?'

'Eh... Ja.'

'Maar hoe lang moet je ze dan observeren? Ik bedoel, hoe lang duurt het voor je weet dat ze de andere níét gaan opeten?' vroeg Arthur, die zich klaarblijkelijk zorgen maakte dat er te veel tijd aan deze ene taak werd besteed.

Clive keek naar me en lachte wat vermoeid. Ik wist dat hij zulke details ietwat riskant vond om uit te leggen.

'Nee,' kwam ik er abrupt tussen, 'je hoeft ze helemaal niet in de gaten te houden. Meestal voel je gewoon meteen welke de kannibalen zullen zijn.'

Arthur fronste en ik besefte dat dit voor hem geen bevredigend antwoord was. Hij was oprecht geïnteresseerd.

'Je wéét het gewoon,' probeerde ik te verduidelijken. 'Ze hebben zo'n blik in hun ogen.'

'Vivi!' riep Arthur vrolijk naar haar in de andere kamer. 'Je moet me iets uitleggen.

Hoe herken je een kannibaal?' vroeg hij haar, terwijl ze de kamer in gleed.

'Dat zijn natuurlijk de enige die over zijn, domoor,' antwoordde Vivi brutaal.

'Nee, vóór ze de andere hebben opgegeten,' zei hij.

'O, bedoel je dat,' zei ze gespeeld geheimzinnig. 'Ze hebben zo'n blik in hun ogen,' en toen moesten we lachen, Arthur en ik.

Ik vond Maud in het tuinschuurtje, waar ze wat aan het rommelen was. Zoals afgesproken, had ik haar sherry vandaag verstopt en zodra ze me zag zei ze, heel beleefd: 'Ik heb een glaasje nodig, Ginny.' Ik zei niets. Het was half vijf. Ze probeerde een paar bollen te splitsen en ik weet nog dat ik terwijl ze het zei naar haar trillende handen keek, die er net zo uitzagen als de mijne nu: opgezwollen bij de gewrichten en bij de knokkels gebogen. Ze bereikten niet meer dan het wegpellen van een paar lagen van het papierachtige vel van de bol, alsof haar vingers geen goede grip konden krijgen. Nu ik weet hoe moeilijk mijn eigen handen te besturen zijn, besef ik dat haar reuma haar wel eens kon hebben belemmerd, maar destijds was ik geschokt door wat volgens mij duidelijk onthoudingsverschijnselen waren.

Pas na het avondeten, toen Maud leek te stikken van wanhoop, bracht ik haar eindelijk naar de bibliotheek. Ik was trots op haar, zoals een verpleegster trots zou kunnen zijn op een patiënt, en ik vertelde haar dat ook. Ze zei niets. Ze zat stijfjes op een kleine rechte stoel bij het raam en keek naar haar voeten, die ze op en neer bewoog om haar enkels te oefenen.

Omdat ik haar officiële handlanger was, zouden we op dit punt gewoonlijk al een klein rollenspel hebben opgevoerd: ik vroeg haar dan of ze iets wilde drinken, zij zei: 'Vooruit dan, een kleintje,' en berispte me vervolgens omdat ik niet met haar meedeed. We praatten over wat er maar in ons opkwam en een tijdlang leek het een heel gezellige aangelegenheid. Als haar verstand haar begon te verlaten, stapte ik op en liet ik haar in zichzelf glijden om in haar eentje over de duisterder kant na te denken.

Maar die avond zat ze op dat stoeltje haar enkels los te maken en met haar gekromde handen op en neer over haar benen te wrijven om de bloedcirculatie te bevorderen. Toen ik haar vroeg of ze iets wilde drinken, gaf ze geen antwoord. Haar kaak was verstrakt en ik vroeg me af of ze eigenlijk wel tot praten in staat was. Toen ik haar vervolgens haar drankje inschonk, kon ze niet de coördinatie opbrengen om het stil te houden dus omvatte ik met mijn handen de hare. Samen brachten we het glas naar haar mond en kiepten we het scheef. Op dat moment voelde ik dat we samen nog een geheime sprong hadden gemaakt. Het rollenspel, de beleefde ceremonie, het doen alsof, het was nu allemaal verdwenen en haar rauwe verslaving lag open en bloot tussen ons in. Tegen het derde glas was ze weer bijgetankt en beleefde ze een moment van gelijkmoedigheid. Ze ontspande op haar stoel.

'Ginny,' zei ze, 'wat moest ik beginnen zonder jou? Dank je wel.' Dit was de eerste fase – ik noemde die haar lucide fase – als ze weer was aangevuld maar nog niet te dronken was, als de sherry haar tong maar niet haar geest had losgemaakt, en ze ratelde dan grappige verhalen af en nam de wereld onder de loep.

Ik zal je nu iets vertellen, iets wat ik met schaamte toegeef, een van de eerlijke geheimpjes die je al nauwelijks voor jezelf durft toe te geven, en kan alleen maar hopen dat je zult proberen te begrijpen waarom ik het voelde. Ik begon te verlangen naar de intimiteit die Mauds minne geheim ons bracht, snap je, ik genoot echt van die onderhoudende momenten die haar lucide fase opleverde; ik keek ernaar uit. Het ene moment had ze een manier gevonden om het patroon van Mrs Axtells bloemenborders met haar persoonlijkheid in verband te brengen, het volgende moment was ze een schijnruzie begonnen met een van Clives gewichtige collega's. Maud had nog nooit op die manier tegen mij gepraat. Het leek soms op gesprekken die ze vroeger met Vivi had.

De tweede fase was wanneer Maud omsloeg. Meestal was ik al lang voor ze omsloeg de kamer uit, maar die dag had ze te veel te snel gedronken, en de lucide fase schoot te snel voorbij. Iets wat opgesloten zat, iets ontevredens won aan opwaartse kracht en stuwde zich naar het oppervlak. Ze verplaatste zich naar de bank om naast mij te komen zitten.

'Nou, wat vind je ervan, schat?' fluisterde ze hees.

'Waarvan?'

'Dat vriendje. Ietwat stijfjes, vind je niet, schat?' zei Maud en ze liet het fluisteren varen. 'Een zeikerd, vind je niet? Een zeikerd,' zei ze, nog iets harder. Haar hoofd sloeg tegen de rug van de bank en ze lachte. 'Verrekte Londense verrekte kleine zeikerd van heb ik jou daar,' zei ze, lachend om haar ogenblik van geïnspireerde rijmelarij.

Ik zei niets.

Daarna sloeg haar stemming plotseling om en keerde ze zich tegen mij. 'Wat mankeert jou? Kun je niet praten?' snauwde ze.

Ik zei niets.

'Haal die stomme blik maar van je gezicht, Ginny,' zei ze. 'Je hebt wel lef, zeg. Alsof je zelf zo perfect bent.' Ze had een totaal andere persoonlijkheid aangenomen.

Juist op dat moment hoorden we Arthurs lach door de hal schallen en haar aandacht werd gelukkig weer naar hem getrokken.

'Zeikerd,' schreeuwde ze tegen het plafond. Daarna gingen haar ogen weer naar mij op zoek. 'Nou, vind je ook niet, schat?' zei ze nu wat zachter, 'een verrekte zeikerd?' Ik wierp nerveus een blik op de deur, alsof ik inschatte hoe ver haar stem zou reiken. Maud betrapte me. 'O, Ginny, schatje, doe alsjeblieft niet zo bespottelijk. Ik vertel je alleen maar de waarheid,' klaagde ze chagrijnig. 'Zie je dan niet dat hij een verrekte zeikerd is? Mijn god, ik moest misschien maar in Spanje gaan wonen, ja, dat is geen slecht idee, toch, wat dacht je ervan, voorgoed weg van hier en in de zon zitten en naar de zee kijken, wat vind je ervan, schat...'

Ik wist dat ik weg moest gaan.

'Stijve. Zeikerd.' Ze lachte weer, alsof ze alleen al het uitspreken van de woorden zo leuk, zelfs therapeutisch vond.

'Ik ga de afwas doen en daarna kom ik terug,' zei ik snel, en ik vertrok voor ze de kans had tegen te sputteren. Ik wist dat ik mezelf alleen kon bevrijden als ik beloofde terug te komen, en ik was opgelucht toen ik de deur achter me dichttrok. Ik bleef staan luisteren. Het was mijn verantwoordelijkheid ervoor te zorgen dat niemand haar dronken zag.

Er was even een stilte, toen het gerinkel van glas tegen glas. Maud zou vanavond voor problemen gaan zorgen. Ik haalde diep adem en wreef met twee vingers over de sleutel in het deurslot. Ik woog de risico's af: in de verte hoorde ik Vivi en Arthur babbelen in de salon aan het eind van de hal; Clive was in de kelder of op zolder; Mauds sherryvoorraad was ruim voldoende en ik betwijfelde toch al of ze de rest van de avond nog in staat zou zijn om van de bank op te staan. Ik had mijn besluit genomen.

Ik hield mijn adem in, trok de deur stevig naar me toe opdat het slot niet zou klikken en draaide heel langzaam, heel zachtjes de sleutel om.

Het gaf een goed gevoel. Een probleem voor de nacht achter slot en grendel.

Ik ging de keuken opruimen. De uitbarsting van vanavond was minder beheersbaar en had onheilspellender aangevoeld dan alle vorige. Het was niet alleen mijn taak haar gedrag te verbergen voor Clive, Vivi en de rest van de wereld, maar ik had ook die andere Maud, mijn moeder Maud, een plechtige belofte gedaan. Vivi was thuis en ik zou de hele nacht op mijn qui-vive moeten zijn. Het huis, en alles wat zich erin bevond, voelde ineens uiterst onveilig aan.

Ik was bijna klaar met de afwas toen ik ineens een vreselijk gebonk op de deur van de bibliotheek hoorde en een schreeuwende Maud, haar stem verwrongen van woede. 'Ginny, kom onmiddellijk die deur opendoen!'

Ik hoorde de dreunen en klappen van boeken die tegen de binnenkant van de deur werden gesmeten. Wat had me bezield om haar op te sluiten?

'Hoor je me, Ginny? Hoe dúrf je me op te sluiten?'

Ik stond nu voor de deur, zwijgend en in twijfel of ik hem wel of niet moest openmaken. Ik wist niet of de anderen haar konden horen. Ik wilde haar niet nog kwader maken maar ik wist niet wat me te wachten zou staan als ik hem openmaakte. Ik stond de opties tegen elkaar af te wegen toen ze door de deur heen fluisterde. Ze kon onmogelijk hebben geweten dat ik daar stond.

'Ginny... Als je die deur niet onmiddellijk openmaakt, *dan vermoord ik je*, dat zweer ik je,' dreigde ze in een laag gegrom.

Ik draaide de sleutel om, de deur zwaaide open en er vlogen drie grote boeken met harde kaften op me af, die me schampten toen ik wegdook. Toen volgden nog meer boeken, een of twee per keer, terwijl ik ineengedoken op de vloer van de hal zat.

Vivi deed de deur van de salon open en stak haar hoofd naar buiten. 'Wat is er in godsnaam aan de hand?' zei ze. 'Waar ben je mee bezig, Ginny?'

Ze had gelukkig geen boeken zien vliegen. Ze zag me knielen in de hal met allemaal boeken om me heen en ik begon ze haastig te verzamelen en op stapeltjes te leggen. Zodra Maud Vivi hoorde, had ze zelf de deur van de bibliotheek dichtgetrokken. 'Ik gooi wat oude boeken weg. We zijn eindelijk de bibliotheek aan het uitzoeken,' loog ik zeer imposant.

'Je hoeft ze toch niet rond te smijten, of wel soms?' zei Vivi licht geërgerd, en ze ging terug naar Arthur. Ik duwde de boeken tegen de muur en ging naar bed. Ik was opgelucht dat Vivi morgen weg zou zijn en dat we onze dagelijkse gang van zaken weer konden hervatten, zonder extra verplichtingen.

De vliegende boeken betekenden het begin van geweld dat even verslavend leek als de drank. Als Maud dronken was, zon ze op ruzie – alleen met mij – en hoe meer ik mijn best deed haar te sussen, het juiste te zeggen, haar te vertellen wat ik dacht dat ze wilde horen, des te agressiever ze werd. Het was een goede dag als ik alleen maar wat geschreeuw te verduren kreeg, en het werd steeds normaler om erger te moeten ondergaan.

Ik nam het haar niet kwalijk. Ik had medelijden met haar. Ik zag hoe machteloos ze was, hoe ze verdween en hoe haar plaats werd ingenomen door iets wat totaal niet op haar oude zelf leek. Het nam haar in bezit, werd met de dag sterker, teerde op haar zwakte. Op die momenten was ze niet mijn moeder: ze werd geteisterd door een duivel, overgenomen door onbeheersbare woede en agressie. Vreemd genoeg was ze ook fysiek veel sterker dan mijn moeder ooit was geweest. Ze tilde tafels op, smeet met deuren, gooide kasten om, dingen die Maud nooit van hun plaats zou hebben gekregen, alsof haar spieren tijdens die razende momenten een geheime kracht geschonken kregen. Maar het waren haar ogen die het sterkst veranderden. Ze werden al snel die van een ander. Helder, met scherpe randen en vastbesloten. Ogen die alles duister zagen. En ik wist dat Maud dit ding nooit zou overwinnen. Zijn kracht en ambitie werden met de dag tastbaarder.

Maar er was iets wat ik echt niet begreep. Hoewel ik er zeker van was dat ze zich grotendeels niet bewust was van haar aanvallen, stopte ze altijd onmiddellijk als ze Clive hoorde naderen en ging ze iets doen wat onder handbereik lag. Ook al leek ze alle zelfbeheersing verloren te hebben, toch wist ze zoals een vijfjarig kind ergens diep in haar hart dat ze zich niet zo moest gedragen.

Als ik 's avonds mijn ogen sloot, herinnerde ik me mijn moeder, de nuchtere Maud, die me op haar meer heldere momenten in haar armen hield, mijn haar streelde en me zei dat ze zoveel van me hield dat het pijn deed. En dan bedankte ze me dat ik was wie ik was en ik beeldde me bijna in dat er tranen in haar ogen stonden en ik vroeg me dan af of ze zich ooit bewust was van de duivel die dagelijks in haar tekeerging.

12 – Ik spioneer

Vivien is nu een dag thuis, bijna precies 24 uur. Ik lig al de hele morgen op bed. De laatste keer dat ik haar zag, was eerder deze ochtend, toen ik mijn glas melk als smoes vasthield en het overduidelijk was geworden dat we heel verschillende herinneringen hadden aan wijlen onze vader.

Sindsdien probeer ik dat onaangename, niet te onderdrukken gevoel af te schudden dat zich sinds haar thuiskomst in mij heeft genesteld: de dwingende behoefte precies te weten waar ze is en wat ze doet. Naarmate de tijd verstrijkt, wordt die behoefte sterker. Het is me de afgelopen 45 jaar gelukt te leven zonder te weten waar ze was, maar nu, sinds 24 uur, dreig ik in paniek te raken als ik even niet weet waar ze is. Het is volstrekt onlogisch, ik weet het. Misschien komt het doordat ik gewend ben precies te weten waar en hoe de dingen in het huis zijn, omdat mijn omgeving vaststaat, een constante is en dat ik, vóór Vivien thuiskwam, de enige variabele was.

Gelukkig beseft ze niet dat ik haar bespioneer. Ik ken dit huis zo goed dat ik haar echt niet op de voet hoef te volgen. Ik heb een systeem ontwikkeld waarmee ik haar bewegingen kan volgen door naar de geluiden te luisteren terwijl ik binnen mijn eigen grenzen blijf. Ik ken alle uitzichten uit de ramen. Ik herken welke deur kraakt, welke planken piepen en welke leidingen rammelen. Ik kan de echo's duiden die door de ruimten weerklinken, de vensters die trillen als er bepaalde deuren open- en dichtgaan, en de geluiden die de oude ventilatiepijpen me uit alle richtingen aanvoeren. Het is alsof het hele interne systeem van het huis getransformeerd is tot een uitgebreid communicatienetwerk dat me de geluiden van Vivien brengt, waar ze zich ook bevindt.

Ik kan bijvoorbeeld door een raam op de eerste verdieping kijken om haar langs een ander raam in een andere vleugel of op een andere verdieping te zien lopen, en ik weet dat als ik naar een achterkamer op de benedenverdieping ga, ik haar voetstappen boven mij zal kunnen horen. Vervolgens kan ik door het kraken van een deur bepalen waarnaar ze op weg is. Ik heb haar gevolgd in haar gewoontes (op onze leeftijd heb je altijd bepaalde gewoontes; het is onmogelijk er geen te hebben: je lichaam gebiedt het je): de afgelopen nacht stond ze op om naar de wc te gaan, twee keer, en vanochtend om thee voor haar – en voor mij – te halen. Al die geluiden worden naar mij toe gebracht door dit trouwe huis, alsof het leeft en klopt, en ik ben erop afgestemd, ben er zelfs een deel van, zoals Vera ooit van zichzelf zei. Het staat aan mijn kant.

Maar goed, het betekent wel dat ik er voortdurend voor probeer te zorgen dat ze me niet ziet, dus hebben onze wegen zich minder vaak gekruist dan je zou denken en er lijkt nog heel veel onuitgesprokens tussen ons te zijn.

Luister, ik kan haar weer horen. Ze stommelt luidruchtig rond, in de hal, denk ik. Ik hijs mezelf van het bed en kruip naar de overloop. Ze rammelt aan de deur naar de kelder, probeert hem open te krijgen. Ze heeft een stel sleutels in haar hand die ze ergens in huis moet hebben gevonden en ze probeert ze om de beurt. Ik heb geen flauw idee waarom ze hem wil openen. Ik loop zo stilletjes als ik kan de trap af en stap ten slotte achter haar tevoorschijn.

'Mijn god, ik schrik me bijna dood,' hijgt Vivien, terwijl haar hand naar haar borst omhoogschiet.

'Sorry.'

'Ik weet nooit waar je bent of waar je vandaan komt. Het is altijd zo stil en dan verschijn jij ineens.'

'Ik zag dat je de kelderdeur probeerde open te maken,' zeg ik.

Ze kijkt naar haar handen, alsof ze zichzelf eraan wil herinneren dat ze daarmee bezig waren. 'Inderdaad, dat klopt. Dat was precies wat ik aan het doen was.' Ze legt ze terug op de klink en geeft er een demonstratieve ruk aan.

'Wat wil je daaruit hebben? Wat zoek je, Vivien?' Ze moet weten dat ik heb geraden dat ze terug is gekomen om iets te zoeken.

'Ik wil helemaal niets. Ik wil alleen maar even kijken, maar dat ellendige ding zit klem,' zegt ze en ze trekt er nog eens aan. Ze houdt op en kijkt me aan. 'Daar heb ik het recht toe, weet je,' zegt ze korzelig, hoewel ik niet heb gezegd dat dat niet zo was. 'Soms vergeet je, geloof ik, dat het ook mijn huis is.'

Het verbaast me enigszins dat ze dat zegt. Natuurlijk heb ik altijd geweten dat het van ons allebei is, maar ze heeft gelijk, ik heb het eigenlijk nooit als haar huis gezien.

'Ik heb de deur dicht laten maken,' zeg ik. Ze kan maar beter weten dat haar inspanningen vruchteloos zijn.

'Maar ik heb hem van het slot gedraaid.'

'Je hebt hem opengedraaid met de sleutel maar er zit een grendel aan de binnenkant.'

'Aan de binnenkant?'

'Michael heeft hem er voor me op gezet aan de binnenkant en is toen door het raampje naar buiten geklommen.'

Ze kijkt me vreemd aan.

'Waarom wilde je dat in vredesnaam?'

'Het was jaren geleden, na de dood van Maud. Ik wilde die verdomde kelder daarna nooit meer zien. Ik wilde er niet aan herinnerd worden en ook niet dat het nog eens zou gebeuren. Het probleem is dat het daar pikdonker is en de trap is zo steil en die begint pal voor je neus. Je stapt al snel in het niets als je naar het lichtknopje reikt. En dan is het afgelopen.'

'Heb je hem daarom op slot gedaan?'

'Ja.'

'Omdat Maud van de keldertrap is gevallen.' Ze kijkt me aandachtig, onzeker aan, zoals ze dat de afgelopen dagen al vaker heeft gedaan. Het voelt als een ongewenste intimiteit aan, alsof ze dwars door mijn kleren naar mijn naaktheid kijkt.

'Ja,' zeg ik ongeduldig, en nog terwijl ik het zeg weet ik dat

Vivien in gedachten het hele verdere verloop van dit gesprek heeft gepland en dat bevalt me niet.

'Denk je nog steeds dat het zo is gebeurd?' zegt ze tot mijn verbazing.

Het is jaren geleden dat ik het gevoel had dat iemand me ergert. Ik dacht dat ik er al lang overheen was gegroeid, maar hier sta ik dan, voel me zo strak als een spoel, als een puber, en herinner me vol ergernis hoe Vivien dingen kon vertroebelen en hoe Maud haar moest zeggen dat ze ermee moest ophouden omdat ik nooit een reactie kon bedenken die het niet erger maakte.

'Ja, zo is het gebeurd,' antwoord ik, licht verbolgen.

Ze denkt even na en knikt.

'Geeft niet,' zegt ze, terwijl ze van de deur wegstapt en zich omdraait om weg te gaan.

Gaat ze het gesprek nu echt zomaar beëindigen? Dat kan ze niet maken. Je kunt geen revolutie ontketenen en dan thuis een kopje thee gaan drinken. 'Ik was hier, Vivien,' zeg ik. 'Ik heb haar gezien. Ik heb de ambulance gebeld.'

'Echt waar, Ginny?' zegt ze en ze staat stil om omhoog te kijken naar Jake. 'Stond je daar op die plaats? Heb je haar zien vallen?'

'Waar was jíj?' kaats ik terug, scherper dan ik van mezelf voor mogelijk had gehouden.

Ze schudt haar hoofd en draait zich om om weg te lopen, nog een van haar hoogst irritante tienerneigingen. Ze had er een handje van een razend makend idee of een kwellende verdachtmaking op te werpen en die dan niet verder toe te lichten, vermoedelijk omdat ze dat niet kon. En ook al was het allemaal klinkklare nonsens, ze zorgde er toch voor dat er nog jaren een piepklein spoortje twijfel aan je bleef knagen.

'Vivien, je mag niet weglopen. Ik vroeg je iets. Ik zei: "Waar was jij?"'

Ze lijkt enigszins verrast.

'Waar was jij toen Maud stierf?'

'In Londen,' antwoordt ze.

'Precies.'

Maar ze lijkt het belang daarvan niet te begrijpen.

'Dus wie heeft het meeste recht om te zeggen wat er is gebeurd?' zeg ik, waarmee ik het voor haar uitspel.

Ze is duidelijk verbluft dat ik terugvecht. Ik voel mezelf rood worden. Ik kan me niet herinneren dat ik me ooit zo tegen haar heb verzet. Ik heb, als je logisch redeneert, de strijd gewonnen, maar om een of andere vreemde reden voelt het niet als een triomf. Ze staart me langer aan dan ik leuk vind, alsof ze voor het eerst in haar leven om woorden verlegen zit.

'Tja,' begint ze langzaam, 'ik denk dat dat afhangt van wie de dingen kan zien hoe ze werkelijk zijn.' En dan voegt ze er nonchalant aan toe: 'Stond de kelderdeur altijd open?' Alweer een vraag waarop ze het antwoord al weet.

'Nee, hij was per ongeluk open blijven staan, en Maud zag hem aan voor de keukendeur.'

Nu moet ze lachen. Geen oprechte lach, maar een gekunstelde, laatdunkende, die superioriteit uitstraalt. Zijn wij het echt die dit gesprek voeren, precies dezelfde pubermeisjes die ruziën met hemeltergende pauzes en weglatingen en alles onuitgesproken laten? Waarom zou ze mij kleineren in mijn eigen huis?

'Zag hem aan voor de keukendeur?' zegt ze, met lachwekkend ongeloof. 'Ginny, wat zou ik graag jouw gezellige kijk op het leven hebben, waarbij alles op zijn plaats valt. Je zet nooit ergens vraagtekens bij, hè?' Ze zwijgt even.

Ik zou natuurlijk woedend moeten zijn over haar kleinerende strategie, maar in plaats daarvan ben ik geheel van mijn stuk. Ik kan maar niet bedenken waar ze op uit is.

'Ze was geen imbeciel, Ginny. Waarom zou ze hem in vredesnaam voor de keukendeur aanzien?'

Opeens begrijp ik het. Ik herinner het me net – *Vivien weet het niet.* Ze heeft het nooit geweten. Daar had ik wel voor gezorgd. Ik wil haar natuurlijk graag de waarheid vertellen, naar haar schreeuwen: 'Nee, je moeder was geen imbeciel, ze was een dronkenlap,' maar ik kan mezelf er niet toe zetten het haar te vertellen, haar onbezoedelde herinnering aan haar moeder kapot te maken. Maar door ervoor te zorgen dat Vivien nooit te weten kwam dat Maud dronk, heb ik onbedoeld twijfels bij haar gewekt over de toedracht van haar dood, besef ik nu. Kon ik haar maar vertellen dat Maud op het einde schreeuwde en tekeerging, dat ze best de kas in had kunnen lopen in de veronderstelling dat het de slaapkamer was, of de vijver voor het bad had kunnen houden. Het was allerminst moeilijk voor te stellen dat ze de kelderdeur voor de keukendeur had aangezien, maar natuurlijk alleen *als je het wist*.

'Maar, Vivien...' zucht ik, en dan blijven de woorden steken. Het besef dat ik mijn belofte aan Maud gehouden heb, geeft me de kalmte hierboven uit te stijgen. Ze kan neerbuigend doen als ze wil, maar nu ik haar al die jaren beschermd heb tegen de waarheid, zou het niet eerlijk zijn om bij de laatste hindernis in het leven haar kijk op het verleden te verwoesten, alleen maar om gelijk te krijgen. Ik doe het niet, niet alleen omwille van Mauds eer, maar ook omwille van mijn kleine zusje.

'Nou ja, ze zijn vlak naast elkaar,' zeg ik zwakjes.

Misschien heeft ze Mauds dood nog steeds niet verwerkt. Misschien was het Mauds dood die haar er al die jaren van weerhield terug te komen.

'Het spijt me,' zegt ze en ik laat haar mij tegen zich aan trekken tot mijn hoofd in haar schouder begraven is en ze het daar stevig vasthoudt. Dat is haar manier van steun vinden.

'Nee, het spijt míj,' zeg ik.

13 – De wandeling over de heuvelrug

Ik zal nooit de winter die daarna kwam vergeten, hetzelfde jaar dat Vivi Arthur voor het eerst meenam om kennis met ons te maken. Hij viel snel in. Ik hou van de winter. Ik hou van zijn tegenstellingen: koud maar knus, streng maar mooi, levenloos maar niet zielloos. De hekken waren bedekt met een glad laagje ijs, de grond was wit en knisperend. De bomen hielden hun winterslaap, hun skeletten trotseerden fier de wind en de rij boven op de heuvelrug, die kwetsbaar en gebogen stond als verschrompelde oude mannen, zou volgens de plaatselijke overlevering de zielen van de doden in zich dragen.

Ook in het huis was het winter geworden, voor ons allemaal, donker en zwaarmoedig – maar hier was de situatie ernstiger – zielloos maar niet levenloos. Clive zette zijn jacht op kleinschalige roem voort. Maud neeg steeds meer naar haar duistere kant; haar woede-uitbarstingen werden steeds heftiger. En ik was een gammele brug tussen hen en de wereld. Ik voelde me verantwoordelijk.

Maud ging niet meer uit. Ze zou niet meer in staat zijn geweest de nodige procedures van de voorbereiding uit te voeren. In de komende weken en maanden nam ik haar telefoontjes aan en beantwoordde ik haar brieven, en als er iemand op bezoek kwam, was Maud ofwel heel druk bezig of diep in slaap. Soms vroegen de dorpelingen mij naar haar en terwijl ik loog, voelde ik hoe het zweet zich op mijn gezicht verzamelde en ik hoopte dat ze me niet door zouden hebben. Toen Mrs Jefferson eenmaal in de gaten had dat we 's zondags niet meer naar de kerk gingen, kwam ze een paar keer langs om te vragen of we hulp nodig hadden. Elke keer probeerde ze me voor ze wegging met haar krachtige ogen vast te pinnen en zei dan dat ze altijd voor me zou klaarstaan als ik haar nodig had.

Mauds dronken gedrag werd vreemder en minder voorspelbaar. Ik ontdekte opeens dingen die ze al een tijdje had gedaan, stiekem, zodat ik het niet wist, zoals die keer dat ik erachter kwam dat ze steeds de telefonist van de centrale belde. Ze had hem blijkbaar per se op gesprek willen hebben voor een aantal klusjes in het huis en in de tuin, hoewel we in het huis niemand nodig hadden en de Coleys al voor de tuin zorgden. De telefonist ergerde zich zo aan al die onderbrekingen van zijn werk dat hij op een ochtend opbelde en zei dat hij heel gelukkig was op de telefooncentrale en als we bleven proberen om hem tijdens zijn werk een andere baan op te dringen, zou hij ons bij zijn baas aangeven. Vanaf dat moment moest ik er elke avond aan denken om de kabel van de telefoon uit de muur te trekken om zo de lijn naar het huis te verbreken.

Die winter raakte alles in verval, samen met Maud. We hadden de ergste stormen sinds ik me kon herinneren en de kou en de wind en het vocht waren eindelijk onder het enorme leien dak aan de noordkant gekomen. Het kon Clive niet schelen. Hij zei me dat ik de twee bovenste verdiepingen van de noordvleugel, die ooit van Vera waren, moest dichttimmeren, in plaats van het lek te inspecteren. Het huis was toch al veel te groot voor ons drieën en Clive zei dat het geen zin had een vleugel te onderhouden die nooit meer zou worden gebruikt.

Toen bracht Vivi eind januari een beetje warmte binnen door ons een bezoek te brengen, al was het maar een dagje. Ze stond erop een wandeling over de heuvelkam te maken. Zij en ik zagen wandelingen zoals de meeste mensen naar een theesalon kijken: de perfecte omgeving om in te ontspannen en te kletsen. Dit kletsen en kuieren leek nu dringender nodig dan anders. Ze greep onze mutsen en jassen, joeg me bijkans het huis uit en was nog voor ik goed en wel begonnen was al halverwege de heuvel, roepend dat ik moest opschieten. Ze had iets op haar hart.

Het was voorbij het middaguur en de lage mist in de vallei was nog maar net opgetrokken om een laag zachte witte suiker te onthullen die over de velden en de kale heggen gestrooid was. De kou stond op het punt weggebrand te worden door een bleek winterzonnetje, dat laag in de wolkenloze lucht hing. Dit is altijd het ideale weer geweest om dit deel van het land in te bewonderen.

We bereikten de heuveltop, vanwaar je drie valleien kon zien samenkomen, glooiend en dalend, zoals ze dat al eeuwenlang hadden gedaan. Ik stond even stil, maar Vivi liep door over het pad op de heuvelkam en snoof de frisse, ijskoude lucht op die ze in Londen had gemist. Ik bewonderde het dorp en de lappendeken van gebleekte velden erachter, de eenzame boerderijen en hofsteden, het gehucht Saxton dat aan de rand van de vallei prijkte, en het kronkelige netwerk van paden en wegen dat al die plaatsen samenbond en het ene leven met het volgende verbond, in een wirwar van gedeelde verhalen.

Ik wilde net verdergaan toen ik een veelvraatrups zag die zich had opgerold tot een zwartharig balletje en zich met zijde aan een hek had vastgemaakt om te overwinteren. Hij moest keihard bevroren zijn, peinsde ik, zo hard als steen, misschien zelfs te hard voor vogels om op te eten. Tijdens de winterslaap komt hij zo spectaculair tot rust dat je je amper kunt voorstellen dat er diep vanbinnen nog leven in schuilt, in een nietig epicentrum met een overgebleven hartslag. Maar de lente doet altijd haar werk en brengt hem op wonderbaarlijke wijze weer tot leven. Al was hij de hele winter stijf bevroren, de lente zou hem nieuw leven inblazen; als hij de hele winter onder in een vijver zou liggen, zou hij overleven; als hij er niet één maar vijf jaar onder zou liggen, zouden de herstellende ingrediënten van zijn eerste lente hem weer naar de wereld terug kunnen brengen. Wat stelde hem in staat het leven zo effectief op te schorten, dacht ik, en hoe komt het dat zoiets simpels als de warmte van de zon hem kan herstellen en die piepkleine kleppen weer aan het pompen krijgt om zijn koude, stagnerende bloed weer rond te stuwen? Hoe kan het dat hij een prikkel kan sturen om de clusters zenuwcellen in elk segment van zijn lichaam te wekken? Als hij de hele winter niet ademt en als zijn neuronen inert en ongeladen zijn, is hij dan in theorie dood? Is dit in feite een wederopstanding? Het duizelde me: al die aangeboren vindingrijkheid en toch heeft hij geen flauw idee dat hij het doet. Zijn zenuwstelsel is veel te simpel om te wéten, om te dénken, om zich van zichzelf bewust te zijn. Hij heeft niet eens hersenen zoals je je die zou voorstellen: als één commandocentrum. In plaats daarvan heeft hij in elk segment van zijn lichaam een losse knoop verstrengelde zenuwcellen, een ganglion, een soort kralenketting van vroege hersenen. Mensen zien het vernuft van de natuur en denken dat het het vernuft van het dier zelf is, maar ik wist wel dat geen enkel segment van het dier zich bewúst is. Wat zou ik het vreselijk vinden om totaal onbewust van mijzelf te leven, dacht ik. Wat had het voor zin te leven, te bestaan, als je daar nooit iets van zou weten? Ik keek naar de veelvraatrups en had medelijden met dat arme, onbewuste diertje. Maar hij kon tenminste ook nooit teleurgesteld zijn, dacht ik. Hij zou het nooit weten.

Achter me hoorde ik Vivi zwaar ademend omhoogklimmen. Ze was me ver voor geweest, dus moest ze zijn omgekeerd en terug zijn gekomen.

'Ginny,' zei ze, 'klop, klop.' Ze tikte zachtjes op mijn hoofd. 'Je speelt weer standbeeldje,' zei ze met een kinderlijk, lijzig stemmetje. Ik zweeg. Ik dacht nog steeds na: als je zonder bewustzijn werd geboren, verkeerde je tenminste in een heerlijke onwetendheid. Het is niet zo dat je dan op een dag wakker wordt en ineens jezelf ontdekt.

'Ginny?' zei ze, nu wat ernstiger. 'Ginny, je beweegt niet.' Ik voelde haar een hand op mijn schouder leggen. 'Giiiin-ny?' zong ze, alsof ze me vanaf een andere verdieping van het huis riep. Waarom doet ze dat, dacht ik. Ik sta pal voor haar neus.

'Ginny!' klonk het nu streng, als een moeder die haar kind berispt, terwijl ze lichtjes aan mijn schouder schudde.

Ik keek naar haar om.

'Alsjeblieft, doe dat nou niet, Ginny,' zei ze.

'Wat bedoel je?'

'Dat afwezige. Je hebt je al een kwartier geen millimeter meer bewogen.'

Ze overdreef natuurlijk. 'Het is niks afwezigs. Ik was aan het denken.'

'Dat weet ik, maar soms lijkt het of je bent weggegaan. Echt waar,' zei Vivi. Je hebt een bordje met "ben zo terug" erop nodig,' grapte ze luchtigjes.

'Ik ben me gewoon aan het concentreren.'

Ik heb de beste concentratie van alle mensen die ik ken. Ik kan me zo ontzettend concentreren dat ik alles om me heen buitensluit. Mijn familie werd er altijd helemaal zenuwachtig van maar het is misschien mijn enige natuurlijke gave. Ik vond het vervelend toen Vivi het 'afwezig zijn' noemde. Ze zei vaak dat ze me urenlang zo stil als een standbeeld had zien staan maar ze overdreef altijd. Ik kan het in feite maar een paar minuten volhouden.

'Ik wil je iets vragen, Ginny,' zei ze opeens, alsof het een trucje was om mijn aandacht weer naar zich toe te trekken. 'Ben je thuis?' vroeg ze, wat me irriteerde.

'Ja.'

'Goed,' ging ze verder. 'Ik wil gaan trouwen.' Ze zei het snel, bijna alsof het een vraag was.

Ik bleef verrast staan. Ik had de laatste paar maanden al eens gedacht dat ze misschien met Arthur zou gaan trouwen. Ik was niet zozeer verrast door wat ze zei, het was meer dat ik het niet op dat moment verwacht had, of dat ze het op die manier zou zeggen.

'Wat fantastisch voor je, Vivi,' zei ik uitbundig. Ik deed mijn best haar een ongebruikelijke knuffel te geven en pakte haar zo ongeveer rond haar middel beet.

'O, nee, hij heeft me niet gevráágd, Ginny. We hebben er alleen over gepraat.'

Ik had kunnen weten dat ze er iets ingewikkelds van zou maken. Vivi slaagde er altijd in het simpelste idee vol te stoppen met dubbelzinnigheden. Ik had op mijn intuïtie moeten afgaan. Als ze echt verloofd zou zijn geweest, had ze het me veel omslachtiger verteld.

'Maar ik kan niet met hem trouwen,' vervolgde ze, terwijl ze haar ogen dichtkneep. Alleen Vivi speelde het klaar om je te laten denken dat dit een goed bericht was en er in een ommezien iets treurigs van te maken. Maar al werd ik er soms woest van, haar overborrelende emoties vormden ook een deel van haar aantrekkingskracht en ik vond het vreselijk als ze verdrietig was. Ik kon pijn en teleurstellingen wel aan, maar zij was niet gebouwd om leed te dragen. Haar tere lichaam zou instorten onder het gewicht ervan. Ze had bescherming nodig, moest zonder lijden kunnen leven, en in ruil daarvoor gaf ze massa's geluk en levenslust en plezier.

'Wat erg voor je, Vivi. Ik dacht dat je zei dat je ging trouwen,' zei ik ten slotte.

Er viel een lange stilte. Een Vlaamse gaai landde op een roestig tinnen vat dat door een boer bij de rand van het hek was neergegooid. Hij hipte naar het eind en bewoog zijn kop alle kanten op met robotachtige, waakzame rukjes. Ik wist dat ik op dit soort momenten niet de ideale troostbrenger was. Ik was een praktisch persoon, niet goed uitgerust om emotionele steun te bieden. Ik probeerde het toch. 'Denk je dat hij je zal gaan vragen?' vroeg ik voorzichtig.

'Dat heeft hij al min of meer gedaan, geloof ik.'

'Dat is dan toch fantastisch?' opperde ik.

'Maar Ginny, ik wil niet.'

Ik wist zeker dat ze het zojuist nog wél had gewild. Zoals altijd moest ik bij Vivi voorbereid zijn op het onverwachte. Vaak probeerde ik niet eens om haar en de puzzels die ze van haar leven maakte te begrijpen. Ik zag hoe de Vlaamse gaai over de rand van het vat leunde en opeens voorover duikelde om de binnenkant te inspecteren. Daarna sprong hij op de grond en begon behoedzaam rond te scharrelen tussen wat schimmel die eronder vandaan schuimde. Ten slotte hipte hij opzij, vloog het vat in en verdween in het duister daarbinnen.

'Wil je niet weten waarom?' vroeg Vivi.

Ze had haar hoofd in haar jas begraven maar ik kon toch een lichte ergernis horen. 'Waarom?'

'Waarom denk je, Virginia?' blafte ze tot mijn verbazing. Eerst wilde ze dat ik een vraag stelde, en toen was het ineens een stomme vraag.

'Omdat ik geen kinderen kan krijgen,' ging ze verder. 'Ik kan geen kinderen krijgen dus heeft het geen zin om te trouwen. Als je geen gezin kunt vormen, bedoel ik, dan is het geen... Het is gewoon niet het leven dat ik wil. Ik kan niets treurigers bedenken dan een kinderloos huwelijk.'

Ze begon nu echt te huilen en zag eruit alsof ze weer vijftien jaar was. Ik pakte haar schouders om haar te ondersteunen toen ze op het ijzige gras ging zitten, sjorrend aan jaar jas om haar achterwerk tegen het vocht te beschermen. Daarna ging ik naast haar zitten. Het feit dat ze geen kinderen kon krijgen hadden we eigenlijk nooit goed besproken. Het had zo'n geringe prijs voor haar leven geleken. Ik had nooit een kinderwens gehad en ik had altijd aangenomen dat zij er net zo tegenover stond. Ik probeerde een autoritaire houding aan te nemen. 'Luister eens, Vivi. Je kunt misschien geen kinderen krijgen, maar je leeft. En je hebt een man gevonden die van je houdt en dat moet heerlijk zijn. Je kunt niet altijd alles hebben,' besloot ik, net zoals Maud dat zou hebben gedaan.

'Alles? Ik wil helemaal niet alles. Ik wil alleen maar een kind. Ik heb altijd al een kind gewild,' snikte ze, 'al sinds ik ze niet meer kon krijgen.'

'Maar het gaat er niet van komen, punt uit. Het is zuiver een kwestie van biologie,' zei ik. Ik wilde haar niet nog ongelukkiger maken maar er viel niets anders te zeggen. Het leek mij allemaal ellendig definitief. Arme Vivi, dacht ik. Ze zou evenwichtiger zijn als ze de zekerheid van een huwelijk had. Ze was zo iemand die voortdurend de bevestiging van andermans liefde moest krijgen. 'Hij houdt van je om wie je bent, Vivi, en dat je geen kinderen kunt krijgen, hoort ook bij jou,' zei ik na enig nadenken.

Vivi hield prompt op met huilen. 'Onzin. Het hoort helemaal niet bij mij, Ginny,' berispte ze me. 'Ik ben zo niet geboren. Het is iets wat ik ben kwijtgeraakt. Het is een deel van mij dat ontbreekt, niet andersom.'

'Ik vind het echt heel erg, Vivi,' zei ik oprecht, en ik sloeg mijn arm stevig om haar heen. 'Arme schat.' Ze snikte luidruchtig op mijn linkerschouder. Ik was de sterkere, zelfstandige zus en juist op dit soort momenten had Vivi me echt nodig.

Toen we van school waren gestuurd, hadden Vivi en ik twee uur zitten huilen in een wc-hokje in de kleedkamer met Vivi's beste vriendin Maisie (die blijkbaar als eerste om bananen had gevraagd). We huilden tranen met tuiten, snikten alsof onze levens waren geruïneerd, en Vivi kraste drie keer met haar haarspeld 'klotebananen' op de zwart met gele vloertegels en verklaarde dat ze een anarchist was. Maar eerlijk gezegd was ik helemaal niet verdrietig. Ik deed maar alsof. Ik voelde me juist geïnspireerd, gesterkt en waardevol. Ik stond met mijn zusje ergens middenin. We zaten er tot over onze oren in. Na een tijdje vroeg ik Maisie ons even alleen te laten omdat ze, zo legde ik haar uit, niet in dezelfde situatie als wij zaten dus niet helemaal kon begrijpen wat we doormaakten. Vivi had op dat moment alleen maar mij nodig, net zoals nu, en mijn rol als haar oudere zusje voelde nu, net zoals toen, heel belangrijk.

De Vlaamse gaai kwam eindelijk uit het vat gehipt, naar het licht, en hield als een trofee een slak in zijn snavel. Vivi keek op en staarde me aan. Haar gezicht was gezwollen en...

'Wil jij mijn baby krijgen?' vroeg ze.

Ik lachte.

'Nee, ik bedoel of jij, nou ja, mijn baby wil krijgen?'

14 – Viviens uitstapje

Vivien is ervandoor. Ze is verdwenen. Ze heeft me niet verteld waar ze naartoe ging of wanneer ze zou terugkomen. Ze heeft me niet eens verteld dát ze wegging. Het is allemaal nogal raar, vind je niet? Het is bijna alsof ze is weggeglípt, en als ik haar niet in de gaten zou hebben gehouden, had ik er niets van gemerkt. Ik was toevallig in mijn badkamer vanwaar ik haar donkere silhouet heen en weer kon zien lopen achter haar slaapkamerraam. Daarna hoorde ik haar de overloop over gaan en de trap af lopen, dus waagde ik mezelf ook naar buiten en ving ik halverwege de trap nog net een glimp op van haar lange winterjas toen ze de voordeur achter zich dichttrok. Ik wilde haar volgen maar ik wist dat ik tegen de tijd dat ik warmere kleren had aangetrokken, niet meer kon weten welke kant ze op was gegaan, dus in plaats daarvan haastte ik me weer de grote trap op naar mijn uitkijkpost op de overloop en gluurde ik met mijn gezicht dicht bij het glas-in-loodraam naar buiten zodat ik kon zien welke kant ze op ging. Misschien kon ik snel van het ene raam naar het andere lopen zodat ik haar in het zicht kon houden, dacht ik. Ik was verrast. Ik dacht dat ze een van onze oude wandelingen na zou lopen; ik dacht dat ze rond het huis zou lopen en dan omhoog naar de heuvelrug of omlaag door de weiden naar het kreupelbosje. Maar dat deed ze niet. In plaats daarvan zag ik haar met ferme pas midden over de oprijlaan lopen, op weg naar het dorp, recht in de armen van zijn fluisterende huizen.

Nu komt er iets vreemds. Ik wilde niet dat Vivien wegging, en toen ik haar zag weglopen, deed ik mijn uiterste best haar niet uit het oog te verliezen. Hoe verder ze ging, hoe meer ik hoopte dat ze zich misschien ineens zou omdraaien of rechtsaf zou gaan en de beek zou volgen, waar ik haar vanuit het huis kon zien. Maar – en nu komt het onverwachte – nu ze weg is en ik haar eindelijk uit het oog ben verloren, kijk ik helemaal niet uit naar haar terugkeer. De kolkende onrust die sinds haar komst in mijn buik tekeerging, is eerlijk gezegd geheel opgelost en nu word ik overvallen door een heerlijk gevoel van opluchting en vrijheid. Het is hetzelfde gevoel dat ik had toen ik Bobby met de meubels en alle rommel in zijn busje over de oprijlaan zag wegrijden. Even een onderbreking van haar constante aanwezigheid in het huis, en respijt van mijn voortdurende waakzaamheid. Ik kon rondlopen zonder me zorgen te hoeven maken waar ze is, of wat ik moet doen of zeggen als ik haar tegenkom. Ik kan een deur dichtdoen en weet dan dat die dicht blijft. Ik kan mijn verschillende soorten thee in de juiste volgorde in de keukenkast zetten en het vettige boterpapier weggooien dat ze in de koelkast bewaart.

Ik loop de trap af naar de hal, deels om mijn hervonden vrijheid te benutten maar ook om te kijken of ze geen deuren van lege kamers open heeft laten staan. Daar houd ik niet van. Voor mij horen ze niet meer bij het huis. Het is alsof je de voordeur open laat staan. Gelukkig blijken ze dicht te zijn, maar als ik naar de keuken loop, zie ik dat Vivien haar handtas op het aanrecht naast de Kenwood heeft laten staan. Het is een zachte, groene leren tas met zware koperen gespen, zonder rits of versieringen, waarvan de bovenkant, zoals hij daar ligt als een ingezakt hoopje, naar achteren is geslagen, en mij door zijn wijdopen mond de inhoud van zijn buik laat zien. Vlak bij de bovenkant steken een lippenstift en een postzegelboekje naar buiten en als ik dichterbij kom en de rand optil, zie ik in zijn binnenste een rommelige wereld van papiertjes, bonnetjes, paperclips en veiligheidsspelden, een nagelvijltje, een polshorloge waarvan het bandje is afgebroken... Ik word even afgeleid door de voering, een dunne, losse stof, die niet vastzit aan het leer. Hij is lichtgrijs en regelmatig doorstoken met strakke rijtjes speldenprikgaatjes. Dat zich herhalende patroon hypnotiseert me; ik zie de stipjes als rijen of kolommen, of diagonalen, driehoeken of vierkanten en vervolgens als vormen met diepte, die van mij weglopen tot ik het perspectief volledig kwijt ben. Uiteindelijk moet ik de stof zelfs aanraken om te voelen hoe ver hij eigenlijk bij me vandaan is en me terug te brengen uit mijn grillig verdraaide blikveld. Hij voelt zijdeachtig aan en als ik hem streel, glanst hij in het licht – zoals zijde, maar ik weet dat het geen zijde kan zijn omdat hij aan de ruwe, droge huid van mijn vingertoppen blijft haken waardoor er een vreemde rilling over mijn rug loopt.

Ik til de handtas op en keer hem om; de inhoud klettert en tolt over het gladde formica aanrechtblad. Ik weet niet waarom ik erin kijk of wat ik denk te vinden. Misschien een inzicht in de nieuwe, volwassen Vivien of een aanwijzing voor de reden van haar terugkeer. Ik verzamel haar spulletjes, één voor één – drie ballpoints, haar mobiele telefoon, een sleutelbos (waarvoor?), een gids voor Londen op pocketformaat, zes losse haarspeldjes – en doe ze terug in de tas, me bewust van het feit dat ze elk moment kan terugkomen. Er is een lipstick, een poederdoosje, een inklapbaar kammetje, een vergrootglas, drie veiligheidsspelden waar ik even naar blijf kijken (ik zou ze graag toevoegen aan de acht exemplaren die ik op mijn bed heb om te voorkomen dat het bovenlaken tegen de deken schuift, maar ik zou ze nooit durven pakken).

Ik probeer alles willekeurig, rommelig terug te doen, even wanordelijk als de toestand waarin ik het aantrof, maar ik ben van nature geneigd orde aan te brengen – dat is de wetenschapper in mij – en ik vind het vreselijk moeilijk om het niet te doen. Ik kijk een paar keer de andere kant op, schuif mijn hand in de tas en woel ermee rond om meer chaos te maken dan ik moedwillig zou kunnen. Ik ben jaloers op haar haarspeldjes en juist als ik er eentje uitprobeer en zo een scheiding in een plukje pony trek, zie ik de gouden broche die helemaal naar de rand van het aanrecht moet zijn geschoten en tot rust is gekomen in de schaduw van de wandkast. Hij is ongeveer zo groot als een klein vogelei en heeft net zo'n vorm, ovaal, maar plat. Als ik hem oppak, zie ik dat er voorop kleine gekleurde steentjes in het goud zijn gezet, met in het midden een grote bloedrode robijn. Zijn gewicht verrast me. Ik weeg hem in mijn handen, laat hem heen en weer rollen. Aan de achterkant is een rand, onder de grote pin, versierd met piepkleine, decoratieve gouden scharniertjes en daartegenover zit een kleine sluiting. Ik klik de sluiting open met mijn nagel en mijn adem stokt. Het is een oude, bekraste en vervaagde foto van Vivi en Arthur die elkaar stevig vasthouden. Ze zitten op een laag stenen muurtje en Vivi houdt een hand beschermend over haar bolle buik. Ik kijk nog wat beter naar de foto. Er is geen twijfel mogelijk: Vivi ziet er zwanger uit. Ze lijken een mooi voorbeeld van een liefhebbend jong stel te zijn, met een baby op komst die hen tot een gezin zal maken en dichter tot elkaar zal brengen. Ik breng hem dichter bij mijn ogen en probeer zo goed mogelijk de krassen en vage plekken in te vullen. Vivi kijkt naar Arthur. Het geluk straalt van haar af. Ik moet glimlachen als ik het zie, en ze klampt zich met haar andere hand aan Arthur vast alsof ze bang is dat hij van de foto zal vallen. Hij staat stijfjes rechtop, ziet er ingetogen uit en staart recht in de lens – misschien een trotse nieuwe ouder? Maar ik vind het verbijsterend. Ik kan me niet herinneren dat ik deze foto ooit heb gezien. Ik weet niet hoe hij in vredesnaam genomen kan zijn.

Ik klap de broche dicht en gooi hem in de groene handtas. Ik besluit naar de overloop te gaan, naar mijn uitkijkpost, en daar te wachten op Viviens thuiskomst, maar ik krijg dat beeld van Arthur en haar maar niet uit mijn hoofd. Die jonge, sprankelende Vivien had mij al die jaren zo helder voor ogen gestaan, voor ze gisteren weer opdook en haar door de oudere, minder herkenbare versie verving. Maar ik ben vooral ondersteboven door het weerzien met Arthur. Ik zal nooit onze stiekeme uren samen vergeten, maar door de jaren heen moet mijn geheugen zijn uiterlijk hebben veranderd. Ik herinnerde mij een volwassen, zelfverzekerde man, alsof zijn beeld met mij mee oud was geworden, maar ik heb me vergist. Door die foto besef ik dat de enige man met wie ik ooit heb geslapen amper meer dan een jongen was.

De eerste keer dat Arthur en ik seks hadden, herinner ik me nog heel goed.

Op een zorgeloze, winderige zomerdag, bijna tweeënhalve maand nadat Vivi en Arthur waren getrouwd, werd Arthur per trein naar mij toe gestuurd om een baby voor Vivi te maken. Ik zag hem uitstappen op het uiteinde van het dichtstbijzijnde perron van station Crewkerne. Pas toen, toen hij dat hele perron af kwam lopen en ik zijn lange, slanke benen bestudeerde die gekoesterd in corduroy ferm op mij af kwamen stappen, voelde ik een lichte paniek door de werkelijkheid van het moment: ik zou naar bed gaan met die man en zijn lange, slanke benen. Arthur zei er niets over – en ik ook niet – toen hij mij begroette, en ook niet tijdens de autorit van vijftien minuten van het station naar huis, of toen we de auto op de oprit parkeerden of toen hij mijn ouders begroette. We hadden het er niet over toen ik hem begeleidde naar de kleine bordeauxrode logeerkamer aan de halve overloop in de westelijke vleugel van het huis, met zijn hoge eenpersoonsbed en het mooie raam met uitzicht op de zonnige, zijdeachtige weiden eronder. Maar het was natuurlijk al die tijd het enige waar ik aan dacht.

In 1960 gaven de mensen nog niet openlijk toe dat ze geen kinderen konden krijgen. De explosie van vruchtbaarheidsbehandelingen, die daar verandering in bracht, zou nog twintig jaar op zich laten wachten. Als je getrouwd was en geen kinderen kon krijgen, zei je ofwel dat je ze niet wilde, of je haalde ze ergens anders vandaan en vaak wist niemand daar iets van. Het was altijd een privéaangelegenheid, vaak een smoezelig geheimpje. Draagmoederschap was niet eens een onwelvoeglijk woord, het was nog helemáál geen woord, hoewel er op dat gebied in het hele land privéregelingen werden getroffen, zoals dat al generaties gebeurde onder familie of vrienden.

Ik had Vivi toen, die dag op de heuvelrug, nooit teleur kunnen stellen, hoezeer haar voorstel mij ook had verrast. Het was niet eens zo dat ik uit medelijden besloten had mijn zusje de baby te geven die ze dolgraag wilde hebben. Het kwam niet eens in mij op nee te zeggen. Ik voelde me zo vereerd: Vivi had míj uitgekozen als de moeder van haar kind. Net zoals ik haar vanochtend niet tegenhield om bij me in bed te kruipen, ondanks de inbreuk en het ongemak, zou ik nooit de kans laten lopen die eeuwigdurende verwantschap met Vivi te verzekeren door haar kind te baren.

Vivi stond erop dat het draagmoederschap voor iedereen geheim zou blijven – afgezien van ons drieën – zodat het kind nooit op de waarheid van een levenslange leugen zou kunnen stuiten en ons erom zou haten, of dat wie dan ook erachter zou kunnen komen. Ze zei dat je best een geheim voor je kind kon hebben om zijn bestwil, maar dat het verkeerd en onaardig was als een kind opgroeide te midden van een geheim dat iedereen kende.

Vivi wilde vooral niet dat Maud en Clive er al van zouden weten. Ze wisten natuurlijk dat ze geen kinderen kon krijgen, maar om redenen die ik nooit heb kunnen begrijpen dacht ze dat die ertegen zouden zijn.

'Ik zei dat ze er misschíén tegen zijn,' corrigeerde ze me, toen we die dag in de kou op de heuvelrug tegen elkaar aan gekropen waren. 'Ik zei niet dat dat al vaststaat,' zei ze snel. 'Ik weet niet wat ze ervan zullen vinden.'

Ze wilde dat we zwanger werden voor we hen deelgenoot maakten van het geheim, voor het geval ze ons zouden willen tegenhouden. Ze zei dat ze ons in het beste geval allemaal meningen zouden geven waarvan we alleen maar in de war zouden raken, en het moest toch helemaal ónze beslissing zijn.

'Ik kan voor mezelf besluiten, Vivi, en ik heb je al gezegd dat ik het doe,' verzekerde ik haar.

'Dank je, schat, ik hou van je. Je bent mijn beste vriendin én mijn beste zusje,' zei ze in een zuivere opwelling van liefde waar ik duizelig van werd. 'Ik wil dat het in het begin ons geheim is, Ginny,' zei ze smekend. 'We vertellen het hun zodra er iets gebeurt.'

'Zodra ik zwanger ben?'

'Ja, natuurlijk,' zei ze. 'Als je zwanger bent, kunnen ze ons niet tegenhouden.' Ze lachte.

Ik besloot dat het neerkwam op het verschil in de wijze waarop we naar onze ouders keken: Vivi had altijd het idee dat ze tegen haar waren terwijl ik dacht dat ze aan mijn kant stonden. Als ik het hun kon vertellen zodra ik zwanger was, zou het volgens mij niet veel verschil maken met hoe Vivi het wilde hebben. We spraken het zo af.

'Beloof het me – met de hand op je hart,' zei ze altijd.

'Beloofd.' Ik legde ernstig mijn rechterhand op mijn hart om het pact te bekrachtigen en ons lot te bezegelen.

We waren nog steeds op die bevroren heuvelrug toen ze mij haar hele plan uiteenzette. Arthurs bezoekjes aan Bulburrow zouden zogenaamd zakelijk zijn – een idee voor een nieuwe, grote bakkerij voor de hele streek – hoewel ze toevallig wel zouden samenvallen met mijn maandelijkse vruchtbaarheid. Ze had het allemaal al uitgestippeld, zoals altijd.

Daar waren we dan. Arthur en ik waren voor het eerst alleen in mijn slaapkamer, die verderop aan de overloop lag, tegenover de slaapkamer van mijn ouders. Het was middag, net voor theetijd. Maud en Clive waren elders in het huis bezig.

Het eerste wat Arthur bijna zakelijk tegen me zei, was: 'Ginny, ik wil weten of je begrijpt wat je doet, of je weet dat je de baby afstaat. Het zal niet jouw baby zijn. Je zult niet zijn moeder zijn. Dat wordt Vivien. Weet je zeker dat je dat zult doen?' Hij zei het heel l-a-n-gz-a-a-m en d-u-i-d-e-l-ij-k, alsof ik een imbeciel was.

'Ja,' antwoordde ik, terwijl mijn ijzeren eenpersoonsbed dreigend tussen ons oprees als een verpletterend symbool van de gedwongen intimiteit van de zeer nabije toekomst.

'Maar je moet erover nadenken,' zei hij, nogal raadselachtig. Ik vind het al moeilijk om de ingewikkeldheden van de mensen die ik het best ken te begrijpen, laat staan dat ik die van minder bekenden kan ontcijferen. Mijn antwoord gaf toch al aan dat ik erover had nagedacht. Ik heb gemerkt dat het geen enkele zin heeft mensen te vragen waarom ze zeggen wat ze zeggen of menen wat ze niet zeggen. Meestal probeer ik ze tegemoet te komen, zeg en doe ik wat ze het liefst willen horen en zien, in de hoop dat het later allemaal duidelijk zal worden. Zoals ik daar stond, aan de ene kant van het bed dat ons uitdagend leek aan te kijken in de hoop op een vereniging, probeerde ik een paar seconden te doen alsof ik 'erover nadacht', alsof 'erover nadenken' iets was wat je deed terwijl je over je kin wreef en naar de hemel staarde, maar wat ik eigenlijk dacht was dat het heel raar was dat ik nooit, niet één keer, openlijk met Arthur over het draagmoederschap had gesproken. Ik had er alleen maar met Vivi over gepraat. Soms verwees ze naar Arthurs mening over een of ander aspect van de regeling, maar meestal sprak ze er heimelijk en begerig over, alsof het ons geheim was, waardoor ik bijna vergat dat Arthur er ook bij betrokken was. Ze praatte over hoe we het kind zouden zien opgroeien, hoe zij het alles over de stad zou leren en ik het alles over het platteland zodat ik het als de baby van Vivi en mij was gaan beschouwen, niet die van hem. Ik zag hem als een inert onderdeel van het proces, een katalysator: nodig om de reactie te laten plaatsvinden maar onveranderd na afloop.

Tot op dat moment had ik dus nooit stilgestaan bij Arthurs gevoelens. Ik vroeg me af of deze overpeinzing op het laatste moment misschien betekende dat hij het een minder goed idee vond dan Vivi. Misschien zocht hij een uitweg, maar ik wist niet of dat was vanwege de baby of omdat het betekende dat hij seks met mij moest hebben. Toen zei ik, zo bedachtzaam als ik maar kon veinzen: 'Het is niet mijn baby. Ik zal niet zijn moeder zijn. Dat begrijp ik.'

Hij dacht langzaam na over mijn antwoord en besloot om een of andere reden dat het ermee door kon. 'Goed,' zei hij, en hij ontspande. 'Zullen we ons uitkleden?'

Ik trok snel mijn rok, slipje, blouse en beha uit en stond naakt naast het bed. Toen ik opkeek, zag ik dat Arthur met zijn rug naar mij toe en met een handdoek rond zijn middel zat.

Onhandig probeerde hij zich eronder uit te kleden, alsof hij zich midden op een bomvol strand moest verkleden. Preutsheid leek mij volkomen onzinnig nu we op het punt stonden zoiets indringends en intiems als seks te gaan bedrijven.

'O,' zei hij alleen maar toen hij zich weer naar mij omkeerde terwijl hij met een hand de handdoek achter zijn rug vasthield, de handdoek die hem bedekte. Hij keek strak naar mijn gezicht, alsof hij er niet op betrapt wilde worden dat hij naar mijn lichaam lonkte, maar ik kon mijn ogen niet van die handdoek afhouden. Voor we aan de slag gingen, had ik graag het materiaal gezien waarmee we moesten werken. Dit was seksuele voortplanting louter om de voortplanting, dus we konden er best nuchter over doen. We stonden er onzeker bij, in aarzeling afwachtend.

'Ben je zenuwachtig?' vroeg hij.

'Een beetje,' loog ik, terwijl ik mijn ogen van de zorgvuldig geplaatste handdoek naar de vloer liet glijden. Ik had zenuwachtig moeten zijn. Ik weet het, maar ik was te zeer in beslag genomen door de praktische aspecten van de zaak en als ik eenmaal een idee in mijn hoofd heb, vind ik het moeilijk ergens anders aan te denken tot ik het heb opgelost. Hoe precies zouden we vanuit deze positie, met het bed tussen ons in en hij bedekt, uiteindelijk zover komen dat zijn penis zijn sperma in mijn uterus deponeerde? Ik was meer in verwarring dan zenuwachtig.

'Dat hoeft niet, hoor,' zei hij vriendelijk.

Mij kamer was fel narcissengeel, wat rijkelijk werd versterkt door het late middagzonlicht dat weelderig door het raam viel. Ik had het zelf uitgekozen – dat narcissengeel – toen ik te jong was om beter te weten en ik had erop gestaan dat zowel de wanden als het plafond in de gekozen kleur werden geschilderd. Maud had het zelf gedaan, over het victoriaanse structuurbehang, dat krullend reliëf over het hele plafond strooide.

Toen ik klein was, vond ik het leuk want als ik in mijn bed lag en mijn ogen half dichtdeed, genoeg om ze loom te maken, kon ik gemakkelijk mijn focus verliezen in het draaiende plafond. Het duurde ongeveer twee minuten om mijn ogen erin te krijgen, het perspectief te verliezen en vormen en patronen in andere dimensies te gaan zien. Als mijn ogen er eenmaal in zaten, was het onmogelijk om zonder eerst weg te kijken het plafond weer als plat te kunnen zien. Soms schoten de krullen als draaikolken van mij weg, dan weer wervelden ze vanuit het papier naar mij toe zodat ik mijn hand erdoorheen kon steken als ik mijn arm ophief. Ik lag daar in de lichte avonden en de vroege ochtenden van mijn kindertijd en ik bewoog ze en keek hoe ze de kamer in en uit schoten.

Seks deed geen pijn, wat volgens Vivian had gekund, en het schonk me geen enkel genot, waarvan ik me had afgevraagd of dat zo zou zijn. In plaats daarvan lag ik zo stil als ik kon onder hem en keek ik naar de gele spiralen op het plafond, die naar binnen en naar buiten dansten als levendige veren, en ik was ontsteld dat deze krampachtige, middelmatige daad datgene was waarvoor we waren gemaakt. Dit was blijkbaar hetgeen waar mannen en vrouwen naar verlangden, niet alleen als ze een kind wilden maar ook om de daad zelf. Het is immers volgens de wetten der natuur het enige dat we hoeven doen in het leven: zorgen dat onze soort blijft bestaan.

Ik weet niet waarom, maar op dat moment dacht ik aan een vliegend hert met zijn glanzende zwarte pantser en zijn enorme, vervaarlijk uitziende gewei, dat even lang is als zijn lichaam. Je zou door dat uiterlijk denken dat hij een geweldige strijder was, maar zijn angstaanjagende voorkomen is een raadsel voor natuurkenners. In zijn leven, dat een maand duurt, vecht hij niet één keer. Hij eet zelfs niet. Zijn enige doel is zijn onhandige lichaam voort te slepen op zoek naar een partner en als hij heeft gepaard, sterft hij. Zijn imposante wapentuig is niets dan een onnodige last.

Arthurs hoofd lag begraven in het kussen naast mij, met zijn mond vlak bij mijn oor. Ik rook zijn muskusgeur en luisterde naar zijn hijgende, onregelmatige ademhaling en dacht aan alle krachten die hem hiertoe aanzetten. Zijn armen stond stevig aan weerskanten van me, keihard gespannen, met de ellebogen in een rechte hoek gebogen om hem enige hoogte te geven en ik kon zijn gespierde bovenlichaam zien, dat onberispelijk gespannen en krachtig was. Elke ranke spier had een klus te klaren en ik verwonderde me over de kracht in de stoten van zijn achterwerk, voor zo'n dunne man.

Eindelijk voelde ik Arthurs lichaam verstijven in een onwillekeurige kramp en ik vroeg me af of er behalve bij de ejaculatie nog een moment was waarop zoveel spieren van een man tegelijk samentrokken. Ik stelde me de kleine pakketjes ATP en melkzuur voor die diep in zijn spiervezels druk werden afgetakt en uitgewisseld, als in een elektrische centrale op volle kracht. Toen hij klaar was en zich had teruggetrokken, gooide ik mijn benen over het hoofdeinde en zette ik mijn voeten en achterwerk tegen de muur.

'Wat doe je?' vroeg hij, terwijl hij van het bed rolde.

'Ik help ze.'

'Heus?' zei hij. 'Helpt dat?'

'Vivi denkt van wel. Het staat op haar lijstje,' waarmee ik doelde op de handige instructies en tips die ze me had gestuurd, maar Arthur keek op een vreemde manier naar mijn benen. 'Het is niet een van de dingen die ik móét doen, maar gewoon iets wat ik kan doen als ik dat...'

'Oef. Wat is er met jou gebeurd?' onderbrak hij me. 'Heb je een ongeluk gehad?

'Die?' Ik probeerde nonchalant te klinken. 'Ik heb altijd blauwe plekken,' en ik trok het laken op om de sporen van Mauds uitbarstingen te bedekken.

'Sorry.' Hij keek beschaamd, alsof hij op een misvorming had gewezen die hij niet had mogen noemen, en liep naar de badkamer.

Ik voelde zijn sperma binnen in mij en langs de binnenkant van mijn dij druipen. Ik keek of hij de kamer uit was voor ik met mijn vingers tussen mijn benen voelde. Ik had even de aandrang om naar boven, naar het lab te rennen, het glinsterende vocht op een objectglaasje te smeren, het af te dekken en het onder de x1000-lens te schuiven. Ik had ze graag zien zwemmen.

We deden het die dag nog een keer en nog drie keer de volgende dag. De rest van de tijd deden we ons best elkaar te negeren, niet alleen omdat we onze babyplannen geheim moesten houden voor Clive en Maud, maar misschien ook als onbewust tegenwicht tegen de onmogelijke intimiteit die we drie keer per dag moesten opbrengen.

Ik zit op mijn uitkijkpost op de overloop en staar naar mijn tenen die in hun dikke wollen sokken uit de punten van mijn pantoffels steken. Had ik je verteld dat ik drie maanden geleden de neuzen van mijn pantoffels heb geknipt, bij de punten, zodat mijn tenen eruit kunnen steken? Mijn voeten waren zo opgezwollen dat het voelde alsof ze in pantoffels geperst zaten die twee maten te klein waren. Bij elke stap jammerde ik van de pijn. Het is een enorme opluchting om ze uit te laten steken.

Terwijl ik in mijn vensternis zit en mijn tenen oefen door ze op en neer te wiebelen, vang ik eindelijk weer een glimp op van Vivien, die over de oprijlaan loopt. Tegelijkertijd hoor ik het zachte gezoem en de kling van de tafelklok in de hal, die het halve uur slaat. Iets in het raderwerk zit niet meer goed. Hij sloeg het halve uur altijd heel keurig, met een volle, welluidende noot, maar de afgelopen jaren is hij gedempt geworden en het geluid klinkt korter, zonder echo; het is een kling en geen klingeling. Maar vanuit de gedeelten van het huis waar ik veel kom, kan ik hem gelukkig nog steeds horen en als dat gebeurt, controleer ik hem altijd op mijn beide polshorloges om me ervan te verzekeren dat ze allemaal op tijd lopen. Op dit moment geven ze allemaal dezelfde tijd aan: het is half vijf 's middags en Vivien is al sinds één uur weg.

Drieënhalf uur sinds ze is vertrokken, zonder iets te zeggen, en het wordt al donker, maar daar komt ze dan, ze kronkelt langs de rand van de oprijlaan omhoog, vlak bij de beukenhaag. Ze stopt even om zich te bukken en aan haar schoen te frunniken en gaat dan weer verder, terwijl ze nonchalant de beukenhaag afstoft met haar hand. Waar is ze geweest? Ik probeer me alle plaatsen voor te stellen waar ze geweest zou kunnen zijn, maar eerlijk gezegd kan ik er niet een bedenken. Er is iets vreemds aan de manier waarop ze loopt, een manier waar ik niet echt mijn vinger achter kan krijgen, die ik niet in woorden kan duiden. Ze laat als een kind haar hand tijdens het lopen langs de zijkant van de heg glijden en slaat daarbij een paar van de verschrompelde bruine blaadjes van vorig jaar weg, die zich tot aan de lente stevig aan de heg lijken vast te klampen.

Ik haast me de trap af om mezelf genoeg tijd te geven voor ze het huis bereikt en sluit mezelf op in de studeerkamer achter de keuken.

De studeerkamer heeft twee deuren, een naar de keuken en een naar de hal. Als ze de keuken in gaat, zal ik mijn opkomst zo timen dat ik haar daar toevallig tegenkom, en als ze meteen naar boven gaat, kan ik doen alsof ik net had besloten de studeerkamer te verlaten op het moment dat zij de trap op liep. Ik kan haar in beide gevallen vragen waar ze is geweest. Ik plant mezelf voor de boekenkast, op even grote afstand van beide deuren, klaar om voor een van de twee te kiezen. Vivien loopt meteen naar boven. Als ze voorbij de deur van de studeerkamer is, tel ik haar voetstappen tot de vijfde trede en doe dan de deur open.

Ik verstijf, getroffen door de onmiskenbare geur van sherry. De geur maakt een klein restant angst en onrust vrij dat zich naar buiten wroet, naar de huid van mijn armen, en tussen de haartjes kruipt. Het is de geur van Maud. Ik stap weg van de deur en doe hem zachtjes weer dicht. Ik wacht tot ik Viviens voetstappen boven mijn hoofd naar haar kamer hoor gaan voor ik stilletjes naar de mijne ga.

15 – Ter herinnering aan Pauline Abbey Clarke

Zodra ik in mijn kamer ben, herschik ik de kussens op het hoofdeinde van mijn bed en stapel ze op zodat ik rechtop kan zitten en door de ramen op het zuiden de slaperige Bulburrow-vallei kan bewonderen. Buiten zet een bries de nieuwe uitlopers van de wingerd aan tot een huiverende dans, alle op zoek naar een partner om te omstrengelen. Maud zei dat ze de *Virginia creeper* had geplant omdat hij mijn naamgenoot was en dat ze het een leuk idee vond dat ik voorgoed over het hele huis zou kruipen, en ik herinner me dat ze erg moest lachen toen ik vroeg wat ze daarmee bedoelde, en ze zei dat ik alles niet zo serieus moest nemen.

Ik denk maar steeds aan de schok die de geur van sherry me zojuist gaf, aan de herinneringen die het heeft opgerakeld. Ik was vergeten hoe bang ik voor Maud was als ze dronken was. Er was nauwelijks een waarschuwing. Het ene moment zat ze in een gelukzalige roes in zichzelf te neuriën en het volgende moment had ze een wapen gegrepen – een mok, een paraplu, een boek of wat er maar binnen handbereik lag – en haalde ze naar me uit in tomeloze razernij. Maar – en volgens mij heb ik dit al eerder gezegd – ik heb haar altijd alles vergeven, ik wist dat ze er niks aan kon doen en als ze nuchter was maakte ze het dubbel en dwars goed met haar sublieme verzekeringen van haar liefde, als ze haar hoofd op mijn schoot legde of me stevig omarmde en mijn hoofd kuste. Op die momenten dacht ik dat we nog nooit zo verbonden waren geweest en dat we elkaar nog nooit zo hard nodig hadden gehad.

Ik kon leven met haar geweld. Dat was simpel; ik kon het rationaliseren. Het waren de niet-aflatende beledigingen die ik het moeilijkst te verdragen vond. Ik wist dat ik er geen woord van moest geloven; ik wist dat ik er niet naar moest luisteren en dankzij Maud zelf wist ik hoe ik mezelf kon opsluiten in dat plekje in mijn hoofd waar ik heen kan gaan en niks hoef te horen. Maar er was er eentje die telkens weer terugkwam, die over hoe ik haar leven had verwoest.

'Je weet niet half hoe erg je mijn leven hebt verwoest,' schreeuwde ze dan, terwijl ze mijn gezicht beetpakte alsof ze het tot stof wilde verpulveren. Ik dacht altijd dat het maar goed was dat ik het was en niet Vivi; ik kon mezelf ervan losmaken op een manier die voor Vivi met haar bruisende persoonlijkheid onmogelijk was geweest. Maar het thema dat ik haar leven had verwoest, kwam het meest aan de orde, daar eindigden alle andere beledigingen mee, dat herhaalde ze eindeloos op allerlei manieren tot ik uiteindelijk wel moest gaan geloven – een klein deel van mij – dat ze dat echt dacht.

Een enkele keer vroeg ik me af wat ik in vredesnaam kon hebben gedaan om haar op dat idee te brengen, maar meestal wist ik dat het onzin was. Haar leven zou verwoest zijn geweest als ik er niet was om iedere misstap van haar te verbloemen, om al haar uitbarstingen voor haar echtgenoot en haar andere dochter verborgen te houden. Zonder mij had ze het niet gered.

Ik zorgde er wel voor dat Maud nooit merkte dat haar hoon me raakte. Ik bleef onverstoorbaar en onaangedaan, ook al zag ik ook daar het gevaar van in. Ik zag het patroon, maar kon het niet stoppen. Hoe veerkrachtiger ik leek, des te meer wilde Maud me een reactie ontlokken en des te wreder werd haar gedrag. Pas nu ik achteraf terugkijk, zie ik dat de toestand volkomen onbeheersbaar werd.

Ik strek me uit om het laatje boven in mijn nachtkastje open te trekken. Het handvat is er al jaren geleden vanaf gevallen, dus moet ik aan de schroeven trekken die het ooit vasthielden en vijf centimeter van elkaar uitsteken. Het laatje klemt, maar als ik er genoeg aan morrel om mijn vingers er bovenin te kunnen steken, kan ik het helemaal open wrikken. Daar liggen keurig naast elkaar twee rijtjes cannabistheezakjes, elk als een perfect gevormde knikker met het mousseline bovenop tot een fontein samengebonden met een katoenen draadje waarmee je het in de beker kunt bewegen. Ik gebruik ze liever niet, tenzij het echt nodig is en ik alle andere manieren om de pijn in mijn gewrichten te verlichten heb uitgeput. Het is niet zo dat ik me inhoud. Het is vooral omdat ik het zoveel fijner vind als de twee rijtjes in mijn laatje vol zijn. Als er een gat valt, gaan de zakjes schuiven als ik de la open- of dichttrek, waardoor hun zorgvuldige ordening wordt verstoord.

Ik til een zakje op en ruik eraan. Ik vind het idee van de geur prettiger dan de geur zelf. Mijn favoriete bezigheid is om ze er allemaal uit te halen en in een rij op het bed te leggen. Daarna pak ik ze een voor een op – zoals ik nu doe – en rol ze tussen mijn vingers, waarbij ik het handwerk bewonder: de onberispelijke rijtjes van kleine, gelijkmatige steekjes rond de zomen. Terwijl ik ze bestudeer, stel ik me Michael voor die aan de keukentafel van wijlen zijn moeder zit en met zijn dikke, geoefende vingers voorzichtig de mousselline vouwt en zachtjes aan het stiksel trekt om het te verzamelen en bovenaan vast te binden.

Ik geloof altijd graag dat hij aan mij denkt terwijl hij naait. Ik voel dat hij en ik een soort relatie hebben en niet alleen omdat onze families al drie generaties een werkverband hebben. We zijn allebei rustig en, zo stel ik me voor, allebei verkeerd beoordeeld. Bovendien ken ik hem al mijn hele leven. Kort na zijn geboorte werd duidelijk dat Michael bijna een kloon van zijn moeder was en alle feilen van zijn vader miste. Hij was van meet af aan groot en vriendelijk en kalm en legde weldra een groot hart en een klein verstand aan de dag. Maar Michael was net zoals zijn moeder een buffelaar en na haar dood verzorgde hij geduldig zijn vader gedurende diens laatste, ziekelijke jaren. Geen enkele andere zoon zou de kinderachtige woedeaanvallen van die narrige oude man hebben verdragen, tot zijn vader op een schitterende, koude en wolkeloze dag, toen Michael sleedoorns vol bloedblauwe bessen aan het verzamelen was langs het wilgenlaantje, thuis langzaam lag te stikken. Jarenlang werd Michael achtervolgd door de geesten van de schuld, denkend dat het de geesten van zijn vaders hemelse furie waren.

Het duurde een paar jaar voor Michael doorhad dat hij, door die dag sleedoorns te gaan plukken, zijn vrijheid had veroverd. Hij kwam voorzichtig in opstand door te bekennen dat hij een hekel had aan tuinieren: de enige opleiding die zijn vader hem had gegeven. Ik ontsloeg hem van zijn taken op het terrein van Bulburrow en liet hem in de stallen wonen, in ruil voor niets. Met het beetje spaargeld dat zijn vader vergeten was uit te geven, of waar hij gewoon niet aan toe was gekomen, had Michael een grote motorfiets gekocht en een kleine tent, ongeveer zo groot als onze provisiekast. Hij verhuurde hem dat eerste jaar met kerst aan de Jeffersons om kerstliedjes te zingen en voor een jaarlijkse bijeenkomst van de Liberal Club, en daarna aan Ethel Phelps in het poorthuisje om haar serre uit te breiden voor Stans zeventigste verjaardag. En daarna kocht hij nog een tent, een iets grotere, ongeveer zo groot als de studeerkamer bij de keuken. Die zomer verhuurde hij ze allebei voor evenementen en feesten in de naburige dorpjes Saxton, Broadhampton en Selby.

Ik zou kunnen zweren dat Michael geen enkele blijk gaf van een slimme of zakelijke strategie, maar nu heeft hij zestien tenten, reusachtige dingen, zo groot als de salon en de bibliotheek bij elkaar, met alle versierselen voor bruiloften en begrafenissen en al 's levens ceremoniën daartussenin. Michael gaf nergens om en had nooit iets nodig, behalve dat wat hij niet kon hebben: een vader die van hem hield. Hij woont nog altijd in de Stallen, hij rijdt nog steeds op die motor en ziet er nog altijd uit alsof hij in de groentetuin werkt, maar ik weet dat hij nu de rijkste man van het dorp is. Zijn overleden moeder zou erom hebben gelachen en toch gewoon van hem hebben gehouden, maar hij had zijn vader nooit trots op hem kunnen maken.

Hij had van zijn motormakkers een paar cannabiszaadjes

gekregen en met de kennis van plantenverzorging die zijn vader er bij hem van jongs af aan in had geramd, begon hij in de resterende perzikkassen in de ommuurde tuin een befaamde skunk-lijn te kweken, zoals hij dat noemde. Hij woont net als ik alleen, en hoewel ik het geen vriendschap zou durven noemen, hebben Michael en ik toch een oude band met elkaar. Hij komt zo nu en dan bij me, zo'n twee keer per maand, om mijn boodschappen te doen, mijn vuilnis buiten te zetten, nieuwe tochtgaten dicht te stoppen, een enkel dorpsnieuwtje te vertellen en zo nodig mijn voorraadje van zijn eigen merk kruidenmedicijn aan te vullen.

De tweede keer dat Vivi Arthur naar Bulburrow stuurde, belde hij geheel onverwacht uit Crewkerne, anderhalf uur voor zijn trein zou aankomen. Ik was niet klaar voor hem. Ik ging uitvoerig in bad en schrobde mezelf schoon. Ik had de aardappels voor het avondeten nog niet geschild en de droogbloemen in zijn kamer nog niet herschikt. Ik schoof de vaas en de oasis waar ik in de achterste voorraadkamer mee bezig was opzij, graaide wat schuurpoeder uit de zak en gooide het in de gootsteen. Gelukkig lag de boel er redelijk netjes bij. Ik had de laatste tijd veel meer tijd aan huishoudelijk werk dan aan mijn motten besteed, wat Clive maar niets vond.

Ik heb er heel veel spijt van dat ik Clive in die tijd niet over Maud heb verteld. Als ik dat wel had gedaan, had hij misschien iets kunnen doen voor het te laat was. Ik wist niet eens hoeveel hij dacht dat ze dronk. Hij had haar natuurlijk wel dronken gezien, maar hij kon niet weten hoe erg ze achteruit was gegaan. Ik probeerde destijds het onderwerp bij hem te mijden zodat ik niet gedwongen zou zijn te doen alsof ik minder wist dan ik deed. Maud vertrouwde op me.

Toen ik met de Chester aankwam, stond Arthur me op te wachten bij de ingang van het station. De passagiersstoel lag vol met Clives dozen en instrumenten, dus bood Arthur aan zich naast de apparatuur achterin te proppen, met zijn tas op zijn schoot.

'Het spijt me dat je moest wachten,' zei ik.

'Geeft niks. Ik had een trein eerder genomen,' brulde hij, wedijverend met de choke toen ik de motor van de Chester startte. 'Hoe gaat het allemaal?'

'Alles is klaar,' riep ik terug. 'Ik weet zeker dat de timing dit keer perfect is.'

'Wat?'

'Ik weet zeker dat de timing dit keer perfect is,' schreeuw-de ik in een poging de woorden over mijn schouder te gooien en mijn ogen op de weg te houden. 'Misschien is het deze keer raak.' Ik zag in de spiegel hoe Arthur, zich blijkbaar bewust van het feit dat hij in een chemische fabriek zat, zijn nek stijfjes draaide om naar mij te kunnen kijken.

'Ik bedoelde alleen maar hoe het met jou ging.' Hij lachte zo'n beetje. Onze ogen ontmoetten elkaar vluchtig in de spie-gel voor ik de mijne snel weer op de weg richtte.

'Virginia...' zei hij nu ernstig, alsof hij me een standje zou gaan geven. Ik wilde de spiegel wegdraaien: die had hem te dichtbij gebracht. 'Weet je wel dat het jaren kan duren?'

'O nee, vast niet,' antwoordde ik enigszins geschrokken. Ik hield mijn ogen strak op de weg. Ik had me nooit voorgesteld dat die clandestiene ontmoetingen tussen Arthur en mij lang zouden doorgaan. Ik had nooit gedacht dat ze minder afstan-delijk, minder functioneel zouden worden en dat we elkaar zelfs zouden leren kennen, dat we onze eigen band, een vriend-schap zouden ontwikkelen.

'Heus? Waarom denk je dat het niet lang zal duren?' vroeg Arthur.

Ik moet je bekennen dat ik er niet over had nagedacht. 'Nou, Vivi heeft de tijden heel zorgvuldig berekend en ik heb het ook nog gecontroleerd. De timing klopt helemaal dus er is niets...'

'Ginny, er komt meer bij kijken dan timing en voorberei-ding als je een baby wilt maken.'

'Ja, als het sperma...'

'Ik heb het niet over mijn sperma.' Hij lachte luid. We reden de heuvel af, het dorp in, langs de nieuwe bungalows aan de linkerkant. 'Laten we een eindje gaan rijden, Ginny. Laten we nog niet naar het huis gaan.'

'Rijden? Waarheen?'

'Heb je geen favoriet plekje?' Ik gaf geen antwoord. 'Ergens waar je mooi uitzicht hebt?'

'Nee.'

'Toe, Ginny. Waar dan ook...' Ik minderde vaart, nam de bocht naar rechts tussen de met klimop begroeide zuilen door en reed de galerij van geel kleurende linden op die de bezoeker langs de kronkelende oprijlaan begeleidden. 'Een mooi plekje?' vroeg hij, met mild ongeduld.

Ik had heel veel favoriete plekjes: plekjes waar ik rupsen of motten ging vangen, plekjes waar ik ging wandelen en denken en ademen en studeren. Of de bomen met stroop in ging smeren. Maar ze zijn zelden mooi: achter de stacaravans aan het rotspad tussen Seatown en Beer, waar ik in deze tijd van het jaar in het stekelige struikgewas op jacht ga naar de rups van de hagenheld die daar in zijn harige oranje-zwarte jas overwintert; het moeras bij Fossett's Bar, waar twee stromen samenkomen en overlopen, waar het riet in dikke, ondoordringbare bossen staat waar ik doorheen waad, op zoek naar de lange, zijdeachtige cocon van de drinker die tegen de stengels geplakt zit; het spoorstation, waar we zojuist nog waren, tot aan het vierkante lapje ongebruikt land erachter, waar het hoge ijzeren hek is ingeklapt, zodat je je ertussendoor kunt wurmen om in het gezelschap te komen van de zeldzaamste wilde bloemen in de West Country; beter nog: de stortplaats achter de Essogarage aan de A303 bij Winterbourne Stoke waar ik op een geluksdag tussen het mos en de troep op de grond de bolle cocon van het groot avondrood vond, of rupsen van de guldenroededwergspanner, die zich net aan een feestmaal van jakobskruiskruid zetten. Dat waren mijn lievelingsplekjes, mijn mooiste plaatsen. Net zoals de insecten die ik bestudeerde, houd ik niet van gepolijste schoonheid. Voor ons bestaat onkruid uit wilde bloemen en is een met struikgewas begroeid leeg landje een zeldzaam en vergeten paradijs. De ongebruikte stortplaatsen, het waardeloze braakland, het zompige, sombere en kale: dat is langzaamaan Dorsets ware wildernis geworden. Beslist geen plaats waar je gasten mee naartoe neemt.

'Nee,' zei ik weer, 'niet echt.' Ik moet je eerlijk zeggen dat ik eigenlijk geen zin had om met Arthur te praten en te wandelen. Ik kon leven met onze maandelijkse sessies zolang ze puur klinisch en onpersoonlijk waren, maar ik wilde hem niet leren kennen. Ik wilde graag voor Vivi zijn baby krijgen zolang Arthur een katalysator bleef, een inert deel van het proces. Ik wilde liever dat hij een volslagen vreemde was.

'Dus je hebt geen plekje waar je soms naartoe gaat om alleen te zijn,' zei hij nu zachtjes, zodat het me moeite kostte hem te verstaan. Ik kon in de spiegel zien dat hij recht voor zich uit keek, uit het achterraam, maar het voelde alsof hij dwars door me heen keek en al m'n geheimen inspecteerde.

'Of een plaats waar je graag wandelt?' stelde hij voor. We waren bij de laatste bocht gekomen, vlak voor het huis in zicht kwam. 'Toe nou,' bedelde hij ten slotte. 'Laten we nog niet naar huis gaan. Laten we híér stoppen en een eindje gaan lopen.'

Ik stopte langs de rand van de oprijlaan en zette de motor af. 'We kunnen naar de beek lopen, als je wilt,' zei ik.

'Ik wil dolgraag naar de beek lopen,' antwoordde Arthur snel en enthousiast, en hij deed de achterklep open.

Voor het eerst sinds ik hem had opgehaald, glimlachte ik, maar zo, dat hij het niet zag. Iets wat strak in mij was, ontspande een beetje, iets waarvan ik tot op dat moment niet had geweten dat het strak was. Ik begon pas veel later te beseffen dat Arthur een heerlijk natuurlijke manier had om mij op m'n gemak te stellen. Als ik er nu op terugkijk, had ik – aan het eind van die eerste wandeling – kunnen weten dat hij voor mij nooit een inert onderdeel van het proces zou blijven.

Ik leidde Arthur achter het rijtje sparrenbomen langs het hek dat onze oostelijke grens markeert. De laagste takken hingen zo'n dertig centimeter boven mijn hoofd en spreidden zich uit over de bovenrand van het hek zodat er tussen het hek, de boomstammen en al die dichte takken boven ons een donkere gang was ontstaan, die ik altijd het Tunnelpad noemde. Het was er schemerig, maar door de bomen vielen zonnestralen, wat een mooi lichtspel opleverde, en het was fijn om er te lopen.

Ik keek omhoog en speurde stiekem de takken af, met een steeds heviger verlangen stil te staan en eraan te schudden en te bestuderen wat eruit zou vallen. Als ik in mijn eentje was geweest, had ik natuurlijk niet getwijfeld, maar ik wist dat het misschien een rare gewoonte zou lijken dus hield ik me in. In plaats daarvan stelde ik me voor wat eruit zou vallen: vooral naalden en sparrenkegels met een paar kevers en torretjes. Ik zou kijken of ik galappels zag, bij voorkeur met uitgangsgaatje zodat ik de wesp in het lab in vitro zou kunnen zien verschijnen. Maar wat ik vooral graag wilde zien was de pop van de hermelijnvlinder, in z'n cocon op de boomstronken en knap verborgen in de omringende schors.

Ik was trots dat Clive me had geleerd de wereld om mij heen te bekijken zonder de blinde onwetendheid waarmee veel andere mensen erin rondlopen. Waar anderen een klein, saai spinnetje langs een hek omhoog zien kruipen, zie ik misschien een vleugelloos witvlakvlindervrouwtje; waar ik een prachtige, onschuldige hommelvlinder zie, die afkomt op suikerrijke jam, meppen anderen een gevaarlijke wesp dood die het op hun picknick had gemunt; waar ik een pauwoogpijlstaart in winterslaap zie, trappen anderen misschien op een oud, verschrompeld blaadje.

Aan het eind van het Tunnelpad kwamen we in het volle daglicht tevoorschijn naast de beek, die traag en lobbig door de modder stroomde. Aan de rand van het water stonden vier ineengestrengelde stokoude kraakwilgen. Ik pakte het uiteinde vast van een kronkelige tak die een eindje over mijn pad hing en hield hem eerst boven mijn hoofd en toen boven dat van Arthur, alsof ik de weg voor hem ontwarde. Maar mijn ervaren ogen hadden de onderkant van de blaadjes al afgespeurd op de verse beten die erop wezen dat de pauwoogpijlstaart al uitgekomen was.

Ik leidde Arthur over de beukenbrug: een bruine treurbeuk

die in de lengte gespleten was en waarvan een helft over de beek hing.

'Het moet heerlijk zijn geweest om hier op te groeien,' verklaarde Arthur terwijl hij eroverheen liep met zijn armen gespreid.

Ik had het nooit gezien als een bijzonder oord om op te groeien. Ik sprong van de beuk op het smalle, met braamstruiken overwoekerde pad dat langs de beek naar de Sint-Bartholomeuskerk liep. Arthur volgde me. 'Waar ben jij opgegroeid?' vroeg ik.

'Lancaster Gate,' zei hij. 'Een zuivere Londenaar.'

'Lancaster Gate klinkt heel spannend.'

'Het is prachtig. De huizen kijken uit op Hyde Park. Maar dít is hét oord voor kinderen.' Ik vroeg me voor het eerst af wat voor jeugd mijn kind zou krijgen, waar het zou willen gaan spelen en hoe anders zijn leven vergeleken bij het mijne zou zijn als hij in Londen zou wonen. Het was alsof Arthur hetzelfde dacht.

'Ik vind dat kinderen eigenlijk op het platteland moeten worden grootgebracht, met dit alles,' zei hij, terwijl hij een arm door de lucht zwaaide. Hij liep nu voorop en koos behoedzaam zijn weg. Telkens als de weg werd versperd door braamstruiken, haalde hij die uit elkaar en hield ze voor mij naar achteren, als een heer die een poort opent, en als ik erlangs was, liet hij de stekelige wachtpost terugspringen. Ik weet dat het maar een kleine handeling was, maar hij maakte diepe indruk op me. Nog nooit had iemand zo hoffelijk tegen me gedaan.

'Denk je dat je naar het platteland gaat verhuizen?' vroeg ik.

'Ik zou wel willen, maar Vivi is echt een stadse meid. Ik denk niet dat ze ooit naar buiten zou willen. Ze zou gek worden.'

Vivi? Een stadse meid? Wist hij dat Vivi tot vijfenhalf jaar geleden zelden in een stad was geweest? Wist hij dat ze evenveel van het platteland wist als ik? Dat ze de naam wist van elke vogel die buiten haar raam zong en of ze zongen voor een partner, een territorium of om af te leiden? Dat ze aan de manier waarop de bast van een noot was opengemaakt kon

182

zien welk dier hem gegeten had? Wist hij niet hoe snel ze zich een stadse aard had eigen gemaakt en de landelijke had verloochend?

We kwamen bij het kleine kerkhof dat aan een kant door de beek en aan de andere door de kerk werd begrensd. Ook dit was een van mijn lievelingsplekjes, maar ik wilde niet laten merken dat ik vaak op het plaatselijke kerkhof kwam, dus wandelde ik tussen de zerken door en bekeek ik de in mijn geheugen gegrifte inscripties, namen en data en grafschriften alsof ik ze voor het eerst zag. Sinds de eerste bewoonster PAULINE ABBEY CLARKE, (Voorgoed Herinnerd, Voorgoed Gemist) in 1743 was gestorven, was het kleine kerkhofje volgens mij behoorlijk snel vol geraakt met Paulines vrienden en familieleden. In ieder geval was er vanuit het dorp zoveel druk uitgeoefend dat de predikant het had uitgebreid met een deel van zijn tuin, die ernaast lag. Alle doden gingen nu door een gat in de heg naar dat nieuwe gedeelte, maar zelfs dat leek snel vol te raken, waarmee de ouderen te kampen kregen met het grote dilemma hun uiterste best te doen elkaar te overleven en tegelijkertijd te wedijveren om een plekje op het slinkende lapje grond.

Maar, zoals ik al zei, op het oorspronkelijke stukje kerkhof waar Arthur en ik stonden, waren geen zerken uit de twintigste eeuw, dus Pauline Abbey Clarke noch iemand van de andere doden daar was in feite recentelijk nog herinnerd of gemist en dat betekende dat niemand veel aan het onderhoud had gedaan, wat de fauna ten goede kwam. In de lente was het een toevluchtsoord voor woekerend onkruid en insecten en op warme avonden kwamen de nachtvlinders in zo groten getale uit hun wintercapsules dat de lucht, hoewel een mot vrijwel geruisloos is, sidderde van het geritsel van nieuwe vleugels.

'Ik ben dol op kerkhoven,' zei Arthur tot mijn verrassing, toen we naast elkaar Paulines grafschrift stonden te lezen.

'Echt waar?' Ik was niet verbaasd omdat hij ze mooi vond maar eerder omdat hij dat zomaar toegaf. Ik zou het nooit durven zeggen uit angst voor wat de mensen zouden kunnen denken. Ik wist dat de dorpelingen me daar in de schemering hadden gezien. Soms moesten mottenjagers nachtwezens zijn, net zoals hun prooi. Maar als ze me na het vallen van de avond op een zelden bezochte plaats hadden gezien, laat staan zo'n griezelige plaats als het kerkhof van de Sint-Bartholomeus, met een halogeenlamp, een blikje stroop en een deken om me warm te houden, dan wist ik dat Mrs Axtell en haar vriendinnen de volgende dag geheid allerlei duistere verhalen verzonnen. Aan de manier waarop de kinderen naar me keken kon ik zien dat ze 's avonds voor het slapen gaan bang waren gemaakt, dat hun fantasie gevoed was met verhalen over de bovennatuurlijke eigenschappen van mijn persoon.

Maar Arthur was een buitenstaander en onbevooroordeeld. Hij kwam uit de stad en dacht niet zoals de mensen uit de buurt.

'Wil je het kleinste kerkje van het land vanbinnen zien?' bood ik aan.

'Ja, graag. Ik ben ook dol op kerken...' hij wachtte even, 'maar ik kan niet uitleggen waarom.'

Dat hoefde ook niet. Ik ging al een tijd niet meer naar de kerk voor de mis, hoewel ik als kind geen zondag oversloeg, maar zo en nu en dan ging ik stiekem, in mijn eentje, alleen maar omdat ik zo genoot van dat mysterieuze, nostalgische, door adrenaline gevoede gevoel dat na een jeugd van kerkgang vanzelf bij je opkomt als je een heiligdom binnengaat en je afvraagt of je niet een vreselijke, oneindige vergissing hebt begaan toen je God afwees en je ziel in de steek liet.

Het was meer een kapel dan een kerk, klein maar onevenredig hoog. Hij had drie rijen houten banken aan weerskanten van het middenpad en de ramen waren zo hoog dat ze amper licht wierpen op de gang van zaken beneden. Voorin stond een simpel houten altaar en daarachter hing, tegen de bakstenen geschroefd, een bijna levensgroot houten beeld van Christus, die soepeltjes rond z'n kruis gekruld was met een gouden doornenkroon op terwijl zijn roze huid in lange, dunne vlokken van zijn benen afbladderde. Achterin stond op de stoffige vloer een kleine stenen kom die als vont werd gebruikt en daarnaast werd onevenredig veel plaats ingenomen door een stenen Heilige Bartholomeus, die in een lijkkisthouding lag met zijn handen op zijn borst gevouwen, zijn ogen vredig gesloten, zijn gewaad perfect gedrapeerd en zijn sandalen keurig wijzend naar het dak. Naast zijn voeten stond een houten kerkbank gepropt. Toen Vivi en ik klein waren, was de beste plaats pal naast hem zodat je met je ellebogen op z'n tenen kon leunen.

'Kom eens kijken, Arthur.' Ik zat op de beste plaats en Arthur kwam naast me zitten. 'De zool van Bartholomeus' linkersandaal.' Ik knikte in die richting.

Hij leunde over mijn benen om de voet van het beeld beter te kunnen bestuderen en ik was me onaangenaam bewust van zijn kin die over mijn schoot streek.

' v i v,' las hij langzaam en hij lachte toen, terwijl hij weer rechtop ging zitten.

'De stouterd.'

'Maar het was míjn haarspeld. Tijdens heel veel zondagen,' vertelde ik hem. 'Zij had toen kort haar. Soms vraag ik me af of ze het alleen maar heeft laten groeien om een eigen voorraadje haarspelden voor ontheiliging te hebben.'

'Echt waar? Deed ze het vaak?'

'Ze heeft hier overal haar sporen nagelaten.'

'Ik zou dat spoor graag willen volgen. Dat lijkt me leuk.' Hij vouwde zijn handen open, alsof ze een boek waren dat hij aan het lezen was. 'Een kijkje in het leven van de jonge Vivien Stone via haar vandalisme,' las hij gedragen. 'Niemand zal de voeten van de Heilige Bartholomeus gaan afvijlen, lijkt me. Haar teken zal er voorgoed opstaan. Over tweehonderd jaar zullen er kinderen zijn die zeggen: "Viv zat hier altijd," waarbij ze zich proberen voor te stellen wat voor iemand ze was.'

Ik had de vage indruk dat Arthur ook zelf probeerde te achterhalen wat voor soort iemand ze was. Toen we zo in de kerk zaten en over de persoon van wie we allebei zoveel hielden dachten en spraken, en de tekens bestudeerden die ze ooit

had aangebracht en op de bank zaten die zij ooit had aangeraakt, toen had ik het gevoel dat het zusje dat ik mijn hele leven had gekend minder tastbaar werd, minder bereikbaar, dat
ze was opgegaan in een etherische, bijna goddelijke aanwezigheid waarin ze herinnerd en aanbeden kon worden. In een sur-
realistische flits stelde ik me voor dat het altaar en de gezang-
boeken en de kleine schemerige vensters hoog boven ons daar
allemaal waren voor Vivi, die onbereikbare godin. In ons geza-
menlijk zwijgen dacht ik er ook aan hoezeer ik me op m'n gemak voelde bij Arthur en dat we heel veel gemeen hadden: onze liefde voor het platteland, zijn oprechte interesse in het onderzoek van Clive en mij.

We liepen naar huis en hij bleef dingen over Vivi vragen, en
hoewel ze niet erg diepgravend waren, was er toch iets waardoor ik me afvroeg of ik ze wel zou moeten beantwoorden. Als
ze zou weten van onze wandeling langs de beek en ons gesprek
over haar op het kerkhof en de vondst van haar inscriptie in de
kerk, dan zou ze dat alles hebben toegevoegd aan de lijst van
dingen die heel beslist niet mochten.

'Oké,' zei Arthur, toen we het huis naderden. 'Het wordt tijd
dat je me jullie familiegeheim vertelt.' Hoewel ik zag dat hij
glimlachte en had kunnen weten dat hij me plaagde, dacht ik
toch even dat hij me zou gaan uithoren over het drinkgedrag
van Maud. 'Ik wil weten,' vervolgde hij op gebiedende toon,
'hoe je een kannibalistische rups kunt herkennen. Die blík
waar jullie het over hadden.'

'O, bedoel je dat,' zei ik opgelucht en ik moest even nadenken
hoe ik iets wat ik instinctief wist in woorden moest uitdrukken. 'Nou, ze zijn meestal veel minder harig dan hun broertjes
en een beetje...'

'Een beetje?'

'Prikkelbaar,' besloot ik.

'Dank je wel,' zei Arthur, terwijl hij hoffelijk de deur voor me
openhield.

Zoals ik al zei, was dat pas de tweede keer dat Arthur was gekomen om te proberen een baby voor Vivi te maken en na onze

wandeling naar de kerk was ik ontspannen in zijn gezelschap. Sterker nog, ik begon het zelfs leuk te vinden. Maud noch Clive vroeg waarom Arthur kwam, of hoelang hij zou blijven en in de maanden die volgden, versmolten zijn bezoeken kalmpjes met het patroon van het dagelijks leven. Maud begon met de week meer te drinken, en Clive en ik zaten tot over onze oren in het onderzoek, waardoor Arthurs bezoekjes voor mij een tijdelijke ontheffing van de voorspelbaarheid van het leven op Bulburrow betekenden. Ik dacht aan hem als hij er niet was, verheugde me op zijn komst en telde de dagen af tot hij de oneindige cyclus van sleur kwam doorbreken. Als hij kwam, wandelden we en praatten we, naast de babyproductiesessies, en ik voelde hem zelfs geleidelijk aan de ruimte in mijn kleine levenscirkel binnenkruipen die tot dan toe altijd door Vivi was gevuld. En eerlijk gezegd dacht ik dat ook hij uitzag naar onze ontmoetingen, ook al zei hij dat nooit en vroeg ik er ook niet naar.

Tegelijkertijd begon ik er steeds meer over te wanhopen dat mijn dagen verstrikt waren geraakt in bedrog. Aan de ene kant was er de baby die ik geheim moest houden voor Maud, en aan de andere kant moest ik Maud geheimhouden voor de rest van de wereld. Mijn leven nam de vormen aan van een verraderlijk bordspel, met de mensen die zich erin bevonden als fiches. Maar ik speelde in mijn eentje, voor en tegen mijzelf, en verplaatste voorzichtig de fiches waarbij ik ervoor zorgde dat ze stuk voor stuk wonnen zonder in de gaten te hebben dat er met hen werd gespeeld.

Tijdens het bezoek in de zevende maand begonnen de problemen.

Arthur en ik hadden die dag twee keer seks gehad en ik was vroeg naar bed gegaan. Het was ongeveer tien uur 's avond toen ik dorstig wakker werd en met slaapogen naar de keuken liep om een glas water te halen. Ik knipte de schemerige keukenlamp aan en liep naar de kast om een glas te pakken. Toen ik me voorover boog om er een te pakken, greep iemand me bij mijn haren en trok me achteruit. Ik gaf een gil, als een hond, terwijl ik weg van de kast op de grond werd gesleurd. Ik had nog altijd de traagheid van de halfslaap.

'Jij kleine hoer!' schreeuwde Maud. 'Jij vuile kleine hoer! Waar ben je mee bezig? Hoe durf je? Vuile slet!' Ze droeg de kleren die ze de hele week al aan had: haar groene wollen broek, die zo gemaakt was dat de pijpen een stijve plooi in het midden hadden, en een blauwe slobbertrui van Clive, die nu vol vlekken zat.

'Hóér!' schreeuwde ze nog eens, terwijl ze mijn haar eruit probeerde te rukken en tegen mijn hoofd stompte.

'Nee!' Meer wist ik niet te zeggen. Ik probeerde mijn hoofd tussen mijn benen te stoppen.

'Je hebt míjn leven al verwoest en nu komt dat van je zusje erbij. Maar dat zal je niet lukken!' gilde ze. 'Dan maak ik jou eerst dood! Ik vermoord je!' Ze sleurde me aan mijn haren naar het fornuis.

'Nee,' bracht ik weer zwakjes uit, kreunend door de pijn op mijn hoofdhuid. Maar ze meende het niet: haar geest was verstoord. Het was de drank die sprak.

'Hoer!' schreeuwde ze weer. Ik krulde me op tot een balletje en begroef mijn hoofd in mijn lichaam, maar ze stond me te schoppen, volgens mij zo hard ze kon, met wijde, ongeremde uithalen naar mijn hoofd en mijn maag, maar omdat ik mezelf beschermde, raakte ze in plaats daarvan mijn handen, bovenarmen en schenen. Ze bleef de hele tijd schreeuwen, maar ik hoorde haar woorden niet meer. Ik concentreerde me op de klappen, waarbij de pijn zich klap na klap opstapelde, en zorgde dat ze niet door de bescherming van mijn hoofd brak. Er leek geen eind aan te komen en toen opeens gingen de lichten uit.

Maud stopte met schoppen.

'Kijk! Ik heb iets voor je!' Ik hoorde Clives dringende en ongewoon enthousiaste stem. Het was stikdonker. Hij was in de keuken en ik hoorde hem naar ons toe lopen. 'Kijk eens, allemaal,' ging hij verder. 'Kun je hem zien? Virginia? Maud?'

Geen van ons beiden zei iets.

'Gloeit hij niet? Kunnen jullie hem zien gloeien?' drong Clive aan. Ik was een beetje aan het donker gewend geraakt en kon nu de gestalten in de ruimte onderscheiden. Ik zat op de vloer voor de Rayburn, leunend op mijn rechterhand en met mijn benen losjes opzij gelegd, alsof me net een verhaaltje werd verteld. Ik prees mezelf gelukkig met mijn snelle herstel en nieuwe houding. Maud was minstens vijf meter bij me weggeslopen, tot bij de deur van de voorraadkamer. Ze stond met haar rug naar de muur en leunde er zwaar tegenaan. Haar haren waren verfomfaaid, haar gezicht was rood van woede en in de schemer leek ze bijna een onhandelbaar kind.

Op dat moment, toen mijn ogen gewend waren aan het duister, begon ik te ontwaren wat ze in haar hand had. Het was de zware gietijzeren koekenpan, die ze vlak voor Clive binnenkwam van het fornuis moest hebben gepakt. Ze hield hem met haar beide handen en gestrekte armen omlaag tegen haar knieen. Ik zal je vertellen dat ik, toen ik die koekenpan in haar handen zag, echt geloofde dat ze haar eerdere doodsbedreigingen met succes zou hebben uitgevoerd als we niet waren onderbroken. Clive stond midden in de keuken bij de tafel, gelukkig tussen mij en Maud in. Hij hield iets op ooghoogte, een reageerbuisje. Hij stond half met zijn rug naar mij toe en richtte zich tot Maud.

'Maud,' zei hij teder, 'kun je hem zien?'

Maud zei niets. Ze keek niet naar hem, maar omlaag naar de koekenpan.

'Ik zei: kun je hem zien?' herhaalde hij nu fel en toen ze geen antwoord gaf, zei hij: 'Maud, ik wil graag dat je je even hierop concentreert.'

Ze verroerde zich niet.

'Kijk!' eiste hij.

Maud hief langzaam haar hoofd op, maar zodra ze hem zag, liet ze het weer zakken. Ze kon hem niet aankijken.

'Wat is het, Clive?' vroeg ik geïntrigeerd.

'Nou, Ginny, schatje,' en hij draaide zich naar mij, 'ik dacht dat het de fluorescentie van de haagdoornvlinder was, hoewel hij nu niet schijnt te werken,' en we konden allemaal duidelijk zien dat er geen sprankje hoop uit het reageerbuisje straalde. Het was de arme Clive niet gelukt. Maar nu komt er iets dat je zal verrassen: Clive zou zwaar gefrustreerd, boos en zelfs teleurgesteld moeten zijn: lange maanden van saai wetenschappelijk werk en dat allemaal voor niets. Maar in plaats daarvan zei hij nonchalant: 'Ach ja,' en toen: 'Zal ik die van je overnemen, Maud?' terwijl hij haar de koekenpan uit handen nam, 'of wilde je net een biefstuk voor ons gaan bakken?'

Ik moest eigenlijk lachen maar deed het niet. Clive maakte zelden een grapje, hoewel hij vermoedelijk echt dacht dat ze biefstuk wilde gaan bakken.

Het was een buitengewoon gelukkig toeval dat Clive net op dat moment, geen seconde te vroeg, binnenkwam, maar tot op de dag van vandaag ben ik er niet achter gekomen wat hij daar toen deed met zijn buisje niet-fluorescerende fluorescentie. Hij had me zonder het te weten gered van de koekenpan in Mauds greep en toch leek hij in het geheel niets te merken van de spanning in de ruimte.

'Licht!' blafte hij, alsof we net een repetitie hadden beëindigd. Ze floepten aan, veegden het geheimzinnige scherm van halflicht weg en overspoelden ons met de naakte werkelijkheid. Arthur stond ineens bij de ingang van de keuken en bediende als een toneelknecht de schakelaar. Ook Arthur? Wat deed hij in de keuken, dacht ik. En wanneer was hij gekomen? Ik was in de war. Ik krijg mijn vinger er niet achter, maar het hele gebeuren had iets van een voorstelling.

Ik begon over de vloer rond te tasten, alsof ik onderbroken was bij het zoeken naar iets wat ik had laten vallen. Ik had geen moeite hoeven doen: niemand leek het raar te vinden dat ik daar beneden zat. Toen zag ik Clive de koekenpan in de gootsteen gooien en tegelijkertijd ook, tot mijn stomme verbazing, zijn reageerbuisje met de kostbare niet-fluorescerende fluorescentie. Daarna liep hij naar Maud, die er nog steeds uitzag alsof ze aan de grond was vastgeplakt. Ik zag hoe Clive een arm om haar middel sloeg – liefdevol, vond ik – en haar de keuken uit leidde, of half droeg.

'Welterusten,' zei hij opgewekt, maar ik was een beetje teleurgesteld. Ik kon amper geloven dat Clive, uitgerekend hij, zomaar in een opwelling diep in de nacht een halfjaar hard werken zou weggooien. Misschien moesten we het nog verder zuiveren. Misschien had het afdekglaasje niet goed gelegen. Ik keek naar de gootsteen, in twijfel of ik erheen zou lopen om te redden wat er te redden viel van de substantie, toen Arthur eropaf ging en de koude kraan aanzette. Dat was het dan. Alles wat daarnet nog gered had kunnen worden, werd nu weggespoeld. Ik moest mezelf dwingen er niet meer over na te denken.

Arthur hielp me overeind. 'Is alles goed met je?' vroeg hij.

'Ja, hoor,' antwoordde ik, maar ik moest me verbijten bij de pijn die door mijn armen en benen schoot. Intussen deed ik nog steeds alsof ik driftig op zoek was naar iets op de grond, waarmee ik riskeerde dat hij zou vragen wat ik kwijt was terwijl ik wist dat ik compleet van mijn stuk zou zijn als hij dat deed. Mijn gezicht was warm en prikte, mijn wang stond strak door een zwelling onder mijn linkeroog.

'Maar die arme Clive,' ging ik verder. 'Hij zal na al dat werk echt diep teleurgesteld zijn. Het fluoresceerde niet eens.'

'Hij komt er echt wel overheen,' zei Arthur, nogal smalend.

'Wil je een glas water voor naast je bed?' vroeg hij, terwijl hij me een glas toestak.

'Ja, graag.' Ik nam het aan en terwijl ik er ingespannen naar keek, wenste ik hem welterusten in het water.

Toen ik later die nacht in bed lag, begreep ik dat ik Maud over het draagmoederschap had moeten vertellen. Of ik had anders niet moeten aannemen dat ze te dronken was om het te merken. Natuurlijk vond ze mij een hoer. Wat kon ze er anders van denken? Het was mijn eigen schuld.

16 – Een kernproef en Titus

Op Goede Vrijdag, slechts twee dagen na het incident met de koekenpan, stierf mijn moeder Maud, 54 jaar oud, even na vijven in de namiddag. Clive en zij waren de hele dag samen geweest. Clive had helemaal zelf een picknickmand ingepakt en daarna waren ze naar een kleine baai aan de kust van Dorset gereden, Seatown genaamd, dat helemaal geen stadje is maar een strand vol kiezels met aan weerskanten hoge kalksteenrotsen en een eenzaam wachthuisje halverwege de heuvel. Tijdens de zomers van mijn jeugd was dat hun favoriete picknickplekje geweest, maar op die dag was het nog steeds winters, dus reden ze de auto bijna tot op het strand en aten ze hun picknick terwijl ze door de voorruit naar de woelige zee en verder keken. Ik weet niet wat ze rest van de dag deden, maar ze waren tot halverwege de middag buiten in de motregen in de auto, terwijl ik alleen in het laboratorium aan het werk was.

Het gebeurde rond theetijd. Ik was een paar witkraagrietboorderrupsen aan het joderen om ze te kunnen ontleden, toen ik Clive mijn naam hoorde schreeuwen. 'Virginia, Virginia!' Ik wist dat er iets aan de hand was. Ik had Clive nooit eerder horen schreeuwen.

'Virginia – vlug!'

Ik holde naar beneden en trof hem onder aan de brede trap in de hal aan; hij klampte zich vast aan de dikke trappaal voor steun. Hij ademde zwaar en keek naar de vloer bij zijn voeten.

'Het is je moeder,' zei hij. 'Ze is van de trap gevallen.' Ik keek om me heen en begreep het niet. 'De kelder.' Hij knikte met zijn hoofd in de richting van de kelderdeur, die openstond, zoals ik nu zag.

Ik liep ernaartoe en tuurde de steile stenen trap af. Ik zag alleen het duister. Ik keek om naar Clive. Hij stond heel rustig, heel stil, tegen zijn paal geleund. Was hij te geschokt om naar haar toe te gaan? Lag Maud daar echt?

'Daar beneden?' vroeg ik zacht.

Hij knikte.

Ik knipte het licht aan en zette Maud onder aan de trap in het licht. Ze lag roerloos op haar rug, haar armen en benen wijd uitgespreid, als een kind dat speelt alsof ze dood is.

'Hoe ziet ze eruit?' vroeg Clive snel. 'Beweegt ze?'

'Nee.'

Ik wist dat ze dood was, maar liep toch naar haar toe en luisterde en voelde of er een teken van leven was, zonder succes. Clive hield zich aan zijn paal vast. Ik belde een ambulance en deed toen een halfslachtige poging haar te reanimeren, maar ze stonk zo erg naar alcohol dat ik licht in mijn hoofd werd van de damp.

Ten slotte liep ik naar Clive, peuterde zijn handen van de paal en hield ze vast. Hij was in een shock. 'Ze moet op slag dood zijn geweest, Clive,' zei ik, 'en ze zal er niets van hebben gemerkt. Ze was te dronken.'

'Bedankt,' zei hij.

Er viel een lange stilte. Arme Clive, dacht ik. Wat een schok moest het voor hem zijn om zo plotseling met het einde van bijna dertig jaar huwelijk te worden geconfronteerd. Toen kwam er een heel vreemde gedachte bij me op. Ik heb geen idee waarom, en ik weet zeker dat je zult zeggen dat er op dat moment veel passender dingen waren om te denken, maar ik hoopte gewoon dat ze een paar uur eerder van hun picknick in de auto hadden genoten.

Toen dacht ik aan de verhalen over het begin van hun liefde, hoe ze die geheim hadden moeten houden voor haar vader. Ik dacht aan ze zoals ze op de foto op de tafel in de salon stonden, die was genomen voor ik was geboren, op iets wat eruitziet als een Parijs balkon (hoewel ik er nooit aan had gedacht hun ernaar te vragen), en de adoratie waarmee ze naar elkaar keken.

Het moment dat je hoort dat iemand dood is, lijkt eigenlijk op de terugkomst van iemand die heel lang is weggeweest, vind ik: al die momenten die je samen hebt gedeeld komen direct in je op, alle meest dierbare momenten uit een ver verleden. En nooit de meest verontrustende, die daarna kwamen.

'Virginia,' zei hij, 'ik had de kelderdeur niet op slot gedaan. Ze moet hem hebben aangezien voor de keukendeur.'

'Het is jouw schuld niet, Clive,' probeerde ik hem gerust te stellen, maar hij keek niet op, hij keek me niet aan.

'Bel Moyse,' zei hij. 'Ga dokter Moyse bellen.'

'Clive, het heeft geen zin...'

'Bel hem nou maar, Ginny. Hij moet haar zien.' Met die woorden vertrok hij om zichzelf in de kleine studeerkamer achter de keuken op te sluiten.

Ik ben er niet trots op – allesbehalve, geloof me – maar je moet weten dat ik vanaf het moment dat ik Mauds levenloze lichaam onder aan de keldertrap uitgespreid zag liggen op de koude stenen vloer, tot nu toe nog niet één traan om haar heb gelaten, noch een steek van verdriet om haar heb gevoeld. Eerst dacht ik dat het door de schok kwam. Haar dood was zo plotseling dat ik dacht dat ik mezelf misschien nog niet de kans had gegeven het te geloven en te voelen. Nog jaren daarna zocht ik naar mijn verdriet; ik dacht dat het in me opgesloten zat en een duwtje nodig had om vrij te komen. Ik wachtte elke dag, en toen ik voelde dat het verder van me vandaan raakte in plaats van dat het dichterbij kwam, begon ik urenlang aan haar te denken, aan mijn jeugd, en herinnerde ik mezelf aan de geborgenheid en de liefde en de wijsheid die ze me had gegeven. Ik dacht dan aan de picknicks bij de rivier, de beignets die ze voor onze verjaardagen maakte, de geur van haar haarlak, het gevoel van haar huid en haar lippen en ik wilde per se dat de tranen en het verdriet uit me zouden komen gutsen. Maar ze kwamen niet en dat was niet omdat ik niet van haar hield, haar niet miste of terug wou.

Ik moet het te druk hebben gehad. Dat zie ik nu wel in. Ik

ben te praktisch, dat is mijn probleem. Het is de wetenschapper in me. Ik herinner me dat ik steeds minder aan Maud dacht, tenzij ik mezelf dwong om bij haar stil te staan, en dat ik steeds meer nadacht over hoe alles nu verder zou gaan, het huis en het gezin; hoe het allemaal op zijn plaats zou vallen. Mauds dood was bovendien niet de enige ingrijpende gebeurtenis van die dag. Ik heb je nog niet verteld over wat Clive voor bijzonders deed toen hij klaar was in zijn studeerkamer.

Maar ik zal beginnen waar ik was opgehouden. Clive had zich in zijn studeerkamer opgesloten. Dokter Moyse kwam natuurlijk 'zo snel hij kon', wat naar mijn smaak iets te snel was en toen hij er eenmaal was, liet hij me niet meer alleen. Hij plakte aan me vast als een napjesslak en bracht me naar een rustig kamertje boven zodat ik, zei hij, niet hoefde te zien hoe mijn moeders lijk werd toegedekt en afgevoerd of te maken zou krijgen met de andere zaken rond haar dood die Clive aan het afhandelen was. Ik had het niet erg gevonden. Misschien had het me geholpen te rouwen.

Vier uur later, om bijna tien uur 's avonds, nadat de politie de verklaringen had opgenomen, Maud naar het mortuarium was gebracht, de kelderdeur stevig op slot was gedaan en er geen vreemden meer door het huis liepen, kwam Clive uit zijn studeerkamer tevoorschijn en ging met mij aan de keukentafel zitten. Hij legde vier A4-notitieblokken met kartonnen rug op de tafel en aan weerskanten ervan drie stapels met getypte vellen en brieven. Daarna gaf hij mij een map, die hij opensloeg om mij de eerste, smetteloos getypte bladzijde te tonen. De titel luidde: BULBURROW COURT: BEPALINGEN VAN... PERSONEN TEN LASTE, GROND IN EIGENDOM, REKENINGEN EN AANBEVELINGEN VOOR...

Voor ik de kans kreeg verder te lezen, deed Clive zijn schokkende mededeling: 'Ik laat Bulburrow en mijn hele bezit na aan jou en Vivien. Ik ga naar het verzorgingshuis Anchorage aan Paul Street in Crewkerne. Het adres staat in het laatste gedeelte van deze notities.' Hij sprak alsof hij een voordracht hield. Hij keek mij niet een keer aan maar concentreerde zich op het papierwerk dat in z'n handen en op tafel lag. 'Ik heb al mijn zaken geregeld zodat jullie het gemakkelijk kunnen overnemen vanaf het punt waar ik ermee ophield. Ik heb voor jullie een gedetailleerde lijst opgesteld van aanbevelingen die de meeste voorkomende gevallen van de komende jaren zullen dekken.' Hij sloeg een paar bladzijden om en ik zag dat zijn handen trilden. 'Zoals ik hier schrijf,' en hij wees naar een paragraaf, 'moeten jullie allereerst de kassen verkopen om een aantal openstaande schulden af te lossen. Ik heb de afgelopen jaren geweigerd ze te verkopen maar nu besef ik dat er geen keus is. Ik heb hier al met Michael over gesproken en je zult zien dat hij jullie een goede prijs kan bieden. Ik heb mijn collega's geschreven over dat ik met pensioen ga, en naar de Royal Society, het British Museum en Natural History Museum in Londen. Ik heb ze gezegd al het toekomstige onderzoek aan jou over te laten. Ik ga morgenochtend weg.'

'Maar...' Ik kon geen woorden vinden. Ik staarde naar de keurige stapels voor me. Ik geloofde er geen woord van. Hij was nog altijd in een shock. Hij moest eerst maar eens een nacht lekker slapen.

'Ik denk dat je hier nog een tijdje over moet nadenken,' wist ik ten slotte uit te brengen.

'Ik heb er lang over nagedacht,' antwoordde hij – maar dat kon niet. Hij wist niet wat hij zei, wat hij deed. 'Hier is mijn artikel.' Hij gaf me de laatste paar velletjes die hij nog in zijn hand had. Het artikel was getiteld: 'Nomophila noctuella, een West-Afrikaanse bezoeker'.

'Het staat deze week in *Lepidopterologist – Atropos* en volgende week in *Journal of the Society of British Entomology*. En *Nature* overweegt ook het op te nemen.'

'Nomophila noctuella? Dat piepkleine motje uit de Robinson-val op de vensterbank van de salon?'

Hij knikte. 'Hij was radioactief. Daarom heb ik hem niet vergiftigd. Dat zou de resultaten ongeldig hebben gemaakt.'

'Radioactief?'

'Ja, besmet door radioactief stof van een Franse kernproef in de Sahara. De halveringstijd was precies hetzelfde. Hij moet daar zijn geweest,' zei hij lusteloos.

Ik moet toegeven dat ik aanvankelijk het belang er niet van inzag, maar pas nadat ik vluchtig de openingsverklaring had gelezen: 'Dwergmot Nomophila noctuella ... zijn verbluffende trek van vijfduizend kilometer vanuit West-Afrika nu definitief bewezen door zijn besmetting met radioactief stof van een Franse kernproef,' ronkte de tekst.

Radioactief! Wie had dat gedacht? Ik zou niet durven zeggen dat ik altijd begreep hoe Clive te werk ging, maar het was indrukwekkend. Zeer indrukwekkend. Niemand had nog bewezen dat motten en vlinders, die maximaal zo'n twee gram wegen, werkelijk de enorme afstanden vlogen waarvan men vermoedde dat ze dat deden. Maar Clive had het bewezen, in ieder geval voor dit dwergmotje.

'Gefeliciteerd,' zei ik, maar ook ik kon amper enthousiasme opbrengen. Hij stak zijn kin naar voren en krabde in het haar boven in zijn nek.

'Het is me gelukt, dus moest ik nu maar met pensioen gaan, dacht ik,' zei hij weifelend.

'Ja, het is je gelukt.'

Hij was al drie jaar voorbij de pensioengerechtigde leeftijd, maar als het onderwerp wel eens ter sprake kwam, weigerde hij altijd erover na te denken. Hij had gezegd dat hij niet met pensioen zou gaan voor hij zijn afdruk op de wereld had nagelaten. Clive had altijd een doorgeschoten behoefte aan erkenning gehad. Maud zei dat dat iets van mannen was. Ik liet mijn ogen over zijn keurig opgebouwde artikel glijden. We wisten allebei dat het niet belangrijk genoeg was voor *Nature*, en het bewijs voor de reis van een onbekend motje was nu niet bepaald de vervulling van een levenslange ambitie, maar we wisten misschien ook dat hij het hier dan maar mee moest doen. Bovendien kun je je binnen de internationale exclusieve gemeenschap van lepidopteristen een tijdje heel belangrijk voelen als de eerste die radioactiviteit als volgmiddel gebruikte. Het kon ook interessant zijn voor andere onderzoeksvelden, misschien zelfs voor de hele entomologische wereld. Als hij de komende weken door de gangen van de Royal Entomological Society in Londen zou lopen, zou hij ongetwijfeld meer dan een paar toegestoken handen en woorden van lof ontvangen.

'En hoe zit het met onze haagdoornvlinders?' vroeg ik, terwijl ik dacht aan al het werk dat we die zomer hadden verzet.

'Daar heb ik geen tijd meer voor,' zei hij.

Ik stond versteld hoe gemakkelijk hij het opgaf.

Op dat moment gierde er een auto over de oprijlaan en we wisten allebei dat het Vivi was. Ze was uit Londen vertrokken zodra ze het had gehoord en we verwachtten haar. We liepen de hal in om haar te begroeten maar toen ze binnenstormde, kon ik achter haar van tranen en verdriet verwrongen gezicht meteen zien dat ze razend was. Ze beende pal langs me heen en volgde Clive naar zijn studeerkamer zonder me te begroeten. Nu ik eraan terugdenk, had ze Clive volgens mij ook niet begroet. Ze zei niets, keek me niet eens aan, hoewel ik pal voor haar neus stond. Ik weet eigenlijk niet waarom ik je lastigval met zo'n onbeduidend detail, maar ik weet nog hoe raar ik het vond. Ik weet dat je het geheugen niet kunt vertrouwen, dat twee mensen zich een gebeurtenis volslagen anders kunnen herinneren, dat zelfs hun waarnemingen op het moment zelf haaks op elkaar kunnen staan, dus ik wil best aannemen dat mijn eigen herinnering zwaar vertekend kan zijn, maar ik herinner het me als een uiterst eigenaardige entree. Zodra Clive Vivi zag, draaide hij zich zonder een woord te zeggen om om naar zijn studeerkamer te lopen, alsof hij wist dat ze hem zou volgen, alsof de hele beweging op het toneel was gechoreografeerd.

Dokter Moyse had sinds z'n komst onopvallend rondgehangen en zich teruggetrokken op wat hij als de geëigende momenten zag, maar nu ik naar boven liep plakte hij zich weer aan mij vast met zijn onnodige troost. Clive en hij hadden vermoedelijk afgesproken dat ze me niet alleen zouden laten voor het geval ik zou bezwijken onder het gewicht van mijn verdriet, waarvan zij niet beseften dat het er niet was. Zo nu en dan hoorde ik uit de studeerkamer Vivi's stem die nu eens geforceerd, dan weer kwaad de stille nasleep bij tussenpozen doorbrak, tot ze in tranen uitbarstte. Ik nam aan dat Clive haar had verteld over zijn overhaaste pensioenplannen en haar reactie was, zoals te verwachten viel, wat explosiever dan de mijne.

Ik kreeg Vivi in het geheel niet te zien tijdens haar bezoek, waarbij ze tot diep in de nacht en de vroege ochtend gesprekken voerde met Clive. Het laatste dat ik kon horen voor ik uiteindelijk in slaap viel, was een ruzie, niet tussen haar en Clive, maar tussen haar en dokter Moyse. Ze waren in de hal en Moyse, die was ontslagen van zijn plichten, stond bij de voordeur, op het punt om weg te gaan. Het moet bij hem een gebrek aan fijngevoeligheid zijn geweest, maar ik hoorde hem zoiets zeggen als 'Zelfs je moeder zou het hebben begrepen, Vivien'. Toen ontplofte ze pas echt. Ik had haar nog nooit zo hard horen schreeuwen en ik was bang.

'Hoe haal je het in je hoofd hier te komen en mij te vertellen wat mijn moeder zou hebben gewild. Ze wilde het absoluut níét,' schreeuwde ze.

Tegen de tijd dat ik de volgende morgen opstond, was Vivi al vertrokken. En dat was tot gisteren, zo weet ik nu, de laatste keer dat ze een voet in dit huis zette.

De volgende ochtend, een zaterdag, voerde Clive zijn plan tot in detail uit en toen de avond viel, hadden Vivi en ik, een dag na Mauds dood, het hele bezit van onze ouders geërfd, inclusief de openstaande schuld.

De volgende drie dagen was ik van 's ochtends vroeg tot 's avonds laat bezig met het schrobben van het huis en sloot kamers af die ik, nu ik alleen was, niet nodig zou hebben. Ik liet talloze boodschappen voor Vivi achter. Ik had haar heel hard nodig maar Arthur zei dat ze te overstuur was om te komen. Op dinsdag belde ze me ten slotte terug en zei ze dat ze Clive in het Anchorage had opgezocht maar dat ze nog altijd niet naar het huis wilde komen.

Op woensdagochtend stapte ik in de auto en reed ik over de met hoge heggen omzoomde weggetjes Bulburrow Hill op en vervolgens weer omlaag naar Crewkerne. Ik parkeerde voor de poort en liep het korte stukje naar het plein met de kinderkopjes, waarop in het midden het stadhuis stond met ervoor een reusachtig bronzen beeld van de man die de eerste papierfabriek van het dorp had gesticht. Volgens de inscriptie had Titus Sorrell halverwege de negentiende eeuw de kwijnende economie van Crewkerne uit het slop getrokken. Ik had daar afgesproken met Clive, op het bankje voor The George. Toen ik ging zitten, kreeg ik gezelschap van een bejaarde man, die zichzelf op het andere uiteinde plantte. Ik keek naar de klokkentoren. Het was precies half twaalf. Titus overzag zelfgenoegzaam zijn imperium terwijl duiven om een plekje op zijn schouders ruzieden en hem van voren en van achteren bezoedelden.

Om drie over half twaalf arriveerde Clive. Hij kwam naast me zitten en we keken allebei een tijdje naar Titus en zijn duiven. Ten slotte zei hij: 'Ik heb bedacht dat als jij een manier bedenkt om andere soorten radioactief te merken, je heel wat vooruitgang kunt boeken op het gebied van migratiepatronen. Er is op dat gebied nog maar heel weinig onderzoek gedaan, Ginny. Het genootschap zou er blij mee zijn.'

Ik gaf geen antwoord. Op dat moment kon het me niets schelen waar het genootschap blij mee zou zijn en ik kon me niet voorstellen dat hij dat wel deed.

'Zo is 't,' zei de man aan het andere eind van de bank en heel even dacht ik dat ik misschien in het gesprek van iemand anders was terechtgekomen. De man en ik wisselden een vriendelijke blik. Misschien was hij alleen maar bezorgd geweest dat het zíjn gesprek was, omdat niemand anders antwoord had gegeven. Ik keek naar Clive, die afstandelijk voor zich uit staarde naar het kinderkopjesplein en het standbeeld. Hij leek al met al ouder geworden – een echte oude man – en er was nog iets anders aan hem veranderd. Het was alsof de dood van Maud hem had ontdaan van zijn geest, zijn levenslust, en alles wat hem maakte tot wie hij was, en dat die hem krachteloos had gemaakt.

'Wat zei Vivien?' vroeg hij na een tijdje.

'Ik heb haar niet gezien. Ze wil niet naar het huis komen.'

Er volgde een lange stilte.

'Zeg maar tegen haar dat ik van haar houd, goed?' zei hij ten slotte en hoewel dat een positieve boodschap was, kleefde er iets te definitiefs en eeuwigs aan en ik voelde een beetje verdriet uit mijn hart sijpelen.

Er kwamen twee mannen uit The George gestuiterd; ze schreeuwden naar elkaar en joegen zo de verschrikte duiven naar de veiligheid van de klokkentoren. Toen ze voorbij waren, kwam de dapperste duif terug om Titus' hoofd weer op te eisen.

'Ik ben zwanger,' zei ik, onnodig eerlijk. Het was waar, maar ik vertelde het hem niet zozeer omdat hij het moest weten, maar omdat ik hem iets vrolijks wilde vertellen, of hem misschien wilde shockeren – wat dan ook om maar een herkenbare reactie bij hem op te roepen. Het enige wat hij zei was: 'Heel goed.'

'Gefeliciteerd,' zei vervolgens de oude man op het andere uiteinde van de bank.

'Dank u wel,' antwoordde ik hen.

Na een korte stilte zei de andere man: 'Eet je tuinbonen?'

Ik wist bij god niet of hij het tegen mij had of tegen Clive of tegen de duiven waar we alle drie naar keken, of tegen een ingebeeld persoon, en ik wist niet of ik hem moest antwoorden of negeren. Ik negeerde hem.

'Je moet tuinbonen eten als je geen spastje wil,' beval hij met veel aplomb.

'Dank u,' zei ik, nu ik begreep dat hij het tegen mij had en dat hij ongetwijfeld niet goed bij zijn hoofd was.

'Elke dag,' zei hij.

'Elke dag,' herhaalde ik.

'Dan krijg je geen spast. Niemand wil een spast,' stelde hij ten slotte.

Er viel een stilte.

De oude man leunde naar voren op zijn stok in een houding die uitstraalde dat hij z'n zegje had gedaan en nu klaar was.

Clive keek op zijn horloge. 'Jij redt je wel,' zei hij, en opnieuw dacht ik dat het zowel tegen de man als tegen mij had gericht had kunnen zijn. 'Nou, ik stap maar eens op. Over tien minuten begint de cursus bloemen drogen.'

En hij vertrok.

Toen ik thuiskwam, had Arthur zichzelf al binnengelaten. Hij zat in de keuken op me te wachten. Het was fijn om hem te zien en hij was de eerste die me omhelsde – stevig en lang en zwijgend – sinds Mauds dood.

'Ik maakte me zorgen om jou zo in je eentje,' zei hij, terwijl hij me losliet.

'Met mij gaat het goed. Hoe is het met Vivi?'

'Niet zo goed, vrees ik. Ze zegt dat ze nooit meer terug zal komen.'

'O, nee,' zuchtte ik en ik voelde het verdriet van mijn hele familie rondom mij neerstorten. Kon ik maar iets bedenken om ze terug te halen en ze stevig vast te houden, dacht ik.

'Volgens mij denkt ze dat het... voorkomen had kunnen worden,' zei hij.

Ik dacht aan de koude, steile keldertrap en het duister ervan. Ik dacht aan die twee deuren die naast elkaar stonden, als tweelingen, met dezelfde lijsten en klinken, maar eentje had een dodelijk gat aan de andere kant. Ik dacht dat ik misschien de enige was die wist hoe dronken ze eigenlijk was geweest, hoe het beslist voorkomen had kunnen worden als ze niet dronken was geweest.

'Ze wil er zelfs niet met me over praten. Ik weet alleen maar dat ze heel veel ruzie heeft gemaakt met Maud.'

Was dat zo? Dat moest dan via de telefoon zijn gebeurd, want Vivi was in geen maanden meer thuis geweest.

'Wist je dat niet?' vroeg hij, alsof het onmogelijk was dat ik het niet zou weten.

'Nee. Waar ging het over?'

Het duurde even voor hij antwoord gaf.

'Ik denk dat ze zich overal zorgen om maakte,' zei hij vaag. 'Je weet dat Vivi zich over alles altijd zorgen maakt,' maar ik had geen idee wat voor soort alles hij bedoelde.

Juist op dat moment ging de telefoon. Er was een stilte nadat ik hem had opgenomen en ik wist dat zij het was. 'Vivi?' vroeg ik. 'Ben jij dat?'

'Ja, Ginny, ik ben het,' zei ze zachtjes.

Ik kon niet horen of ze huilde of boos was of moe of al die dingen tegelijk, maar ik wist wel dat ze niet zichzelf was. 'Is alles goed met je?' vroeg ik, waarop ik meteen wou dat ik het niet had gezegd.

Het duurde even voor ze antwoord gaf. 'Het gaat fantastisch,' zei ze sarcastisch. 'Is Arthur daar?'

'Ben je boos op me?' vroeg ik.

'Niet echt.' Ze zuchtte. 'Ik ben boos op alles en iedereen.' Daar begreep ik helemaal niets van en zo'n breed scala aan woede bood geen vanzelfsprekende opening om te helpen, dus probeerde ik het ook niet. Ik besloot zoals altijd terug te keren naar de praktische problemen. 'Wanneer gaan we haar begraven?'

'Aanstaande vrijdag,' deelde ze me mee. 'Ik heb het al afgesproken met de predikant.'

'En Clive? Weet hij het al?'

'Ik heb geen idee, schat,' antwoordde ze.

'Ik heb hem net nog gezien,' zei ik. 'Ik moest van hem zeggen dat hij van je hou...'

Vivi onderbrak me. 'Ik wil Arthur graag spreken. Is hij al aangekomen?'

Ik gaf hem de hoorn en ging naar de voorraadkamer om eieren te halen voor een cake bij de thee. Toen ik terugkwam, stond Arthur ongelukkig door het keukenraam naar de sombere dag erachter te staren; het telefoongesprek was afgelopen. Ik stond verbaasd over hoe blij ik was met zijn komst. Ik was meestal tevreden met mijn eigen gezelschap; ik ben wat dat betreft buitengewoon zelfstandig, maar nu was ik zoveel blijer omdat Arthur er was. Ik wilde niet dat hij wegging. Ik bestudeerde zijn rug, de grof gebreide col van zijn donkerblauwe trui, de zwarte krullen achter op zijn hoofd, zijn licht gebogen schouders, en ik dacht eraan hoe geweldig en attent en interessant hij was, en hoe prettig en ontspannen ik me bij hem voelde. Ik sloeg een ei stuk tegen de wand van de beslagkom en hij draaide zich abrupt om, verrast dat ik weer in de keuken was. Ik glimlachte in de kom en stelde me de baby – onze baby – voor die in mij groeide en ik gaf me, al schaam ik me het toe te geven, over aan de dagdroom dat Arthur en ik getrouwd waren en hier woonden met een huis vol kinderen, zoals het was toen de evacués hier lang geleden logeerden.

Ik schudde mezelf snel weer wakker. 'Hoe was het met haar?' vroeg ik.

'Zij en Clive hebben knetterende ruzie,' zei hij, terwijl hij me aankeek en zijn ogen opensperde.

Daarom was Clive natuurlijk bezorgd om haar, dacht ik. Mijn familie viel voor mijn ogen uiteen, ondanks al mijn pogingen haar bij elkaar te houden. Ik brak nog drie eieren tegen de wand van de kom, één voor één. 'Het is toch allesbehalve de tijd om ruzie te maken, nu Maud net is gestorven. Ze zou het vreselijk hebben gevonden. Het gaat vast om iets belachelijks. Was het over het testament?' vroeg ik.

'Ik weet het niet; ze wil het me niet vertellen, maar ze is een en al woede. Zo heb ik haar nog nooit gezien. Ze is veranderd in een dolle stier,' zei hij, duidelijk geërgerd. 'En ik weet niet hoe ik haar tot rust kan brengen,' voegde hij eraan toe, terwijl hij door het raam naar de oprijlaan staarde.

'O jee. Ze zal ontevreden zijn over iets in het testament of over het feit dat Clive het landgoed aan ons heeft overgedragen,' redeneerde ik, 'maar ze moet het me gewoon vertellen want dan vinden we er wel wat op, dan praten we erover. Ze moet niet denken dat ik zomaar kan raden wat haar dwarszit. Dat heb ik nooit gekund en dat weet ze beter dan wie dan ook.'

'Het waait wel over, dat weet ik zeker,' zei Arthur optimistisch. 'Dat is meestal zo bij Vivi. Maar vooralsnog weigert ze naar de begrafenis te komen als Clive er ook is.'

'Wat? Natuurlijk komt hij ook!' Ik plofte neer op een stoel en besloot dat ik de eerstvolgende keer dat ik haar weer sprak zou proberen haar met onze vader te verzoenen. Waarom was ik toch de enige die geen ruzie kreeg met mijn familie? dacht ik, terwijl ik twee kopjes suiker en een kopje bloem aan het mengsel toevoegde. 'Wil ze nog steeds een baby?' vroeg ik, bang dat ze misschien van gedachten was veranderd.

'O ja, ze wil beslist nog steeds een baby,' antwoordde hij zonder aarzelen.

'Mooi zo, want ik geloof dat ze er een gaat krijgen.'

'Wat?'

'Ik ben zwanger.'

'Echt waar?' Er brak een brede glimlach door op zijn gezicht. 'Ik word vader,' zei hij, terwijl hij om een stoel heen liep om mij te kunnen omhelzen. We bleven een hele tijd zo staan, zo lang dat het voelde alsof die omhelzing fijn was om andere redenen dan de baby. Hij voelde meer als een troost dan als geluk.

Zondag

17 – Een gebed

De bloesem valt als sneeuw uit een gespikkelde hemel en ont-
neemt me het zicht tot ik bij het Tunnelpad langs onze oostelijke grens kom. Vandaag is het zondag, de derde dag sinds Vivien
thuiskwam, en ik ben op weg naar de kerk. Ik gá niet naar de
kerk want dat doe ik niet, maar ik ben op weg ernaartoe om...
ik weet het niet, rond te kijken, mijn nieuwsgierigheid de kop
in te drukken. Nadat ik gisteren had gemist dat Vivien het huis
uit ging, had ik de hele middag op haar terugkeer zitten wachten, dus toen ze vanochtend aan het ontbijt aankondigde dat
ze naar de kerk zou gaan, moest ik haar dit keer wel volgen.

Vivien liep de oprijlaan af, op dezelfde manier waarop ze
gisteren zo fier weg beende over het midden van de weg, in een
tweedpakje en met zwartleren handschoenen, maar ik snijd de
weg af tussen de rij sparren en het hoge hek, het Tunnelpad
waar ik ooit met Arthur doorheen was gelopen. Nu ik erover
nadenk, is het raar dat ik hem hier mee naartoe nam terwijl
ik hem nauwelijks kende. Het is een geheime, kinderlijke rou-
te maar dat kwam destijds niet bij me op. Het moet de laatste
keer geweest zijn dat ik hier was, maar er is niets veranderd,
vermoedelijk al in geen eeuwen. Het Tunnelpad is tijdloos en
als ik hier naar de vervlochten takken boven mijn hoofd sta te
kijken, duizel ik terug naar elk tijdperk waarin ik maar wil zijn.
Ik kan weer een kind zijn en verderop Vivi horen giechelen, die
me aanspoort op te schieten, of ik kan een jonge vrouw zijn die
mos verzamelt voor de poppenbakken, het hek afspeurt op de
harige grijze pop van de witvlakvlinder, of op zoek is naar de
gaatjes van de wilgenhoutvlinder, die hij in het harde hout van
de boomstammen boort. Het paadje in de tunnel ziet er in ver-

gelijking met de wildernis die de rest van ons land is geworden uitgesleten en zelfs onderhouden uit, maar dat is het niet. Hier komt zo weinig licht dat er niets groeit. Het kan niet verwilderen. In plaats daarvan is het jaar in jaar uit bedekt met vele lagen zachte naalden, zodat de grond een dik matras is geworden dat veert als ik erop loop.

Als ik bij de beek aan het andere uiteinde kom, zie ik dat de gespleten treurbeuk niet langer de brug is. De ene helft van de boom staat alleen en naakt op deze oever en de andere helft, die over het water was gevallen en jarenlang dienst had gedaan voor de dorpelingen, is weggehaald. Er is een platte, door mensen gemaakte brug voor in de plaats gekomen: een rij keurig gezaagde houten plankjes waarop het geen moeite kost je evenwicht te bewaren. Ik weet nog hoe Arthur met gespreide armen midden op de stronk hachelijk stond te balanceren, hoe hij daardoor op de gedachte kwam dat het een feest moest zijn hier op te groeien.

Arthur kwam in die tijd, tijdens mijn zwangerschap, heel vaak bij me op bezoek, minstens om de week en soms vaker om te controleren of alles goed met me ging en omdat hij, denk ik, genoot van die weekendjes op het platteland. Vivi was vol van de baby en hoewel ze niet op bezoek kon komen – ze zei dat het haar te veel raakte om in het huis te komen – belde ze om de dag.

Mijn zwangerschap vulde voor ons allemaal een leegte. Hij gaf het leven na de dood van Maud nieuwe zin en leek, godzijdank, de storm die in Vivi woedde tot bedaren te brengen. Ze kwam zelfs naar Mauds begrafenis, hoewel ik haar als het even kon kwade blikken naar Clive zag werpen. Clive zag het niet. Hij zag niets of niemand en liet zijn tranen de vrije loop. Het was alsof hij zonder haar was verschrompeld tot een klein stukje van hemzelf, het oudste, minst betekenisvolle stukje, een omhulsel zonder inhoud. Ik kreeg hem niet eens te spreken. Na de dienst sjokte hij naar de bushalte om te wachten op de bus naar Belford die hem naar huis, naar Paul Street, zou brengen, terwijl Vivi in haar auto terug naar Londen racete en ze geen van beiden bij elkaar of bij het huis in de buurt kwamen. Als Maud er nog was geweest, had ze ervoor gezorgd dat Clive naar de kleine bijeenkomst ging die ik samen met Michael op Bulburrow Court had georganiseerd. Het hele dorp (en ook velen uit de omringende dorpen) kwam opdagen, zich er instinctief van bewust dat dit de laatste keer zou zijn, en ze spraken somber over de steile trappen in hun eigen huizen, waarop ze nu extra voorzichtig zouden zijn, en waakten ervoor op te merken dat Mauds echtgenoot en jongste dochter er niet waren.

De baby gaf Vivien een ander perspectief. Als ze belde, ondervroeg ze me over hoe ik me voelde, hoe mijn lichaam veranderde, niet uit betrokkenheid bij mij, maar omdat ze wilde proberen mijn zwangerschap te beleven. Ze zei dat ze elk gevoel en elke gedachte, elk verlangen en elk ongemak wilde leren kennen zodat ze precies zou begrijpen wat het was om zwanger te zijn en ik was uren bezig elk detail voor haar boven te halen terwijl mijn buik steeds dikker werd. Ze begon de dingen te dragen die ik droeg en de dingen te eten waarvan ik had verteld dat ik ze had gegeten. Ze vertelde me dat ze zich voorstelde dat ze een baby in zich droeg, hoewel ik mijn best had gedaan haar duidelijk te maken dat zelfs ik me niet kon voorstellen dat er eentje in mij was, dat ik er niet zoveel aan dacht en dat ik vaak vergat dat ik zwanger was. Maar dat deed ze af als typisch iets voor mij, in plaats van als een natuurlijke toestand van zwangerschap. Arthur vertelde me dat hij bij thuiskomst in Londen elke keer werd ondervraagd: Hoe liep ik? Wanneer kreeg ik last van indigestie? Had hij het voelen schoppen of draaien? Hoe gezwollen waren mijn enkels? Soms, grapte hij, kwam hij hier terug om te ontsnappen aan de vragen over zijn vorige bezoek.

Vivi en ik zagen elkaar tijdens mijn zwangerschap twee keer. We spraken beide keren af in Branscombe, aan de kust, waar we overdag over de kliffen naar Beer wandelden en picknickten in kleine baaitjes, en waar we 's avonds samen onder de lakens kropen in een bed and breakfast tegenover de pub. Wij waren nu onze enige familie, wij twee en die bult tussen ons in. Ze praatte alleen maar over de baby, alsof onze relatie alleen daarop was gebaseerd. Ze vertelde dat ik een fantastische tante zou zijn en dat we, als het kindje wat ouder was, het samen mee op vakantie naar Frankrijk zouden nemen.

Ik probeerde Vivi over te halen om samen met mij Clive te bezoeken in het Anchorage, maar ze wilde niet. Dat eerste jaar zag ik hem eens per week, maar hij kwam niet over Mauds dood heen. Hij bleef afstandelijk en apathisch. Hij wilde alleen maar over het mottenonderzoek praten, maar zelfs daarin was hij niet op de gebruikelijke manier geïnteresseerd. Het is moeilijk uit te leggen hoe zijn interesse was veranderd: hij leek niet meer zo gespitst op de details – de experimentele methoden, de resultaten, of wie het zou willen publiceren – en wilde alleen maar weten dat ik doorging, dat ik zonder hem de draad weer op had gepakt en een paar projecten had opgestart.

Aanvankelijk droeg hij me heel precies op wat voor onderzoek ik moest doen en wat voor beurzen ik moest aanvragen en bij mijn volgende bezoeken bleef hij dan maar vragen of ik dat al gedaan had of niet. Op het laatst zei ik gewoon maar dat ik het had geregeld. Ik deed alsof ik de beurzen aanvroeg waarvan hij wilde dat ik die aanvroeg en daarna moest ik natuurlijk zeggen dat ik er een paar toegekend had gekregen en dat ik verderging met het onderzoek. Urenlang vertelde ik hem over fantasiemottenjachten, verzonnen methoden voor het merken van monsters, zelf uitgestippelde migratiepatronen, de uitslag van verzonnen analyses en talloze fictieve wetenschappelijke artikelen.

Ik verzon verhalen over mijn succes. Het was het enige wat hij wilde horen. Het was alsof hij wilde weten dat ik er helemaal zelf een succes van had gemaakt, dat hij niet nodig was; dat ik het zelf aankon, denk ik. Ik heb geen idee waarom het hem zo bezighield maar ik wilde hem niet teleurstellen, dus ratelde ik alles af waarvan ik dacht dat hij het zou willen horen, zelfs terwijl ik toen nog niet de motivatie had gevonden om weer aan de slag te gaan. Soms onderbrak Clive me met een vraag die me van mijn stuk bracht, maar uiteindelijk gaf hij dat ook op.

Hij wilde de rest van zijn leven doorbrengen in de veronderstelling dat hij me op de weg naar mijn succes had gezet, en ik zag daar niets verkeerds in.

Het was een paar maanden na de dood van Maud – tegen het eind van mijn zwangerschap – dat het me voor het eerst opviel dat Clive ze niet meer op een rijtje had. Onze gesprekken moeten voor iemand die ze toevallig hoorde heel vreemd hebben geklonken. Niets van wat Clive zei leek nog ergens op te slaan, en ik kon hem van alles wijsmaken. Kort daarna werd bij hem acute dementie geconstateerd. Ik weet nog dat ik dacht dat hij na Mauds dood wel erg snel achteruit was gegaan; het was alsof hij zijn toekomstige geestelijke toestand had voorzien en zichzelf alvast maar had ingeschreven in een geschikt instituut.

Ik hield op hem te bezoeken. Zuster Vincent, zijn begeleidster, zei dat ze dacht dat dat het beste voor ons allebei was. Ik kon me hem maar het best herinneren zoals hij was voor hij z'n verstand verloor, zei ze. En toen hij vijf jaar later stierf, onthulde ze me dat hij tegen het eind belaagd werd door demonen. Ik denk dat ze me op een omslachtige manier wilde verzoenen met zijn dood door te suggereren dat deze een vlucht uit een zieke en gekwelde geest was geweest.

Ik loop over de nieuwe plankenbrug – dankbaar dat hij de stronk heeft vervangen – naar het paadje dat naast de beek kronkelt, langs de Sint-Bartholomeuskerk. De rand, waar ooit bramen en struikgewas woekerden, is netjes gesnoeid door nieuwkomers, die niet weten welke schade ze aanrichten en hoeveel dieren ze in gevaar brengen door hun platteland te temmen.

Ik loop langs de stenen boogbrug die het pad naar Hembury voer en ga richting de kerk. Als ik de kerk nader, hoor ik een groep raspende stemmen, en hoewel ik niet ieder woord kan verstaan, herken ik de algemene geloofsbelijdenis en zeg ik in mijn hoofd de woorden mee.

'Wij hebben gedoold en zijn van Uw wegen afgedwaald als

verloren schapen. We hebben te veel de wensen en verlangens van onze eigen harten gevolgd...'

Het kerkhof van de Sint-Bartholomeus is klein en wordt aan de ene kant door de beek en aan de andere kant door de kerk begrensd. Ik stop op een paar meter afstand en maak me klein achter een laurierhaag zodat ik goed verstopt zal zijn als de gemeente naar buiten komt. Ik vraag me af of Vivien op haar favoriete plekje zit, naast de tenen van de Heilige Bartholomeus. Ik vraag me af of ze nog weet dat haar naam op de zool van zijn linkervoet staat gekrast.

Ik hoor de lage dreun van de stem van de predikant en vul de woorden die ik niet goed kan verstaan in vanuit herinneringen uit een ver verleden toen Maud haar gezin op zondag meenam naar de kerk en na afloop iedereen op Bulburrow uitnodigde voor een kopje koffie. Ik begrijp niet waarom de geluiden van de dienst een droefheid in mij opwekken. Misschien herinneren ze me eraan dat ik ooit bij een gezin hoorde. Als Vivi en ik de klokken hoorden, renden we naar boven en wisten we dat we nog twintig minuten hadden om ons klaar te maken: kousen zoeken, onze gezichten wassen, onze haren borstelen. In de hal sloten we ons aan bij Maud, die zwaar geparfumeerd en behangen met juwelen klaarstond, en Clive, in zijn grijze pak dat rafelde op de ellebogen, met zijn hoofd bij heel andere zaken. Daarna liepen we als een gezin uit een prentenboek hand in hand, elke ouder met een meisje naast zich, de oprijlaan af, tussen de stenen zuilen zonder poort door, door het enige straatje van het gehucht Bulburrow naar het piepkleine kerkje. Het volgende uur zat ik dan omhoog te staren naar de kleine vensters onder de dakrand en vroeg me niet af hoe we ons in het huis van God moesten gedragen, maar waarom iedereen dacht dat er een God bestond.

'...opdat we hierna een godvruchtig, rechtschapen en sober leven mogen leiden, in de glorie van Uw Heilige Naam. Amen.'

Vanwege de smalle, hoge ramen was het in de kerk altijd schemerig, zelfs op de stralendste dag. Als je uiteindelijk weer naar buiten werd gelaten, werd je verblind door de frisse lucht en de zonneschijn, wat mij de stellige indruk gaf dat de buitenwereld de spiritueelste van de twee was.

Mijn ogen schieten naar een hoopje wriemelende rode mieren op de aangestampte aarde naast me; ze stuiteren over elkaar heen in hun haast om van en naar het nest, een gat in de oksel van een berkentak, te komen. Als ik ze van dichterbij bekijk, zie ik dat het werksters zijn die keurig afgeknaagde stukjes blad naar hun nest slepen, maar ik bespeur onmiddellijk dat er iets mis is, iets wat ik niet goed onder woorden kan brengen. Ze lijken te nerveus, zelfs voor mieren, en ze doorbreken te vaak hun rijen, alsof ze zijn doorgeslagen in hun paniekerige haast om hun nageslacht te voeden. Ze zijn hun gevoel voor orde kwijt. Ik stop mijn vinger een stukje in de ingang van het nest, schraap de bovenkant weg en daar, achter in de holte, ligt een reusachtige rozewitte larf te wriemelen in zijn lelijke embryonale gedaante. Mijn vermoeden is juist gebleken en ik laat klakkend met mijn tong een verwaand 'tss' horen. Heel even wil ik dat er nu iemand was om getuige te zijn van mijn intuïtieve expertise. Ik heb weinig mensenkennis maar ik heb een instinct voor insecten. Dit is geen larf van de mieren maar een oplichter die het tere partnerschap tussen mier en boom heeft aangevallen. Daarin voeden de mieren zich normaal gesproken met de bladeren van de boom terwijl ze deze tegelijkertijd bemesten met hun uitwerpselen. Maar ze zijn in de luren gelegd door die bolle parasiet. Hij heeft bezit van het nest genomen, zich in het chemische signaleringssysteem van de mieren gemengd en hen geïnstrueerd hem voor de zomer vet te mesten terwijl hij lui ligt uit te rusten. Ze verzorgen de grote witte larf zonder het te beseffen en over een paar weken, als hij niet meer tevreden is met een vegetarisch menu, zal hij zich ook te goed doen aan de verwaarloosde larven van de mieren zelf. Hij zal zich volvreten tot hij niet meer kan bewegen maar als hij naar het nest van zijn volgende slachtoffer moet, zal hij de mieren simpelweg opdragen hem op te tillen en te verplaatsen, als kleine robotjes.

Gedurende de tijd dat ik naar de kerkdienst sta te luisteren, bestudeer ik ook de mieren, wier driftige activiteit een andere betekenis krijgt als je hem afzet tegen het christendom. Ik zie de onrechtvaardigheid ervan, de immoraliteit van de natuur. Ik denk aan een larfgod die het lot van mier en boom bestiert, die gezien wordt door de mieren maar ook onzichtbaar is en wiens acties niet als de Zijne worden herkend. Ik hoor een flard van een toespraak over een dove muziekleraar, ik zie de slavernij van de mieren, het isolement van de leraar, de onwetendheid van een mier, de totale dominantie van een larfgod, de aanvaarding van werksters, een tirannieke rups, de eenzame leraar, de onvoorwaardelijke mier, een vraatzuchtige, wriemelende larf, een psalm... het is een van mijn favoriete.

Onsterfelijke, onzichtbare, alwetende God
In licht, ontoegankelijk verborgen voor onze ogen

Na de psalm hoor ik dat de predikant ons vraagt om te bidden. Ik dwaal af en denk aan Vivien die naar voren hangt zodat haar hoofd vlak naast de Heilige Bartholomeus is. Misschien ziet ze nu pas haar naam op zijn voet staan. Zou ze erom glimlachen, vraag ik me af, of geneert ze zich ervoor? Wekt het allemaal mooie herinneringen bij haar op, zoals bij mij, of juist droevige? Vorige week had ik nog gezworen dat ik de antwoorden wist, maar nu ben ik er niet meer zo zeker van.

Ik volg de dienst niet zo goed. Het is een achtergrond geworden voor mijn herinneringen aan de beeltenis van de heilige en mijn overpeinzingen over de onderwerping van de mieren, maar ik registreer flarden van zinnen die naar me toe komen drijven, zoals het geruststellende gegons van een feestje als je ligt te soezen in bed.

'We bidden voor de armen in deze wereld... en de ouderen, eenzamen en zieken in onze eigen parochie... bid vooral voor... Win Readon... Alfie Tutt, Fred Matravers... Virginia Stone. We bidden dat U hun de genade schenkt...'

Virginia Stone? Ik sta te kijken naar de bezigheden van een

mier die rond zichzelf een keurig kringetje uit een blad knaagt, onder de indruk dat zo'n voorgeprogrammeerd wezentje zo slim is uit het kringetje te stappen voor het loslaat van de rest van de plant, als ik hoor dat ze voor me moeten bidden – tenminste, dat denk ik. Ik weet het niet zeker. Zoals ik al zei, luisterde ik niet zo geconcentreerd, maar ik roep snel de stem weer op in mijn hoofd en hij klinkt helder, overduidelijk: *Virginia Stone*. Ik ben verbijsterd. Waarom bidden ze in vredesnaam voor me? Ik ben niet ziek of eenzaam. Ik kan alleen maar bedenken dat Vivien iets heeft verzonnen om mijn afwezigheid in de kerk te verklaren.

Ik zal je vertellen – want er zullen maar weinig mensen zijn die het ooit hebben meegemaakt – dat het een heel rare sensatie is om ze voor je te horen bidden in de kerk en de predikant om hulp te horen vragen aan een god in wie je niet gelooft. Ze zouden eens moeten weten dat ik híér ben, en achter de laurier aan de rand van het kerkhof naar ze luister. Ik stel me even voor dat het mijn begrafenis is en dat Alfie Tutt en Fred Matravers op een of andere manier beter zijn geworden maar dat ik ben gestorven, en ik kijk hoe Win, Alfie en Fred me de laatste eer bewijzen; ze hebben me nooit ontmoet maar waren blijkbaar tegelijk met mij ziek.

Als de dienst is afgelopen, gaat de deur open en komen er na de predikant vijf sombere, oude mensen naar buiten. Ik had verwacht dat het hele dorp in een wolk van lawaai naar buiten zou stromen, maar er zijn geen drommende, schreeuwende kinderen, geen zondagse kleren, geen hoeden. Vivien duikt op, diep in gesprek met een andere oudere vrouw en ze lopen over het paadje naar de weg. Ik wil graag vóór haar thuis zijn en wil net mijn schuilplaats verlaten, als ik zie dat ze stil is blijven staan. Ze zegt zachtjes iets tegen haar metgezel en keert om, ze loopt recht en doelbewust op mij af en kijkt me strak aan door de stijve, vettige blaadjes. Hoe wist ze in godsnaam dat ik hier zit? Wat moet ik zeggen? Ze loopt langs drie rijen graven en ik weet zeker dat onze ogen elkaar vinden. Ik kijk weer omlaag naar het mierennest en de *Maculinea*-larf, in de hoop dat ik er studieus uitzie als ze bij me komt. Maar de seconden worden steeds langer en ze komt niet bij me en als ik weer opkijk zie ik door het gat in de heg dat ze rechtsaf is gegaan naar de uitbreiding van het kerkhof, dat stukje pastorietuin dat is onteigend door het teveel aan doden, het stukje waar onze familie ligt begraven. Ik ga nooit naar de graven dus was het niet bij me opgekomen dat Vivien daarnaar op weg is, en nu dringt het tot me door dat ze me waarschijnlijk toch niet heeft gezien. Ze weet niet dat ik hier zit, op mijn hurken.

Vivien staat net buiten mijn gezichtsveld, maar als ze bij de familiegraven staat, moet ze vlak bij me zijn, pal aan de andere kant van de heg, om precies te zijn, maar iets naar achter en iets naar links. Ik schuifel zo zachtjes mogelijk naar achteren over de droge aarde en stop. Ik geloof dat ik haar kan horen ademen. Ik draai me een kleine eindje om, nog altijd geknield, en ontdek dat als ik door een klein gat tussen de blaadjes kijk, ik haar op de rug zie – op nog geen twee meter afstand.

Haar tweedjasje, van een grove stof in modderige kleuren, is strak om haar schouders getrokken terwijl ze vooroverbuigt bij Mauds graf. De kleine split achter in haar halflange rok staat open en is wat omhooggeschoven waardoor ik door de dunne panty de dikke blauwe aderen in haar knieholten kan zien, net zoals bij mij. Ze blijft een tijdje zo staan en gunt de laurier en mij zicht op haar aderen. Ik kan niet zien of ze het gras aanraakt of dat ze de woorden op de zerk leest die ze zelf heeft ontworpen: alleen Mauds naam en geboorte- en sterfdatum, verder niets, geen enkele kleine aanwijzing over haar voor toekomstige generaties. De dood grist zoveel wezenlijks weg. Maud is opeens een naam op een steen geworden, de nuances van het individu doen er niet meer toe, haar gedachten en verlangens, haar wrok en haar passies, de wijsheid, de kennis en het begrip, alles wat ze langzaam in de loop van haar leven in zich had opgenomen: het is allemaal verdwenen.

Vivien komt wankelend overeind en ik zie dat ze een verfrommeld wit zakdoekje in haar hand heeft als ze steun zoekt tegen haar moeders zerk en die bijna omhelst. Ze loopt naar het volgende graf, dat van Clive, en blijft aan de voet ervan de zerk staan lezen, de zerk die ze nooit geplaatst heeft zien worden en die de nonnen van het verzorgingshuis voor mij hebben uitgekozen. Hij is half zo groot als die van Maud en gemaakt van geïmporteerd, glanzend gepolijst zwart graniet, dat volgens hen mooier en goedkoper was dan de plaatselijke steen. Er staat 'RIP' bovenaan, met daaronder simpelweg CLIVE STONE. Z'n eredoctoraten, z'n lidmaatschap van de Royal Society en alle andere ereblijken die hij tijdens zijn leven zo zorgvuldig had verzameld voor zijn nagedachtenis, waren ze vergeten. Vivien blijft lang genoeg aan Clives voeten staan om de drie letters en de twee woorden te kunnen lezen, en vertrekt dan.

Ik verwacht dat ze nu zal stoppen bij het derde familiegraf, het kleintje aan de andere kant van Maud, een klein, rechthoekig lapje tussen puntige stukken vuursteen die ik Arthur zelf eromheen heb zien steken om de grenzen te markeren. Binnen die vuursteenrand kun je zelfs nu nog een duidelijke bolling in de aarde zien, de uitstekende bult van een kleine gestalte, alsof hij niet eens een kistje had gekregen en zomaar op de grond was gelegd en bedekt was met aarde die op hem was aangedrukt, zoals kinderen zichzelf begraven op het strand. Het ziet eruit alsof de grafdelver heel begrijpelijk had gedacht dat als er maar zo weinig ruimte nodig was, het niet de moeite waard was aarde weg te halen. Het beetje aarde dat eruit kwam, zou er allemaal weer in gaan en in de loop der tijd inklinken alsof er nooit iets in de bodem was gegaan. Maar dit kleine heuveltje sputterde tegen: het had geweigerd in te klinken, om de bodem zijn plaats terug te geven en het weigerde eruit te zien alsof er nooit iets de grond in was gegaan.

Arthur had de grijze zerk ontworpen, die van de duurdere plaatselijke steen was. Hij was opvallend veel te groot voor het graf dat hij aangaf. Langs de hele rand had hij een zigzagpatroon laten aanbrengen, en als kader voor de letters op de voorkant heel decoratief drie rijen kleinere zigzags, zoals de strook die je soms op de muur van een kinderkamer ziet.

Hij had in een prachtig krullend schrift laten graveren:

een klein leven, niet minder geliefd

Ik kijk onthutst toe hoe Vivien er straal voorbij loopt. Ze ziet
het niet eens. Ze weet dat het daar ergens is, dat is haar al die
jaren geleden verteld, maar ze staat niet even stil om te kijken.
Dit was geen berekende reactie: er was geen steelse of minach-
tende blik, noch zo'n kat als die ze zojuist aan Clives gedenk-
teken had uitgedeeld. Het was veel erger. Ze was het vergeten,
was hem vergeten. Ze was vergeten dat hij ooit was geboren.

Vivien loopt nu snel naar het grindpad van de kerk en ik moet
terug naar het huis. Ik voel bovendien dat het gaat regenen.
De lucht is donker geworden en er stroomt een nieuwe, knis-
perende wind over de rand van de vallei, die de lome hitte onder uit zijn kom wil wegblazen. De wind is doorweven met een
scherpe, kwade stroom en de warmte van het seizoen bevat een
nieuwe kou. Zo voel ik mij nu ook. Er kruipen een onverklaar-
bare woede en een onherkenbare kou door mijn lichaam en ik
wil net weggaan als ik in de verte het zwakke, monotone geraas
hoor, het rommelende begin van de donder die naar de vallei
rolt.
    De donder raakt gevangen in deze vallei, zoals woede gevan-
gen kan zitten in je hoofd. Hij klinkt harder en harder en zwakt
dan af, alleen maar om weer terug te rollen, steeds opnieuw, als
een oneindige echo, aanzwellend en zwakker, aanzwellend en
zwakker, terwijl hij door de Bulburrow-vallei rolt, zonder zijn
zwaarte over de rand van de vallei te kunnen trekken. Als een
onweer gevangen raakt, kan het de hele nacht duren. Toen ik
klein was, was ik er doodsbang voor, maar nu vind ik het prettig dat die oude herinneringen erdoor terugkomen; herinneringen aan mijn angst, de veiligheid van het bed, Mauds geruststellende stem, Vivi die bij me in bed kruipt en haar vingers
door de mijne strengelt.
    Ik schuif met mijn voet wat losse aarde over de mieren mis-
bruikende larf om hem tegen de vogels te beschermen. Hij lijkt

misschien een lelijk en meedogenloos dier maar over een tijdje zal hij getransformeerd tevoorschijn komen als een oogver-
blindende, iriserende blauwe vlinder, een van de zeldzaamste
en mooiste die we hebben, en hij zal bewonderd worden als hij
glinstert in de zon, zonder enige kennis of gêne of schuldge-
voel over zijn walgelijke verleden.

Ik hobbel naar huis, bestookt door het weer. Voor mij schiet
een merel over de grond, die zo nu en dan zijn kopje scheef
houdt, alsof hij me gebaart door te lopen. Wat een vriendelijk dier, zo vol vertrouwen, denk ik, tot hij me tot vlak achter
hem laat komen en ik zie dat het helemaal geen merel is, maar
een knisperend winterblad dat aan de randen is omgekruld en
door vlagen van de nieuwe wind wordt voortgejaagd. Als ik
eenmaal weet dat het een blad is, sta ik versteld dat ik het ooit
voor iets anders heb aangezien.

Samuel Morris had inderdaad maar *Een klein leven*. Het duurde vierentwintig lange minuten. Het was een langdurige, pijnlijke bevalling geweest en Arthur en Vivi waren zoals afgesproken allebei bij me in de kraamkliniek. Vivi kneep in mijn
hand en fluisterde bemoedigende woordjes in mijn oor, terwijl
Arthur op de gang liep te ijsberen en machteloos naar de kwellingen van het baren luisterde.

De baby was paars toen hij uiteindelijk naar buiten glibber-
de met de navelstreng te strak om zijn hals. Toen hij haastig
naar een tafel bij het raam werd gebracht, ving ik een glimp
op van de glanzende, blauwgrijze kleur, zoals die van een verse
blauwe plek. Vivi verstijfde van paniek en stond met haar rug
tegen de muur aan de overkant te wachten tot de baby roze
zou worden, dus toen de deur openging en Arthur binnenkwam, kwam ze achter de deur terecht en deed ze aanvankelijk geen poging tevoorschijn te komen of hem dicht te doen.
Arthur liep meteen naar de plaats waar de doktoren de baby
naartoe hadden gebracht en probeerden iets wat op rietjes leek
in zijn mond en neus te duwen. Hij keek toe hoe ze probeerden zijn luchtwegen open te maken, in zijn teentjes knepen

en ten slotte een zuurstofmasker op zijn kleine gezichtje zetten. Arthur zei dat zijn zoontje hem zag toen hij zijn piepkleine hand vasthield. Hij zei dat hij niet zomaar naar hem keek maar *hem zag*. En Arthur zei dat hij er wijs uitzag. Dat was alles wat hij zei, dat de baby er wijs uitzag, en nu, nu ik achtervolgd door het gebrul van de donder naar huis loop, lijkt wijs niet meer goed genoeg. Ik wou dat hij zich meer had herinnerd, meer had gezegd. Ik wilde zijn gezichtje zien, Samuels gezichtje, ik wilde weten hoe hij er werkelijk uitzag, niet dat hij er wijs uitzag – welke vorm zijn kleine oogjes hadden en of hij dunne of dikke lippen had, of zoals sommige baby's een zorgelijk fronsje, of flaporen of gitzwart haar zoals Arthur. Ik had 'wijs' destijds geaccepteerd als beschrijving, maar het was niet genoeg. Het zei me niets. Had ik hem maar zelf gezien, had ik maar even mogen kijken. Maar ja, hij was niet mijn baby. Hij was van Vivi.

Na een kwartier tilden de artsen het paarsbruine kind op en mocht Arthur het vasthouden, terwijl het zuurstofmasker nog altijd over zijn o zo kleine gelaatstrekken lag. Ik wist dat dit geen goed teken was. Arthur wiegde zijn kindje en keek naar Vivi. 'Wil jij hem even?' vroeg hij.

'Hou jij hem maar,' zei ze snel. Ze had de steun van de muur nog niet verlaten en zag er doodsbang uit. Toen wendde Arthur zich naar mij. Ik schudde uitgeput mijn hoofd.

'Oké, dan hou ik je vast,' zei Arthur zachtjes, met een zangerige babystem waarvan ik niet wist dat hij die in zich had en hij hield hem vast en keek naar hem en hield hem vast en keek naar hem en hield hem vast en keek naar hem tot ver na het eind van zijn leven. De baby werd steeds paarser maar Arthur bleef naar hem glimlachen. Hij vertelde me later dat hij was vergeten dat hij paars was. Hij zei dat als je echt goed naar hem keek, je helemaal geen paars zag.

Maar ik zag alleen maar paars. Ik herinner me alleen maar paars, en wat ik eigenlijk wil zien, wat ik me echt graag wil herinneren, is wijs.

Als ik bij het huis aankom, zijn de aprilbuien in alle hevigheid losgebarsten. De zwarte regen geselt de aarde, graaft het droge stof op en spat en spettert het over de oprijlaan en als ik de veiligheid van het portaal bereik, ben ik doorweekt. Vanaf hier kijk ik hoe zich binnen de kortste keren voor het huis plassen vormen, die vollopen en overstromen waarna een web ontstaat van alle kanten op schietende kanaaltjes, die zich in de oprijlaan een weg snijden en schuren en als woeste waterstroompjes losse aarde en blaadjes en steentjes opzij duwen om geulen te vormen die overstromen en in elkaar overlopen, koortsachtig eendrachtig in hun doel. Ik kijk hoe ze zich midden op de oprijlaan samenvoegen tot een centrale slagader en verder stuwen, om zich bij het water dat van de velden vloeit te voegen. Daar zal het zo dadelijk mee versmelten tot een woeste stroom en dan door de lemen halve pijpen naast het weggetje kolken om zich in de gezwollen beek te storten, die als het regent altijd buiten zijn oevers treedt.

Als ik naar boven loop om droge kleren aan te trekken, hoor ik op het dak het water stromen; het danst door de goten en watervoren die het door het enorme landschap van het dak naar de regenpijpen in de hoeken leiden. Ik verkleed me, droog daarna zo goed als ik kan mijn haar, veeg het uit mijn gezicht en steek het op in een knotje. Vivien is nu weer terug in het huis en ik wil niet dat ze merkt dat ik buiten ben geweest.

'Hé, Ginny,' roept ze, als ze me de trap af ziet komen, 'ik heb een verrassing voor je.'

'Ik heb gedoucht,' zeg ik. Ik ben bang dat ze mijn natte haren ziet. Zij is nog helemaal droog; ze moet een paraplu hebben gehad.

'En ik heb een verrassing voor je meegebracht,' zegt ze weer triomfantelijk. Ze is uitgelaten, opgepept door het ruwe weer.

'Wat dan?'

Ze pakt mijn arm beet en leidt me naar de bibliotheek alsof daar een enorm verjaarscadeau op me staat te wachten. In plaats daarvan zit er in de hoek van de kamer een oude vrouw in een leunstoel, met een glas sherry in haar hand. Het is nogal een schok om haar of wie dan ook in mijn huis te zien zitten. Als we binnenkomen, staat de vrouw op. Ik raad meteen wie het is. Ik omklem de wijzerplaat van mijn polshorloge en wriemel eraan met mijn vingers in een poging wat tijd te winnen om me voor te bereiden. Voor dit soort ontmoetingen zou ik normaal gesproken tijd nodig hebben gehad om te oefenen wat ik moest zeggen, waar ik moest kijken en hoe ik moest reageren. Ik ben tegenwoordig helemaal niet meer gewend om mensen te ontmoeten. Ik vlucht graag naar boven en sluit mezelf op in mijn kamer, als een klein meisje. Hoe kon Vivien me dit zonder waarschuwing aandoen? Het is niets nieuws; ze weet dat ik mensen altijd al heb gemeden. Zelfs toen ik jonger was ging ik, als ik in het dorp was en een kop thee wilde, liever naar de drankenautomaat op het station dan naar de tearooms aan de hoofdstraat. Op die manier hoefde het niet persoonlijk te worden.

'Ginny,' zegt Vivien, die tussen ons in komt staan als de scheidsrechter in een boksring. 'Dit is Eileen.'

'Hallo, Eileen,' zeg ik gehoorzaam, terwijl ik mezelf dwing op te kijken naar haar tengere lijfje, haar zuiver witte haar, dat vooraan geel wordt, en de dikke bril die haar ogen op een heel eigenaardige wijze vergroot. Onder ons gezegd en gezwegen heb ik haar al heel vaak vanaf mijn uitkijkpost gezien als ze over het weggetje naar de kerk liep, op de bus wachtte, een brief postte in de brievenbus in de muur van de pastorie of op dinsdagmiddagen de vrouw in East Lodge bezocht. Maar mij heeft ze nooit gezien.

'Hallo, Ginny,' antwoordt ze schuchter en ik vind het eigenlijk vreemd dat we op deze manier kennismaken terwijl we al heel wat jaren op een paar honderd meter van elkaar wonen in een schaars bevolkt dorp. Als we elkaar hadden willen ontmoeten, dan had dat gemakkelijk gekund.

'Eileen woont in Willow Cottage, waar haar moeder vroeger woonde,' zegt Vivien.

'Dat weet ik,' antwoord ik, en vervolgens zijn we even bezig om in een soort cirkelvormige schikking op drie aparte stoelen te gaan zitten. Ik kon zien dat Eileen zenuwachtig aan het glas in haar hand zat te frunniken; ze draaide het rond en zocht steun in zijn gouden inhoud. Vivien schenkt zichzelf een drankje in en biedt mij er daarna ook een aan, maar ik drink niet.

'Nou, cheers,' zegt ze.

'Cheers,' zegt Eileen aarzelend en daarna houden ze hun glazen voor mij omhoog ter ere van onze afgedwongen kennismaking. 'Het is lang geleden, Ginny, maar ik heb veel over je gehoord.'

'Dan heb je zeker over mijn werk gehoord?' vraag ik. Behalve het werk waar ik mijn leven aan gewijd had, was er nauwelijks iets anders waarover ze kon hebben gehoord. Eileen kijkt naar Vivien, alsof ze steun nodig heeft om te antwoorden, en haar hand met het glas trilt lichtjes. Ik vind haar nervositeit op een vreemde manier geruststellend. Ik ontspan erdoor.

'Haar mottenwerk,' zegt Vivien luid, terwijl ze naar Eileen knikt.

Ze zal een beetje doof zijn, denk ik, dus ik volg Viviens hint en spreek langzaam en nadrukkelijk. 'Ja, ik ben een redelijk bekende lepidopterist,' zeg ik bescheiden, 'hoewel ik er nu niet zo veel tijd meer voor heb.' Ze geeft geen antwoord. 'Noch handen die stabiel genoeg zijn,' voeg ik er vrolijk aan toe. Ze zit me heel vreemd aan te staren. 'Maar zo'n soort roeping kun je nooit helemaal opgeven. Het zit hier,' zeg ik, en trek een vuist naar mijn hart waarmee ik er een paar keer op klop, in de hoop dat wat gebarentaal haar de basale boodschap helpt verduidelijken.

Eileen kijkt weer naar Vivien. 'Ja, ik heb over je werk gehoord,' zegt ze onzeker.

'Ik moest de familietraditie hoog houden.'

Mijn aanvankelijke nervositeit is nu helemaal opgelost. Wat ontmoetingen met andere mensen betreft, moet mijn gebrek aan zelfvertrouwen deels voortkomen uit een gebrek aan oefening en nu ik het begin eenmaal achter de rug heb, ben ik verrast hoe gemakkelijk het voelt.

'Zal ik je bijschenken?' vraagt Vivien terwijl ze op Eileens glas wijst.

'Graag.' Ze neemt het aanbod gretig aan. Het is half twaalf 's ochtends.

Voor iemand die ermee begonnen was te vertellen dat ze zoveel over mijn werk en mijn reputatie had gehoord, lijkt Eileen nu opvallend weinig zin te hebben om over het onderwerp te praten. Ik zit met een half oor te luisteren hoe zij en Vivien afdwalen naar een ander type gesprek waaraan ik niets heb toe te voegen. Ik ben me er vaag van bewust dat ze het erover hebben hoe leuk ik het misschien zou vinden om weer naar de kerk te gaan, en hoe lang Eileen er elke week over doet om de bloemen te verversen. Ze praten over hoeveel groter het huis tegenwoordig lijkt en daarna over haar moeders paard, Rebecca, dat toen het niet meer op het veld hoefde te werken, nog doorleefde tot het 23 jaar was en zo goedig was alles en iedereen op haar rug te dulden, inclusief de kat, die er vaak sliep.

Het interesseert me totaal niet. Ik staar naar de marmeren haard die ik net links van Eileens schouder aan de andere kant van de kamer kan zien; twee dikke grijze gestippelde zuilen omzomen de geschilderde tegels, met daarboven een schoorsteenmantel, en ik begin het kringelende witte kristal te bestuderen waarmee het donkerdere grijs dooraderd is. Het doet me denken aan een preparaat van neuronen onder een elektronenmicroscoop, die ik wel eens in wetenschappelijke tijdschriften heb gezien, met hun lange neurieten en dendrieten die naar elkaar reiken in een poging een verbinding te maken. Terwijl Vivien en Eileen praten over oud worden en het nieuwe bioscoopcomplex annex bowlingbaan in Crewkerne, mag ik van mezelf een reisje maken door het zenuwstelsel van de schouw; ik volg de uitgespreide neuronen en spring als een neurotransmitter over de ruimten tussen de synapsen. Ze klagen dat het bowlen is veranderd, want dat het vroeger altijd door oudere mensen op de dorpsweide werd gespeeld, maar nu gekaapt is door de jongeren en in de pubs plaatsvindt. Op de manier waarop je patronen kunt laten bewegen en van vorm kunt doen veranderen door er maar lang genoeg naar te staren, probeer ik nu het doolhof van gestreepte lijnen in het marmer samen te voegen, er één dichte hersenmassa van te maken, alsof ik de losse eindjes van touwtjes van verschillende lengte samenbind. Maar zodra ik een paar touwtjes heb samengebonden, laten ze tot mijn grote ergernis weer los en gaan ze op eigen houtje bewegen tot het hele zenuwstelsel uit elkaar valt en ik de controle erover kwijtraak. Plotseling ben ik me ervan bewust dat Vivien opstaat van haar stoel.

'Ik zal er een voor je halen,' zegt ze tegen Eileen, terwijl ze de kamer uitloopt.

Ik kijk naar Eileen en ze vangt mijn blik op. Ik vind het nu niet meer eng dat ze hier is. We weten allebei dat er niets te zeggen valt, dat we tegen beter weten in bij elkaar zijn gezet, dus blijven we zwijgen. Ze pakt haar handtas op van de vloer naast haar stoel en begint erin te rommelen. Ten slotte haalt ze er een pakje Benson & Hedges en een kleine witte aansteker uit. Ze neemt een sigaret, steekt hem aan met een paar korte, scherpe pufjes en neemt vervolgens met veel genot een lange haal. Het verbaast me dat een tenger lichaam als het hare zo krachtig kan zuigen. Ze waagt een blik naar mij. Ik kijk naar haar. Ik ben nieuwsgierig naar hoe ze rookt, naar hoe de rook uit haar neus stroomt en omhoog kringelt; het omhult het haar op haar voorhoofd en kleurt het geel. Ze haalt de sigaret uit haar mond, bestudeert ingespannen het brandende tipje en meet haar tevredenheid af aan de hoeveelheid as die ze heeft gecreëerd. Ze plaatst hem weer tussen haar lippen en neemt opnieuw een trekje en ik zoek op haar gezicht naar aanwijzingen voor wat ze voelt of denkt, maar ik heb geen idee. Ze is uitdrukkingsloos. Haar neutrale trekken herinneren me aan iets, aan iemand...

Het plaatje op de kaart, natuurlijk. Hoe kon ik het vergeten? Een tekening van een grootmoeder die zit te breien op een stoel. Hij komt uit het kaartspel waarvan ik me vaag herinner dat ik het met dokter Moyse speelde toen ik klein was. Daarna komen de andere kaarten bij me terug in een lawine van herinneringen; plaatjes van een stripfiguurfamilie op allerlei verschillende plaatsen: het meisje in bad dat met het schuim speelt, papa die een vliegtuig bestuurt, opa die in een rivier zwemt (of was hij aan het verdrinken?), het jongetje op een fiets of balancerend op een omgekeerde emmer, papa die met een vuist op tafel slaat, mama achter een lessenaartje, het meisje in het oerwoud met een tijger naast haar...

Het was eigenlijk heel simpel. Ik zal je vertellen wat je moest doen. Het ging erom dat je aan de hand van hun gelaatsuitdrukking moest raden wat ze dachten. Maar dat was niet zo gemakkelijk als het klinkt want de kaarten waren met opzet misleidend. Zo was het meisje dat aangevallen zou gaan worden door de tijger op sommige plaatjes bang en op andere juist vrolijk. Vader sloeg nu eens kwaad, dan weer vol verrukking met zijn vuist op tafel. Maar die kaart van oma die in een stoel zat te breien was altijd een raadsel voor me. Hij was een soort truc-kaart, de joker uit het dek. Is oma vrolijk of verdrietig? Vrolijk of verdrietig? Vrolijk of verdrietig? Allebei een beetje, dacht ik altijd, allebei een beetje. Maar dat kon niet. Dokter Moyse zei dat ze het niet allebei mocht zijn. Nou ja, het is toch niet het echte leven? Het is maar spel, dat weet ik best, maar het lijkt ook totaal niet op het echte leven als ik de gevoelens van oma niet mag mengen, zelfs al zouden ze gemengd zijn: zo'n oude vrouw met een lang leven achter zich had geheid tegenstrijdige gevoelens. Maar het mocht er altijd maar één zijn. Je moest kiezen. Vrolijk of verdrietig?

Vivien stapt de kamer weer binnen en overhandigt Eileen een asbak. Als ze eenmaal zit, vertelt Vivien Eileen over een geweldige tandarts die ze in Londen heeft gevonden, via een vriendin die Ettie heet. Hij is eigenlijk geen tandarts maar een mondhygiënist en hij heeft haar eindelijk van de overgevoeligheid van haar tanden afgeholpen. Hij heeft haar een speciale tandenborstel gegeven waarvan haar tandvlees aanvankelijk ging bloeden maar nu wil ze nooit meer een andere. Ze kan eten wat ze maar wil.

Het is de eerste keer dat ik haar iets hoor zeggen over haar leven in Londen. Ik weet nu dat ze een vriendin heeft die Ettie heet en een tandarts die je een mondhygiënist noemt.

Eileen laat zich nog eens bijschenken en ze praten over hun samenzijn van gisterenmiddag. Ze proberen zich te herinneren waar ze het gisterenmiddag over hadden. Daarna gaan ze over op het weer van gisterenmiddag en vergelijken ze het met de stortbui van vandaag die gelukkig afzwakt tot motregen, menen ze allebei. Of drupt het alleen een beetje? Niet een keer vroeg iemand iets over mijn onderzoek.

Een tijdje later is Eileen vertrokken en zijn Vivien en ik samen in de keuken de lunch aan het klaarmaken. Vivien maakt een kippetje klaar om te braden terwijl ik in de gootsteen een koolraap schil en kleinhak. Zo nu en dan herinnert een van ons de ander aan iets uit onze jeugd, iemand die we vroeger kenden, liedjes die we altijd zongen of de kleren die we droegen en die nu absurd lijken. Het is heerlijk om op iets te stuiten wat we ons allebei herinneren, iets waar we gretig uitgebreid op ingaan en met elke opmerking elkaars geheugen opfrissen en de details aanvullen voor elkaar. Maar voor elke gedeelde herinnering zijn er heel veel meer die we niet samen kunnen brengen, die we blijkbaar niet in elkaar kunnen oproepen, die iets blijken te zijn wat maar een van ons zich herinnert of waar de ander slechts vage herinneringen aan heeft of zich soms totaal anders herinnert.

Ik schraap met de achterkant van het mes de feloranje blokjes raap van de snijplank in een pan koud water en ga dan met een vergiet aan tafel zitten om wat erwten te doppen.

'Zeg lieverd, was het niet leuk om Eileen te ontmoeten?' vraagt Vivien, die het gesprek terugbrengt naar deze eeuw. 'Het is toch fijn om iemand uit het dorp te kennen?'

'Dat zal wel,' zeg ik, zonder er al te veel over na te denken.

Vivien wacht even en er flitst irritatie over haar gezicht. 'Ginny, je moet echt niet denken dat iedereen van jouw onderzoek heeft gehoord,' zegt ze bits, terwijl ze versnipperde rozemarijn over de kippenborst strooit.

'Ik denk helemaal niet...'

'Het kan zo gênant voor ze zijn als ze er niets van weten,' gaat ze verder. Ik zeg niets, hoewel ze dat wel van me verwacht, denk ik. 'En eerlijk gezegd denk ik ook niet dat het iemand wat kan schelen,' besluit ze.

Dat was inderdaad wreed van haar, maar ik weet dat ze alleen maar een reactie wil losmaken. Vraag me niet waarom ze opeens deze aanval heeft ingezet. Ik heb geen idee, en ik weet ook niet welke kant dit op zal gaan. Vivien houdt op met waar ze mee bezig is en plaatst beide handen plat op tafel aan weerskanten van de kip.

'Ik wil niet onaardig doen, maar het is al heel lang geleden dat je met pensioen bent gegaan, Ginny. Dat is alles.'

Met een knak laat ik weer een peul openspringen en met een te lange duimnagel schraap ik de erwten uit hun jasje. Ik vraag me af wanneer Vivien met pensioen is gegaan. Ze heeft me niets over haar leven verteld, hoewel ze het duidelijk wel aan Eileen heeft verteld, dus waarom moest ze zo nodig terugkomen om van alles over het mijne te gaan suggereren? Ze weet niets over het werk dat ik doe.

'Het is niet het soort carrière waarbij je echt met pensioen gaat, Vivien.' Ik probeer er geen doekjes om te winden. 'Het is een roeping, geen baan, en ik vrees dat ik het meeneem in mijn graf.'

Vivien zwijgt en ik voel dat ze indringend naar me kijkt.

'Met wat voor mottenwerk ben je dan nu bezig?' zegt ze nonchalant, terwijl ze een citroen pakt en die pardoes in de vogel stopt.

'Nou, op dít moment, Vivien,' zeg ik, enigszins verveeld door haar manier van vragen, 'op dit moment doe ik niet zo veel. Ik weet niet waar je op aanstuurt.'

'Ik weet dat je een gigantische kennis hebt, ik besefte alleen niet dat je echt onderzoek deed.'

'Écht onderzoek?'

'Ik dacht dat je daar al lang geleden mee was gestopt, bedoel ik.'

'Ik doe voortdurend onderzoek,' corrigeer ik haar. 'Het ene project leidt altijd weer tot een ander. Dat is de aard van dit werk. Je bent nooit klaar met onderzoek. Er valt altijd meer te ontdekken.'

Vivien leunt over de tafel naar me toe. 'Ginny,' zegt ze zacht, bijna fluisterend, en als ze begint te praten leun ik ook naar voren om haar te kunnen verstaan, 'je bent buitengewoon ...' Opeens begint ze te lachen.

'Buitengewoon?' fluister ik, terwijl ik me terug buig, met een lange peul om te knakken in mijn hand.

'Ja. Buitengewoon,' zegt ze, nu wat ernstiger. 'Ik bedoel: krijg je het nou nooit eens door?' Ik zei niets. Als ze een reactie wilde, kon ik niet bedenken wat voor soort reactie dat moest zijn. En wat dat buitengewoon betreft: je zult zo langzamerhand wel hebben begrepen dat ik, toegegeven, soms iets te nuchter ben, iets te terughoudend, iets te gesloten, te serieus, misschien, maar ik zou dat niet buitengewoon willen noemen. Ik ben niet impulsief, zoals Vivien, en ik hul mijn gedachten en gevoelens niet in de ingewikkelde kostuums van verborgen betekenissen, cryptische bewoordingen en sluw geveins. Het is Vivien die altijd hemeltergend ingewikkeld doet, wier dubbelzinnigheden je moet ontcijferen. Ze zegt altijd dingen die ze niet echt meent of doet alsof ze iemand is die ze niet is. Ik snap niet hoe ze wijs wordt uit alle verwarring die ze in haar hoofd schept.

'Ah, ik snap het al, je denkt dat je het niet bent. Is dat het?' gaat ze verder, alsof ze mijn gedachten kan lezen. 'Je denkt zeker dat je net zoals ieder ander bent, zo normaal als de buren. Is het dan niet merkwaardig dat de rest van de wereld jou buitengewoon vindt?' voegt ze er hatelijk aan toe.

Nou, één ding weet ik zeker: de rest van de wereld kan nauwelijks iets over mij denken. Ik zie ze nooit. Ik ga niet naar buiten. Ze moet om een of andere reden woedend op me zijn, maar ik kan niet bedenken wat ik heb misdaan. Gelukkig kost het me geen moeite haar schimpscheuten te negeren.

Vervolgens lijkt haar gemoed om te slaan. Ze buigt zich naar me toe, neemt mijn gezicht in haar beide handen en streelt mijn haar, zoals een moeder bij een kind doet. Ze veegt een weerspannige grijze lok achter mijn oor.

'Ginny, wat ik bedoel is...' Dat is een veelbelovend begin, denk ik, maar ze blijft steken.

'Is wat?' spoor ik haar aan.

'Ik snap niet waarom ze het nodig vonden jou je hele leven te beschermen,' zegt ze, wat het er niet duidelijker op maakt. 'Ik snap niet waarom ze dachten dat je het niet kon begrijpen. Je was die tere, zeldzame bloem die zou buigen en geplet zou worden onder een beetje waarheid. Ze probeerden allebei een hoge muur rond jou op te trekken en die je hele leven te bewaken. Volgens mij is dat niet goed meer. Volgens mij heb je het recht om de waarheid te horen.' Ah, ze is dronken. Nu herken ik het. Ze is uitgelaten, zelfs opgewonden. Alle aanwijzingen komen bij me terug. Ik weet dat ze niets meent van wat ze gaat zeggen of doen. Het is de alcohol. Ik sluit mijn ogen.

'Ik heb een idee,' zegt ze vrolijk, om van koers te veranderen.

Ik doe mijn ogen open. Haar gezicht is rood aangelopen door de drank, haar ogen stralen van enthousiasme. Ze staat bij de tafel, naast de gekruide kip, en heel even word ik teruggevoerd naar een andere tijd: ze pakt zo meteen de vogel op om hem naar mijn hoofd te slingeren, of ze pakt zelfs met twee handen de tafelrand beet om de tafel omver te kieperen, met alles erop, over mij heen. Ik pak de kant die het dichtst bij me is met beide handen vast zodat ik, als ze hem omgooit, wat van zijn gewicht kan afleiden om te voorkomen dat ik word verpletterd.

'Ik heb besloten dat ik de voorzitter van de Royal Entomological Society in Queensgate ga uitnodigen...' ze wacht even '... en ook, jawel, wat dacht je van de lepidopter-conservator van het British Museum?' zegt ze, terwijl ze in de richting gebaart waar Londen blijkbaar ligt. 'Ik nodig ze hier uit op de lunch en dan kunnen ze de collecties bekijken en dan kun jij vertellen over wat je je leven lang allemaal hebt gedaan,' eindigt ze hoogdravend. 'Wat vind je ervan?' vraagt ze vastberaden met haar handen op haar heupen. 'Wat vind je me daar nu eens van?'

Haar gedrag doet me verstomd staan. Het is op precies dit soort momenten dat ik me hulpeloos voel, geen enkel benul heb van wat ze denkt en waarom ze doet zoals ze doet – volkomen onvoorspelbaar. Dit kan ík niet zijn. Ik weiger te geloven dat er iemand is die Vivien nu zou kunnen ontcijferen.

'Nou?' vraagt ze weer.

'Ik weet het niet.'

Gisteren zou ik het idee nog acuut hebben afgewezen, maar de ontmoeting met Eileen was veel gemakkelijker geweest dan ik had gedacht, ook al hadden we niets gemeen. Bovendien weet ik nog steeds niet of ik met Vivien of de drank sta te praten. Ik weet niet of ze al het punt heeft bereikt dat ik bij Maud zo gemakkelijk herkende, het punt waarop ze *omsloeg* zoals ik dat noemde. Het laatste wat ik wil, is haar kwaad maken.

'Weet je het niet, schat? Maar Ginny, ze zullen het een grote eer vinden om met een van hun beroemdste leden te lunchen. Stel je voor, ze zullen staan te trappelen voor zo'n bezoek. Ze zullen de hele lunch een en al lof zijn over jou en je werk en gefascineerd zijn door alles wat je ze kunt laten zien. Je hebt ze vast in geen tijden gezien en in Queens Gate ben je, denk ik, ook al lang niet geweest. Heb ik gelijk?'

Ze heeft gelijk. Ik ben al heel lang niet meer in Queens Gate geweest en ze zijn ongetwijfeld heel nieuwsgierig naar mijn onderzoek. Ik kan eigenlijk niet bedenken waarom ik er niet eerder aan heb gedacht. 'Goed, als je zeker weet dat ze het leuk vinden.'

Vivien pakt de braadslee met de kip op en draagt hem naar het fornuis. Hoe langer ik erover nadenk, hoe meer het idee me aanstaat. Ik had niet bijster veel te zeggen tegen Eileen, maar het is iets anders als je met collega's over actuele discussies in de entomologische wereld kunt praten, vooral nu ik de laatste tijd er niet aan toe kwam naar Londen te gaan. Vivien doet de oven rechtsboven open en schuift de slee ver naar binnen.

'Heb je gehoord dat het British Museum zijn collectie uit Londen heeft weggehaald?' zeg ik, nadat ze het ovendeurtje heeft dichtgeslagen. 'Hij is verplaatst naar een nieuw entomologisch museum in Tring, dacht ik. Ergens in Hertfordshire.'

'Ja.' Vivien zucht. 'Dat was jaren geleden.'

'Zonde, eigenlijk. Zij hadden ons om een paar collecties gevraagd maar het is toch iets anders, zo weggestopt op het platteland, wat de mensen ook zeggen.'

'Ik weet het nog. Dat zei Clive.' Vivien gaat tegenover me zitten en bestudeert mijn gezicht. 'Wie zijn zij eigenlijk?' vraagt ze.

'Wie?' zeg ik, terwijl ik naar de laatste peul in mijn hand kijk.

'Als ik die mensen hier op lunch wil vragen, moet ik wel hun namen weten: hoe heten de voorzitter van het genootschap en de conservator van het British museum?'

'Nou, de...' Snap jij het? Ik kan met geen mogelijkheid op hun namen komen. Het is belachelijk. Ik heb het jarenlang geweten. Ik weet nog dat er niet zo lang geleden een nieuwe voorzitter is gekomen, maar de conservator is beslist al eeuwen dezelfde. Allemachtig, ik ben mijn verstand aan het verliezen!

Vivien is opgestaan en neemt het aanrecht voor het raam af en het blad naast de gootsteen waar ik heb staan snijden. Ze spoelt het doekje uit onder de kraan en spreidt het in de waterstroom uit als een zeil, waarna ze het langzaam uitwringt voor ze weer gaat vegen, rond de kranen en over de vensterbank, waarbij ze voorzichtig de vaasjes en flessen optilt die daar staan. Daarna doet ze de stop in de gootsteen, sprietst er wat afwasmiddel in en zet de warme kraan aan tot de bak vol en het water schuimig is. Als ze er de eerste paar keukenspullen in gooit, bedenk ik dat ik alle collecties moet controleren en een paar van mijn belangrijkste onderzoeken voor hun bezoek klaar moet leggen. 'Wanneer ga je ze uitnodigen, denk je?' vraag ik snel, enigszins nerveus door de voorbereidingen die ik moet treffen.

Vivien stopt met afwassen maar draait zich niet om. In plaats daarvan zet ze beide handen op de rand van de gootsteen voor steun, met haar rug naar me toe.

'O,' zegt ze achteloos, 'ik weet het nog niet... dinsdag?'

'Dinsdag!' roep ik uit. 'Wat – déze dinsdag? Dinsdag over twee dagen?'

Waarom niet?' zegt ze op zorgeloze toon, maar ze begrijpt de paniek die in mijn maag broeit niet. Dat is veel te weinig tijd om me voor te bereiden, laat staan om alle verzamelingen door te nemen.

18 – De vrouw met de wollen muts en de folders

Ik ben in de bibliotheek als ik de deurklopper hoor. Heel even denk ik belachelijk genoeg aan de conservators en vraag me af of ze er nu al zijn. We waren anderhalf uur geleden klaar met lunchen en sindsdien ben ik hier en probeer ik de opgedroogde modder van de pantoffels te plukken die ik vanochtend droeg toen ik Vivien naar de kerk volgde. Zij heeft zich teruggetrokken in de studeerkamer om aan een klein naaiwerkje te werken – een wandkleedje, dacht ik – maar zodra de klopper slaat, hoor ik haar platte rubberzolen over het parket in de hal piepen. Ik ben onder de indruk van haar snelle reactie, de spontaneïteit waarmee ze de deur opendoet. Er is geen geen enkele aarzeling, geen kortstondige onzekerheid. Ze beent doelbewust op de deur af, met krachtige en overtuigde stappen. Ik zie haar langs de bibliotheekdeur lopen, die ik op een kiertje heb gezet en ik kijk nog altijd als ze bij de voordeur aankomt met haar hand al geheven om hem open te doen; ze wacht niet even om haar gedachten bij elkaar te rapen of om zich voor te bereiden op de confrontatie met het onbekende. Ik trek me een beetje terug zodat ze me niet kunnen zien als de voordeur opengaat.

'Hallo, kan ik u helpen?' hoor ik Vivien aan de onbekende vragen.

'Virginia Stone?' Het is een vrouwenstem. Wie kan mij nou nodig hebben?

'Ik ben het zusje van miss Stone, Mrs Morris,' zegt Vivien kortaf. 'Kan ik u helpen?'

'Halloo,' zegt de vrouw, die de overdreven begroeting uitrekt alsof ze ooit, lang geleden, vriendinnen waren. 'Wat énig

om u te ontmoeten. Ik ben Cynthia van het liefdadigheidswerk...'

O, god. Ik knijp in mijn neus. Het is de vrouw met de wollen muts. Mijn familie heeft altijd een diep wantrouwen, zelfs
angst gekoesterd ten aanzien van liefdadigheidswerkers. Ik heb
Maud meer dan eens horen klagen dat het bemoeizuchtige
mensen waren, hoewel ik niet denk dat ze veel met hen te maken had. Maud was zo iemand die vond dat een gemeenschap
voor zichzelf moest kunnen zorgen en dat door de staat gefi-
nancierde hulp mensen simpelweg een excuus gaf om hun eigen verantwoordelijkheid uit de weg te gaan. Ze was ook fel ge-
kant tegen de nieuwe gekkenhuizen die in de jaren vijftig waren geopend en die volgens haar kort na de oorlog door sociaal
werkers waren gevuld met buitenbeentjes.

'...ons kantoor is in Chard,' vervolgt Cynthia. 'Ik heb hier een
paar folders die misschien interessant voor jullie zijn, en hier is
mijn visitekaartje met daar, bovenaan, mijn naam en het adres,
en daar staat het telefoonnummer... en ik heb ook ergens een...
hier is hij, een folder met wat achtergrondinformatie over wat
we...'

Vivien onderbreekt haar. 'Weet u dat het zondagmiddag is?'

'Zondag? Ja, het is zondag.'

'Is het een gewoonte van u om mensen op zondag lastig te
vallen?'

Ik glimlach bewonderend om haar brutaliteit. Eerlijk gezegd
kan ik niet geloven dat ze het zo plompverloren zei.

'Ah, juist, ja,' zegt Cynthia langzaam, terwijl haar stem zakt.
'Kijk, het zit zo, we zijn allemaal *vrijwilligers*, dus geven we onze weekenden op voor ons *vrijwilligerswerk*.'

Ik kijk achterom uit het raam van de bibliotheek. Hoewel
het al een poosje niet meer zo hard regent, blijft het van tijd tot
tijd miezeren. De lage, naadloze wolken hangen nog altijd dreigend boven de vallei en ik vraag me af of Vivien vindt dat ze de
vrouw met de wollen muts binnen moet vragen als het weer
losbarst.

'Wat kan ik voor u doen?' vraagt Vivien haar.

'Is uw zus thuis?'

'Ja.'

'Ziet u,' zegt ze, terwijl ze wat zachter gaat praten, 'het kost ons eerlijk gezegd heel veel moeite haar te spreken te krijgen.' Ze gaat nu bijna over op fluisteren, maar ik heb een buitengewoon goed gehoor. 'We hebben uw zus bezocht om te kijken hoe het met haar gaat, althans, dat hebben we geprobeerd, maar ze deed nooit open. Ik schrok dan ook nogal toen u wél opendeed,' zegt Cynthia met een uitnodigende giechel.

'En wat wilt u van haar?' vraagt Vivien luid, alsof ze duidelijk wil maken dat ze niet stiekem wenst te smiespelen met de liefdadigheid. Ik vraag me af of ze weet dat ik meeluister.

'We wilden eigenlijk alleen maar kijken of alles goed met haar is. We maakten ons vooral tijdens de winter zorgen om haar. Er schijnt geen centrale verwarming in het huis te zijn,' zegt Cynthia laatdunkend, en juist op dat moment hoor ik op het parket in de hal regenwater druppen, dat door de gebruikelijke plekjes in de hoek, waar het plafond schuin afloopt, lekt. De druppels zullen steeds sneller vallen tot ze versmelten tot een gestage stroom die langs het plafond loopt en als een gordijn op de vloer vloeit. 'We waren bang dat ze het koud zou hebben,' zegt ze, alsof ze de werking van verwarming moet uitleggen.

'Ze is kerngezond, dank u.'

'Dat is fijn.' Ze wacht even. 'Mag ik haar alstublieft zien?'

Nee, Nee, Vivien, twee ontmoetingen met vreemden op één dag is mij echt te veel. Terwijl ik op Viviens besluit wacht, krult mijn ruggengraat van angst op, waardoor ik krimp.

Cynthia dringt aan: 'Dan zal ze de volgende keer, als u er niet bent, niet schromen om zelf de deur open te doen.'

'Ik begrijp uw zorgen, maar ik vrees van niet. Mijn zusje wil u niet ontmoeten.'

Goed zo, Vivien, denk ik. De opluchting ontspant de spieren op mijn schouders.

'Neem me niet kwalijk, maar hoe weet u dat als u het haar niet heeft gevraagd?' antwoordt Cynthia.

Ik knijp 'm. Ik weet dat het absurd is, maar het voelt alsof m'n zus en de vrouw met de wollen muts bij de voordeur een woordspelletje spelen, en het resultaat van hun esprit en hun veerkracht zal bepalend zijn of ik de vrouw wel of niet onder ogen zal moeten komen. Het is een miniatuurversie van het kaartspel van mijn leven, waarbij mijn hand altijd door anderen wordt gespeeld, van wie sommigen mijn tegenstanders zijn en die allemaal met kennis van zowel hun eigen hand als de mijne spelen.

'Ik hoef het haar niet te vragen,' zegt Vivien. 'Ze houdt er niet van mensen te ontmoeten, vooral geen vreemden. Het is niets persoonlijks,' voegt ze eraan toe. 'Als u wilt, zal ik haar vertellen dat u langs bent geweest en dat u best vriendelijk, zij het nogal vasthoudend lijkt.'

Goed gezegd, Vivien! Ik zou nu bloemen in de ring kunnen gooien. Einde oefening.

Maar duidelijk niet voor de vrouw met de wollen muts. Ik hoor hoe ze haar keel schraapt.

'Mrs Morris, we zijn alleen maar bezorgd over het welzijn van uw zuster. Het is geen bemoeizucht van ons. We hebben melding gekregen dat ze niet meer goed voor zichzelf kan zorgen. Ik kwam kijken hoe het met haar ging. Als u niet bereid bent mee te werken, dan vrees ik dat ik een rapport moet schrijven...'

'Ze is kerngezond, dank u,' onderbreekt Vivien haar.

'Ik bedoel haar toestand.'

'Nogmaals, haar toestand is uitstekend. Ze is heel gezond, ondanks de strenge winter. Luister eens, ik weet niet van wie u meldingen heeft gekregen maar ik ben haar zus en ik zorg nu voor haar. U hoeft niet terug te komen.'

'Mrs Morris, het is niet zo simpel om te zorgen voor een...'

Allemachtig! Vivien sloeg de deur in haar gezicht dicht. Ik kom aarzelend uit mijn schuilplaats tevoorschijn en steek boordevol dankbaarheid mijn hoofd om de deur van de bibliotheek, waarbij ik helemaal vergeet dat ik deed alsof ik niet meeluisterde. Vivien kijkt naar me zonder me te zien, met haar rug stevig tegen de voordeur gedrukt, alsof Cynthia's volgende strategie het rammen van de deur zal zijn. Als ik dichterbij kom, kan ik eigenlijk niet zien of ze de deur barricadeert of er voor steun tegenaan leunt. Het verbaast me dat ze zo overstuur is, maar ze herstelt zich snel en loopt ervan weg, waarbij ze onze verdediging laat voor wat hij is. Ik wou dat ik mezelf niet had laten zien. Als Cynthia nu de deur gaat rammen, breekt ze er misschien doorheen.

'Liefdadigheidswerk,' zegt Vivien, terwijl ze minachtend snuift als ze langs me naar de keuken loopt. 'Zwijnen zijn het. Doe nooit de deur voor ze open, beloofd?' Ze wacht niet op een antwoord.

Ik loop achter haar aan. Ik ben uit op die folders. Vivien is bezig potten en pannen uit de keukenkast te halen.

'Heeft ze nog folders achtergelaten?' vraag ik haar.

'Ja. Wil je die echt hebben, schat?' Vivien heeft het kleine pakje nog steeds stevig in haar hand.

Eigenlijk wel, ja, maar iets weerhoudt me ervan haar dat te zeggen. Ik denk dat ze misschien gaat lachen, of me gaat plagen, of het tegen me gebruikt op een manier waarop alleen zij dat kan. Maar ik kan zien dat ze op het punt staat ze te verfrommelen, dat ze zichzelf de voldoening gunt ze aan flarden te scheuren. Er kronkelt een golf paniek door mijn maag en die blijft daar langzaam fladderen, als een drogend blad in de herfst. Heel even heb ik het eigenaardige gevoel dat we in een impasse zijn beland en dat er een snelle beslissing nodig is: moet ik kalm blijven of onverwacht op haar af springen en naar het pakje graaien? Ik wil ze zo ontzéttend graag. Ze horen bij mijn gewoontes.

'Ik wil ze wel even doornemen,' zeg ik, zo achteloos mogelijk.

'Alsjeblieft,' zegt ze tot mijn grote verrassing, terwijl ze ze aan mij geeft, 'maar zou je zo lief willen zijn mij eerst te helpen met het opvangen van die waterval in de hal?'

We pakken alle vaten die we maar kunnen vinden en zetten ze onder het gordijn van water, om dat grotendeels op te vangen. Als we klaar zijn met het neerzetten, moeten de eerste alweer worden geleegd en pas na een halfuur is de stortbui zodanig afgenomen dat ik me met mijn folders uit de voeten kan maken naar de bibliotheek.

De eerste twee heb ik al heel vaak gezien:

De seniorenwijzer
Professionele hulp bij zorgverzekeringen, levensverzekeringen, advies bij testamenten, leeftijdsdiscriminatie, beheer en voogdij, of misbruik van ouderen.

Vijftig plus?
Wat dacht u ervan weer aan het werk te gaan of een opleiding te doen?

Verder zijn er een heleboel nieuwe: *Senioren en veiligheid; Veiligheid: voorkomen en tips voor veelvoorkomende problemen bij ouderen; De hond: uw beste vriend; Seniorenreizen; Alleen thuis? Aanpassingen in uw woning; Stervensbegeleiding; Senior en single:* www.seniorsinlove.com, *Het is nooit te laat; De keuze van een verzorgingshuis; Activiteiten voor ouderen; De ziekte van Alzheimer – het mysterie ontrafeld.*

Bij die laatste blijf ik hangen. Ik lees altijd graag de medische folders. Bovendien vraag ik me vaak af hoe ik, aangezien ik alleen leef, kan weten of ik alzheimer of dementie aan het ontwikkelen ben, zoals Clive. Hoe onderscheid je een geleidelijke geestelijke aftakeling van een klein beetje natuurlijk geheugenverlies als er niemand is die het je vertelt? Dat vergeet iedereen tegenwoordig: het is maar een smalle grens tussen geestelijke gezondheid en waanzin. Een heleboel mensen verkeren op het randje. We kunnen niet voortdurend perfect in balans zijn; de meeste mensen hebben op een gegeven moment een beetje te veel of te weinig van deze of gene chemische stof in hun hersenen. Dat hoort bij het individu. Er zijn geen vaststaande normen; té gezond zijn in je hoofd is vermoedelijk op zichzelf al een soort waanzin. Wie beslist er bovendien over wat gezond is of niet? Ik weet dat de dorpelingen hier de Mottenvrouw en het huis altijd een beetje mesjogge hebben gevonden en dat ze elk gerucht dat hun kant op dwarrelt gretig tot zich nemen. Maar zo reageren kleine dorpjes altijd op iemand die wat afwijkt of los van hen staat en ze kennen me helemaal niet.

Ik bestudeer de oude mensen op de voorkant van de folder, die op een rij plastic stoeltjes zitten alsof ze wachten tot de bus hen komt ophalen. Ik vind ze er prima uitzien, een beetje verveeld. Als je het mij vraagt, plakken deze folders te snel een etiket op mensen. Ik heb er ooit een gelezen die me vertelde dat onychofagie een veelvoorkomende, stressverminderende B F R B is. De term alleen al doet je bijna naar de eerste hulp rennen. Daarna las ik dat onychofagie 'nagelbijten' betekent en dat B F R B voor 'body focused repetitive behaviour' ofwel automutilatie staat. Het is een gewoonte, geen ziekte.

Ik sla de folder open en lees de eerste paragraaf: 'Alzheimer valt tegenwoordig alleen met zekerheid vast te stellen als men vlekken en knopen in het hersenweefsel vindt, maar artsen kunnen het hersenweefsel pas onderzoeken als ze een autopsie doen, en dat is het onderzoek van het lichaam nadat een mens is gestorven.'

Dat heeft dan niet veel zin, hè? Ik zou best zonder het te weten alzheimer kunnen hebben. Zou ik me dan anders voelen? Daarna lees ik dat artsen alleen de diagnose 'vermoedelijk alzheimer' kunnen stellen en dat een bepaalde verzameling symptomen verschillende oorzaken kan hebben en dat een gemakkelijk te genezen schildklierafwijking dezelfde symptomen kan vertonen... Ik houd op met lezen. Het is duidelijk dat niemand het zeker weet en dat ze mensen in alle rust oud moeten laten worden en ze niet allerlei geesteszieken moeten opplakken.

Vivien komt de bibliotheek binnen met een dienblad, Belinda's theepot, twee kop-en-schotels en een paar gemberkoekjes die ze in een cirkelvormig patroon op de rand van een bord heeft geschikt. Simon trippelt achter haar aan. 'Is er iets interessants bij?' vraagt ze, terwijl ze het dienblad op een bijzettafeltje bij de haard neerzet.

Ik lees haar de folder voor. 'Ik herinner me nog de tijd dat mensen gewoon oud of excentriek werden,' zeg ik daarna. 'Ze waren niet gek. Zoals Mr Bernado, weet je nog? Die stond vaak te vissen in zijn onderbroek. Degene die hem betrapte, bracht hem gewoon weer thuis en wees hem de klerenkast.'

'Virginia!' berispt Vivien me streng. 'Je mag tegenwoordig niet meer "gek" zeggen. Dat is beledigend.'

'Ik zeg alleen maar dat de meeste mensen kierewiet werden maar dat we hen excentriek noemden. Of oud. Ze hadden geen medisch attest nodig.'

'Ik vind dat mensen het recht hebben om zo veel mogelijk te weten over wat er...' Vivien wacht even '...anders aan hen is.'

'Maar hebben ze daar ook iets aan?'

'Ja, ik denk het wel,' zegt Vivien fel. 'Ik denk dat ze er iets aan hebben. Als je weet dat jou medisch gezien iets mankeert, als de diagnose werd gesteld dat je op een of andere manier ver- standelijk gehandicapt was...'

'Verstandelijk gehandicapt?' val ik haar in de rede, en ik lach, maar Vivien lacht niet.

'Als ze je dat zouden vertellen,' houdt ze vol, 'zou je misschien merken dat je jezelf beter begreep. Je zou manieren kunnen be- denken om jezelf aan te passen – als je dat zou willen – of je er op z'n minst van bewust zijn. Het is veel beter om het te we- ten,' zegt ze, terwijl ze haar thee in het kopje walst om de suiker te laten oplossen. 'Het is heel erg om het niet te weten, als nie- mand het je vertelt. Het is niet goed,' zegt ze en ze loopt met de kop-en-schotel in haar hand naar het raam, om haar stille ge- dachten naar de wildernis erachter te staren.

'Als je zo kierewiet bent, maakt het toch geen verschil meer,' zeg ik monter, een beetje om de stilte te vullen en een beetje mompelend. Ik weet niet goed in wat voor stemming ze is.

'Misschien,' zegt ze zachtjes.

Ik dacht dat ze het grappig zou vinden, maar ik zie dat ze el- ders is met haar gedachten. Zie ik daar droefheid in haar stilte bij het raam? Het was maar een opmerking, en ik wil er geen serieuze discussie van maken, maar ik vind het niet erg om ouderwets te zijn. Ik moet niets hebben van al die moderne denk-wijzen die Vivien omarmd heeft. Hoe moet dat met al die oude vrouwtjes die niet slim genoeg zijn om door alle geesteziekten die ze opgeplakt hebben gekregen heen te kijken en niet langer gewoon zichzelf mogen zijn? Ze zullen nerveuze wrakken wor-den, die zich zorgen maken over alweer een aandoening. En na dat alles ontdekken ze misschien dat ze alleen maar een over-actieve schildklier hebben. Het valt me opeens in dat Vivien misschien aan Clive staat te denken.

'Denk je dat Clive het wist?' vraag ik zachtjes.

'Met Clive is iets heel anders gebeurd,' zegt ze scherp, terwijl ze haar gezicht weer naar me toe wendt. 'Hij had alles aan zich-zelf te wijten. Hij verdiende elke duivel die hem bezocht en dat wist hij.'

Het was niet mijn bedoeling geweest weer een aanval op Clive uit te lokken.

'Ik vind je woede jegens hem een beetje overdreven. Erken toch gewoon dat jullie meningsverschillen hadden en accep-teer dat,' zeg ik heel redelijk, vind ik.

'O Ginny, voor jou is altijd alles heel simpel. Zie je dat nou nooit eens in?' Viviens kopje rammelt op het schoteltje nu haar woede begint op te borrelen.

'Ik probeer alleen maar...'

'Nou,' onderbreekt ze me, terwijl ze de kop-en-schotel in de vensternis naast zich zet, 'ik heb wanhopig geprobeerd om jou dingen aan je verstand te brengen, om je het te laten begrijpen, om je zelf in te laten zien dat niet alles altijd zo simpel is en dat je er soms vraagtekens bij moet zetten. Ik ben niet naar huis ge-komen om je dit te vertellen, maar ik kan de waarheid niet ver-borgen houden. Ik kan je tegen andere mensen beschermen, maar niet tegen de waarheid.'

Daar begint ze weer, ze spreekt in raadselen. Ik heb haar nooit gevraagd naar huis te komen.

'Het probleem is,' gaat ze verder, 'dat je de waarheid nog niet zou herkennen als die pal voor je neus stond. Dat is altijd al jouw probleem geweest.'

Ik luister niet naar haar tirade omdat ik dat niet wil. Ik probeer uit te vinden wat er in Clives hoofd kan zijn gebeurd – op moleculair niveau, bedoel ik – waardoor hij uiteindelijk dement werd.

Ik krimp ineen als Vivien mij vlak bij mijn hals bij mijn schouders grijpt en me door elkaar schudt. 'Ginny!' roept ze.

'Wat?' zeg ik, opgeschrikt uit mijn gemijmer.

'Je bent er niet. Wat is het toch handig voor je om ergens anders heen te gaan en niet te luisteren. Wil je de waarheid niet weten?'

'Welke waarheid?'

'De hele waarheid. Alles.'

'Zoals?' Geërgerd verhef ik mijn stem.

Ze is even stil, blij met mijn volle aandacht. 'Bijvoorbeeld dat je eigen moeder is vermoord,' zegt ze ten slotte.

Ze kijkt me onderzoekend aan, zie ik. Het is alsof ze de pijn zoekt die ze misschien heeft veroorzaakt. Dan lach ik. Wat kan een mens anders doen? Het is een gepast, klein giecheltje, alsof ze een grapje heeft gemaakt. En ik ben verbaasd dat zij niet ook lacht. Ik kan niet geloven dat ze het meent.

'Doe niet zo belachelijk, Vivien!' sputter ik.

En dan doet ze iets heel merkwaardigs. Ze balt haar vuisten en stampt met haar rechtervoet drie keer achter elkaar hard op de grond, alsof ze een schorpioen doodtrapt en er zeker van wil zijn dat de klus is geklaard. Ze is net een achtjarig kind dat een woedeaanval heeft.

'Hoe krijg ik je zover dat je het tenminste probéért te begrijpen?' schreeuwt ze. 'Eén keer. Denk er nu eens één keer over na. Kijk me aan! Kijk me aan!' Ze pakt beide kanten van mijn gezicht vast en draait het naar het hare. 'Zie ik eruit alsof ik het verzin?'

Nee.

Ik vertel het haar zachtjes nog eens: 'Vivien, ze is van de keldertrap gevallen. Ik was erbij. Ik heb haar onder aan die trap zien liggen. Geloof me, het was een ongeluk.'

'Je vergist je, Ginny. Je hebt het verkéérd gezien,' schreeuwt ze.

'Waarom denk je dat in vredesnaam?' zeg ik zachtjes, verbijsterd.

'Ik wéét het gewoon.' Heel even kan ze geen woorden vinden. 'De meeste mensen hebben zo'n soort intuïtie, Ginny.'

Ik zal het niet hardop zeggen omdat ik bij god niet weet wat ze dan zal doen, maar één ding is zeker: Vivien is volslagen kierewiet geworden. Je kunt niet in Londen zitten en intuïtief weten dat er in Dorset iemand wordt vermoord. Je hebt feiten of niet, dat zul je toch met me eens zijn. Bovendien ben ik een wetenschapper en heb ik geen boodschap aan intuïtie.

Vivien laat zich op de kussens in de vensternis vallen en tilt haar benen op om ze op een krukje voor haar te leggen.

'Een tijdje dacht ik dat jij het had gedaan,' zegt ze nu wat kalmer, alsof ze aan een lang verhaal begint.

Ik ben ontsteld. Ik ben geschokt. Ik ben diep gekwetst. 'Ik? Schei toch uit, Vivi, je bent stapelgek geworden,' flap ik eruit. Maar ze negeert me en gaat verder op een kalme, gelijkmatige toon, alsof het verhaal door moet gaan ongeacht de reactie van het publiek.

'Ik dacht dat Clive en dokter Moyse het wisten en jou wilden dekken.' Ze keek naar haar benen die voor haar op het krukje lagen terwijl ze sprak. Ik stond ongeveer een meter van haar vandaan en torende hoog boven haar uit met mijn handen op mijn heupen en, ongetwijfeld, een openhangende mond. 'Dokter Moyse had de politie officieel geïnstrueerd om jou niet te ondervragen. Hij had een gerechtelijk bevel, dus mochten ze niet. Hij zei dat je een of andere aandoening had, dat je labiel was.'

'Wat verzin je toch rare dingen, Vivien! Het is klinkklare nonsens. Ik had niets van dat alles.'

'Dat weet ik heus wel,' zegt ze toegeeflijk. 'Ik kwam later tot de conclusie dat je er niets van kon hebben geweten, anders had je het me wel verteld.'

'Precies,' zeg ik verontwaardigd.

'Je zou het iedereen hebben verteld.'

'Natuurlijk.' Maar nog voor ik het heb gezegd, voel ik al hoe de strop wordt aangetrokken.

'Dus toen besefte ik dat Clive haar had geduwd en dat jíj hém had gedekt.'

'Wát? Vivien, volgens mij ben je helemaal gek geworden.' Ik ben nu toch danig geïrriteerd. Het ontgaat me volledig waarom ze met die belachelijke theorieën komt aanzetten en allerlei twijfels over de nagedachtenis van onze dierbare ouders strooit. 'Clive heeft het niet gedaan en ik hoefde hem nergens voor te dekken,' zeg ik haar resoluut, maar terwijl ik het zeg, weet ik dat mijn pogingen haar op andere gedachten te brengen vergeefs zijn. 'Dit heeft al die jaren in je hoofd zitten etteren, maar zie je niet in wat een onzin het is?'

'Je was je er niet van bewúst dat je hem dekte,' dramt ze verder. 'Daarvan ben je je nog steeds niet bewust. De politie mocht je niet ondervragen, terwijl ik er bij hen op aandrong dat wél te doen.'

'Kletskoek, Vivi! Zelfs al had de politie met me gepraat, dan had ik ze echt niets anders verteld. Maud is van de trap gevallen.' Ik kan er niet meer tegen. Zíj is degene die niet weet wat er is gebeurd. Ik kijk op mijn horloge en frummel met mijn duim en wijsvinger aan de plaat; ik sluit me af voor alles wat Vivien zegt en probeer te besluiten of dit het moment is waarop ik haar eindelijk het geheim zal moeten vertellen waarvan ik Maud had beloofd dat ik het mijn hele leven voor haar zou verzwijgen. Plotseling zie ik in hoe gevaarlijk zulke geheimen kunnen zijn. Je houdt ze voor je om anderen te beschermen, maar uiteindelijk zijn ze alleen maar nog destructiever. Ik nam de waarheid weg en Vivien heeft in de loop der jaren die leegte opgevuld met bespottelijke ideeën. De waarheid zal haar geest ongetwijfeld tot rust brengen en een eind maken aan dat geraaskal over dat Clive of ik Maud zou hebben vermoord.

'Vivien,' zeg ik, nu ik besloten heb, 'ik moet je iets vertellen.' Ze geeft geen antwoord maar staat op, schuift haar voetensteun naar mij toe en gaat erop zitten. Ze is heel stil en ik weet dat ze bereid is te luisteren. Wat ik haar ga vertellen, zal een schok, een openbaring zijn voor haar, en ik sluit mijn ogen zodat ik het ongeloof, de woede of wat het ook teweeg mag brengen, niet op haar gezicht hoef te zien. Ik zeg het snel en simpel: 'Je moeder was een alcoholiste. Daarom dacht ze dat het de keukendeur was. Ze werd altijd zo dronken dat ze niet wist wat ze deed of waar ze heen ging.' Ik houd mijn ogen dicht en wacht op wat ze zal gaan zeggen of doen. Maar ze is volkomen stil. En dan voel ik, na een lange pauze, haar hand op mijn arm; ze knijpt er zachtjes in opdat ik mijn ogen zal opendoen. Ze ziet er verdrietig uit, verslagen zelfs, en heel even denk ik dat ze in tranen zal uitbarsten, wat niet de reactie was die ik, toegegeven, had verwacht. Maar wat ze vervolgens zegt, is nog veel erger.

'Dat weet ik,' zegt ze simpelweg. 'Daarom heeft hij haar ook vermoord.' Dat was het.

'Hou op, Vivien, hou daarmee op!' roep ik. 'Je bent je leven lang bezig geweest deze familie te verscheuren en nu kom je hier binnen denderen en begin je weer opnieuw, ook al zijn ze állemaal dood.'

'Ik? De familie verscheuren? Ik heb juist geprobeerd ons bij elkaar te houden.'

Het stoorde me dat onze rollen zomaar omwisselden.

'Dat was ik, Vivien. Ik was de enige die ons bij elkaar probeerde te houden. Je kreeg ruzie met Maud en daarna kreeg je ruzie met Clive en daarna heb je 47 jaar lang niet met mij gepraat. Hoe durf je te zeggen dat je ons probeerde samen te houden?'

'Ik kreeg ruzie met Maud omdat ik wilde dat ze jou niet meer sloeg.'

'Wist je dat dan?' vraag ik ongelovig.

'We wisten het allemaal, Ginny. Arthur had me verteld wat ze deed, en dat jij je te veel schaamde om iets te zeggen. En Clive had er te lang over gedaan om onder ogen te zien hoe erg het was geworden. Hij verdroeg het niet. Niemand van ons verdroeg het en we waren het erover eens dat het moest ophouden.'

Ik ben sprakeloos.

'En ik kreeg ruzie met Clive omdat die hufter uiteindelijk voor de gemakkelijkste oplossing koos. Hij duwde haar van die trap om te zorgen dat ze jou niet meer sloeg. Omdat ze jou bijna had vermoord, omdat ze jou vermoedelijk zou hebben vermoord. Maar hij had het geduld of de tijd niet om haar drankprobleem op te lossen. Hij dumpte haar alsof ze een exemplaar was dat hij niet meer nodig had.'

De hele wereld tolt rond mijn hoofd. Niets lijkt nog te kloppen. Hoe weet ze opeens al die dingen waarvan ik dacht dat ze er niets van wist? Ik heb heel veel argumenten waarmee ik kan aantonen dat dit onzin is, maar ze willen allemaal tegelijk uitgeschreeuwd worden. Ze willen niet in een rij gaan staan en op hun beurt wachten.

'Maar, maar, Vivien, zelfs Clive wist niet hoe zwaar ze dronk,' stamelde ik.

Ze schudde haar hoofd.

'En ik kreeg ruzie met jou,' gaat ze verder, 'omdat ik eigenlijk vond dat het allemaal jouw schuld was. Ik vond eigenlijk dat je mijn leven, al onze levens, had verwoest, of je het nu wist of niet. Maar dat mocht ik niet denken. O, nee. Clive stond niet toe dat we dat dachten. Je was altijd boven elke schuld verheven,' zegt ze. 'We mochten geen onrust kweken. We mochten je tere evenwicht niet verstoren omdat je het anders misschien niet zou aankunnen. Te veel emotionele beroering zou slecht voor je zijn. We moesten zorgen dat je je zo normaal mogelijk voelde, om je zelfvertrouwen te vergroten. We mochten nooit iets zeggen over je... eigenaardigheden. Nou, ik vind het allemaal lariekoek. Ik geef jou niet de schuld, maar ik vind dat ze zich wat jou betreft hebben vergist. Ik denk dat je de waarheid best aankunt. Het wordt tijd dat je het weet, zodat je ook wat verantwoordelijkheid voor haar dood kunt nemen.'

Verantwoordelijkheid? Vivien is ofwel gek geworden of ze probeert me te laten denken dat ík gek ben. Ik sta versteld dat ze dit haar hele leven heeft geloofd. Arme Vivien. Ik kan niet één spier bewegen. Mijn rug rust tegen de muur, mijn handen maken vuisten, bleek en bloedeloos. Ik kan niet eens met m'n ogen knipperen. In plaats daarvan richten mijn ogen zich op de dikke lucht voor hen; ze volgen de zwevende zwarte vlekjes die van het netvlies worden gereflecteerd en door mijn beeld heen en weer dansen. Ik wil hier niet zijn, ik wil hier niet meer naar luisteren. Ik begin te rennen, weg van hier, weg van mezelf, de tunnel in, terwijl de bal van verwarde woorden achter me aan ratelt, op me in loopt, ik ren steeds harder, achtervolgd door vragen en woorden en kwellingen tot ik bij de deur van het kamertje in mijn hoofd kom. Ik trek hem open en spring erachter, net op tijd om de donderende bal van lawaai en geschreeuw en wanorde achter me buiten te sluiten. Ik weet dat Vivien nog steeds praat, maar dat geeft nu niet meer want ik ben niet bij haar. Ik ram de grendels van de deur in hun krammen. Eindelijk alleen.

Ik weet niet hoelang het duurt voor Vivien naar me toe komt en haar armen om me heen slaat.

'Sorry, lieverd,' zegt ze nu zachter, 'het spijt me. Ik begrijp dat het niet gemakkelijk voor je is om dit alles zo opeens te horen.'

Ze zegt het alsof er geen discussie is, alsof de feiten duidelijk zijn; ik hoef er alleen maar aan te wennen, ze in me op te nemen. Ik wil mijn frustratie recht in haar gezicht schreeuwen. Ze heeft mijn standpunt in het geheel, maar dan ook totaal niet begrepen: ze heeft geen enkel bewijs voor wat ze zegt. Ik ben een wetenschapper. Ik heb harde bewijzen nodig. Het is even waarschijnlijk – meer dan waarschijnlijk – dat ze alles gedurende jaren vol bitterheid zelf heeft verzonnen.

Ik loop weg van haar, moe, overvallen door een grote behoefte aan slaap. Ik heb nu bovendien andere dingen aan mijn hoofd. Ik moet mezelf voorbereiden op de lunch met de entomologen op dinsdag. Ik moet controleren of onze verzamelingen in orde zijn en misschien een uitstalling maken van mijn belangrijkste vondsten.

19 – De mottenjager

Ik weet niet waardoor ik wakker werd, maar buiten zie ik de maan, laag en stralend, hij verdrinkt de sterren met zijn schittering. Is hij gestuurd om mij te wekken? Zijn heldere licht overspoelt de vallei, zodat het vanuit mijn bed net lijkt alsof het alleen in huis nacht is geworden. Ik sluit mijn ogen in de hoop dat de onschuldige slaap komt en me mee terug neemt naar een tijdelijke onwetendheid. Maar ik weet dat dat niet kan. Welkom in de eindeloze nacht.

Het klokje naast mijn bed zegt dat het twaalf minuten over twaalf is. Ik hijs mezelf moeizaam in een zittende houding en controleer instinctief of mijn polshorloges dezelfde tijd aangeven, wat het geval is. Op dat moment voel ik het branden in mijn polsen en handen. Ik kijk naar mijn gezwollen duim; het laagje huid is flinterdun, strak en glanzend over de zwelling gespannen. Het is lente. De lente doet pijn. Ik denk aan Clive, die in de keuken de blauwe plastic afwasteil vult en voelt of het water warm, maar niet te warm is, en het dan met moeite de trap op draagt, terwijl het water heen en weer klotst, en hij brengt het naar deze slaapkamer, naar dit bed waarin Maud verstijfd van deze pijn ligt. Hij neemt haar handen in de zijne, vlijt ze zachtjes in het water en brengt ze met warmte en tederheid en massage weer tot leven. Mijn beide ouders zijn stil, de stilte van gedeelde pijn, maar ik kan zien hoe Mauds behoeftige en angstige ogen steun vinden in Clives onwankelbare betrouwbaarheid. Hij kijkt in de teil en concentreert zich op haar handen met niet-aflatende zorg, en zij geeft zichzelf over aan het toevluchtsoord van zijn stille kracht en vastberadenheid en stelt al haar vertrouwen in hem. Veilige, heerlijke herinnering.

Ik zit in bed en pantser mezelf om mijn handen door de pijn heen te laten bewegen. Het is zoals bij kramp, wanneer je weet dat je ze zou moeten strekken, hoeveel pijn het ook doet. Eerst probeer ik mijn vingers tot een vuist op te krullen, maar de knokkels zijn zo gezwollen dat ze nauwelijks kunnen buigen. Als ik ze vervolgens probeer te strekken en mijn handpalmen zo plat mogelijk maak, komen de gebeurtenissen van gisteren ongevraagd naar me teruggegleden. Ik voel zoiets als verzet in mijn lichaam omhoogkomen; het boort zich naar buiten als ik mij in een gegons van stemmen Viviens beschuldigingen herinner: dat mijn vader in koelen bloede mijn moeder heeft vermoord, min of meer waar ik bij stond. Voor een keer vergeet ik, of liever: vergeef ik de pijn die is versmolten in mijn vingers en in mijn voeten in hun geklitte wollen sokken, en stijf als ik ben sta ik mezelf toe alles op een rijtje te zetten, alleen maar om te zien of de tekenen dat het waar is aanwezig zijn – dat Clive inderdaad mijn moeder heeft vermoord en dat allemaal vanwege mij – en ik merk dat ik koortsachtig op zoek ga naar de tekenen die zullen bewijzen dat het onmogelijk zo gegaan kan zijn: ik zag haar met mijn eigen ogen onder aan de trap liggen en ik zag hoe kapot Clive was. Haar handen gloeiden nog toen ik ze aanraakte, haar hals was zacht en warm. Ik rook het bloed dat door haar haar liep en de sherrystank die om haar heen hing. Ik heb zelf dokter Moyse gebeld. Ik heb zelf geprobeerd haar te redden. Ik had Maud in de weken ervoor gezien, als ze stomdronken was, over stoelen viel, tegen kasten botste en ook een keer de vijver op ons bovenste terras in liep. Ik heb nooit iets anders vermoed dan dat ze haar laatste dronken ongeluk had gehad. Maar ik weet dat ik het niet heb gezien.

Ik had de val niet gezien.

Ik glij uit bed en vlij mijn voeten in mijn teenloze pantoffels, die als twee schildwachten naast mijn bed staan. Ik schuifel langzaam over de hellende houten vloer, die door de maan in zilver gedrenkt lijkt, en ga door de deur de overloop op, belaagd door onbeantwoorde vragen. Vivien ligt te slapen in de kamer aan de gang achter de dubbele klapdeuren voor me.

Heel even heb ik het gevoel dat ik stik, gewoon door de wetenschap dat ze daar is, en hier, op dit moment, dringt het besef plotseling tot mij door dat de antwoorden me niet kunnen schelen. Heeft Clive Maud vermoord of niet? Heeft hij het om mij gedaan of niet? Het doet er niet meer toe. Het maakt nu niets meer uit. Het verleden zelf is niet belangrijk. Het enige dat nu telt zijn mijn herinneringen eraan. Ik voel een ongebruikelijke vlaag van woede, een golf van hitte in mijn wangen: hoe durft Vivien thuis te komen en mijn veilige, heerlijke herinneringen te stelen? Drie dagen geleden herinnerde ik me m'n leven als een gave, gelukkige gebeurtenis: een zalige kindertijd, een warme, liefhebbende familie, een bloeiende carrière, maar Vivien is mijn hoofd binnen komen banjeren en heeft het bevuild met twijfels en woede en beroering. Het verleden dat ik kende is voor mijn ogen weggesmolten tot iets kronkelends en vloeibaars, zonder structuur, zonder stutten. Ik kan nooit meer aan mijn ouders, mijn kindertijd of mijn leven denken zonder de troep waarmee zij ze heeft bevlekt. Als ik nu denk aan mijn vader die mijn moeders handen tot leven streelt, zie ik alleen maar hoe het water in de teil rood kleurt.

Als ik bij mijn uitkijkpost aan het eind van de overloop kom, word ik opnieuw begroet door de maan. Hij kruipt steels achter een dunne en nevelige wolk vandaan, alsof hij me gebaart hem te volgen. Ik hou van de maan en zijn cycli. En hoewel het lijkt alsof hij naar willekeur wast en afneemt en komt en gaat, hou ik van de manier waarop hij met de zon en de aarde en getijden samenhangt in een constante, vaste relatie. In de werkelijkheid zijn er geen dwalende grenzen, geen diffusie van trouw.

Was Vivien echt naar huis gekomen om mij te kwellen, om me duidelijk te maken dat ik in het verkeerde verleden had geleefd, om mij in het juiste tafereel van het juiste schilderij te duwen? Ik heb altijd haar bestwil voor ogen gehad, vooral wanneer ik dingen voor haar verzweeg. Maar aan mijn bestwil dacht ze niet toen ze me tergde met haar idiote geheim.

De dunne wolk valt uiteen, de rand van de maan wordt

scherper. Wat is er toch veranderd in deze stille, roerloze nacht? Alles voelt anders, niet alleen het verleden. Ik kan de maan – en de wereld – nu helderder zien. Ik kijk met mijn nieuwe ogen omlaag naar mijn geklitte sokken en teenloze pantoffels. Ben ik het echt die hier bij dit raam staat, met die oude pantoffels?

Ik ga weg bij het raam en kom bij de donkere eiken deur waarachter de wenteltrap naar de zolders omhoog draait. Ik weet niet waarom ik de houten pen losmaak die de klink op zijn plaats houdt. Ik moet er een paar keer aan morrelen voordat hij loslaat in mijn hand en de deur naar mij openzwaait. Ik zie hoe het blauwe maanlicht schemerig door het stof op de trap valt en ik loop, ik weet niet waarom, op de tast door de eiken deur langs de buitenwand van de wenteltrap waar de treden het breedst zijn. Rechts van me hangt een dik touw dat als leuning dienstdoet maar dat wil ik niet vertrouwen. De trap is steiler dan ik me herinner dus leun ik naar voren en zet ik mijn handen op de treden voor me, alsof ik tegen een berg op klauter. Maar ik vorder langzaam, trede voor trede, tastend naar spleten en scheuren, en hoewel het maar een klein eindje is naar boven, voelt het alsof er vele minuten verstreken zijn voor ik word opgeslokt door totale duisternis en rechtop kan gaan staan, met de deur naar de zolderkamers – naar de verzamelingen, mijn levenswerk – pal voor me.

Ik weet dat er ergens rechts van mij een schakelaar zit om het licht in de kamer achter de deur aan te doen, en daar tast ik nu naar: naar een plomp, koepelvormig kastje met een vierkante hendel in het midden. Ik vind hem en trek hem omlaag. Achter de deur flikkert het licht tot leven; langs de boven- en onderrand snijden scherpe messen van warmte, vergezeld door gedempte geluiden. Opgeschrikte vleugels.

Maanlicht heeft iets waardoor je je vrij voelt om dromen en fantasieën te koesteren, er is iets in zijn onverbiddelijke koelheid dat zonder kleur toe te voegen een slaperig pad verlicht, en als je erin rondloopt, krijg je soms het gevoel dat je je nog altijd in het rijk van de slaap bevindt, dat je door een ander niveau dan dat van de levenden reist. Maar de warme tint oranje die de deur voor me omlijnt, nodigt me uit om goed wakker te worden, om mij de kleuren en tinten van mijn wereld te laten zien, in plaats van alleen maar zijn contouren. Ik blijf nog even in de bescherming van het duister staan, wetend dat binnen de antwoorden verlicht zijn. Vivien had nooit zulke moeite met het openen van deuren.

Ik zwaai met mijn hand door de dunne lichtbundel die door de spleet aan de zijkant van de deur valt, ik splijt hem met mijn vingers tot aparte stralen, speel ermee. Mijn hardnekkigste gewoonte is te geloven dat de verschillen tussen Vivien en mij slechts oppervlakkig zijn, dat we op een dieper niveau op een of andere manier verbonden zijn, voorgoed samen. Ze had er beter aan gedaan me niets te vertellen, want nu zie ik meer dan ze van me wil. Ik zie mezelf in het verleden, als een kind, als een vrouw, en ik zie hoe mild ik tegen het leven aankeek. Maar ik zie haar ook. Ik zie haar nu anders. Ooit had ik charme en de kinderlijke eenvoud gezien van een jong meisje, dat over onze toekomst samen droomde; ooit dacht ik aan een schoolmeisje dat op een onbegrijpelijke manier van haar zusje hield, als een tweeling, een instinctieve verbondenheid, geworteld in een muur van massief graniet die na een lang leven vol weer en wind en vandalisme nog geen krasje zou vertonen. Maar nu zie ik het graniet voor mijn ogen afbrokkelen, het valt uiteen, zoals een suikerklontje in een kop thee, en er ontsnapt een klein wolkje stoom dat ooit een intense band van onwankelbare liefde was. Kan ons hele zusterschap een schijnvertoning zijn geweest, jaren van ingewikkeld bedrog, van eindeloze liefdesbetuigingen, charme en manipulatie, en dat alles opdat ze op een dag kon pakken wat ze wilde? Om zich ervan te verzekeren dat ze mijn lichaam kon gebruiken om er het enige dat ze zonder mij niet kon krijgen uit te trekken: een kind?

En toen ze dat niet kreeg, liet ze me in de steek op dezelfde manier waarvan ze Clive gisteren nog had beschuldigd dat hij Maud had gedumpt, als een exemplaar dat hij niet meer nodig had.

Ik ontgrendel de deur en duw hem open en word verblind

door zowel wrok als fluorescerend licht. Ik neem het Vivien kwalijk dat ze mijn illusies aan diggelen heeft geslagen, niet alleen die over mijn ouders en mijn leven maar die over háár, dat ze me laat twijfelen aan haar, haar liefde, haar trouw, aan alles wat ze me ooit heeft verteld. Als ik door de kamer loop, word ik overvallen door verval, oude herinneringen en de ammoniakgeur van vleermuizenpoep. Vier dwergvleermuizen, die aan de dakspanten hangen, bewegen onrustig. Langs de wanden staan rupsenbakken, precies zoals ze daar altijd al stonden, voornamelijk zelfgemaakte glazen bakken, sommige van tin, een paar enorme glazen ciderpotten en een tiental oude munitiekisten, die volgens Clive altijd de beste rupsenbakken waren. Onder in een aantal ervan heeft zich een laag rotte humus gevormd, die bestaat uit takjes, blaadjes en korstige afgeworpen huidjes.

Je zou denken dat de motten de zaak hadden overgenomen, maar er zijn geen motten. Dit is geen geschikte habitat voor motten. Er leven nu vleermuizen, spinnen en een zwerm horzels, die pal onder de dakbalken een groot, prachtig geconstrueerd nest van papier-maché hebben gebouwd, dat jaar in jaar uit groter werd gemaakt en nooit is verstoord. Ik heb uiteindelijk nog maar één vraag en dat is niet hoe Maud onder aan die trap is terechtgekomen. Het is simpelweg of Vivien ooit van me heeft gehouden zoals ik van haar hield sinds de dag dat de evacués vertrokken en ik zag dat ze bijzonder was. In de achterste hoek is een balk bezweken onder het gewicht van het dak, waardoor je een stukje hemel ziet. Op de vloer eronder liggen een paar stukgevallen dakleien en de isolatiewol klampt zich angstig aan z'n pleister vast en hangt omlaag in een samengeklitte kluit. En als ze nooit van me heeft gehouden, als ze me alleen maar nódig heeft gehad, wat wil ze dan nu van me? Waarom is ze hier?

Ik loop door deze kamer naar de volgende, de kamer waar de poppen uitkomen: een gang met aan beide zijden lange rijen met mousseline bedekte kweekkasten, waarin hier en daar nog stokjes en hoopjes aarde en gedroogd mos liggen. Hier brachten we elke lente de poppen naartoe vanuit de koele doolhof van kelders dat zich uitstrekt onder het huis, waar ze overwinterden op dienbladen of in dozen. We scheidden de verschillende soorten en verdeelden ze over deze kisten, zodat ze zich na het verschijnen meteen konden voortplanten en hun eitjes op het mousseline konden leggen. Elke mottensoort had twijgjes van weer een andere plant nodig, elke verscheen op een ander tijdstip, en elke soort behoefde zijn eigen specifieke omstandigheden.

Boven een aantal bakken hangen nog steeds de zorgvuldig opgestelde verzorgingsinstructies van Clive opgeprikt. Op de eerste staat 'HERMELIJNVLINDER' en daaronder staat een lijstje taken die 'elke dag, zonder uitzondering uitgevoerd moeten worden.'

1. Zorg dat wilgentakjes altijd rechtop en stevig staan
2. Vervang wilgentakjes om de twee dagen
3. Controleer of de pop reageert op aanraking (nog drie dagen te gaan)
4. Temperatuur mag niet boven de 18,9 °C komen
5. Benevel tweemaal daags met plantenspuit
6. Geef bij het uitkomen een watje met 2,5 cc suikerwater

Clive had voor elke soort nauwgezet de instructies getypt en ze in de kamer opgehangen zodat er geen vergissingen en geen excuses konden zijn. Minstens vier keer per dag controleerde een van ons of de strategisch geplaatste thermometers, barometers, elektrische kacheltjes, waterschoteltjes en uv-lampen wel precies de juiste omstandigheden leverden die nodig waren voor het uitkomen. Het was ons lenterooster. Vivien vond het saai en had niet echt aandacht voor het wonder waarvan Clive ons zei dat het weldra zou plaatsvinden. Maar ik nam mijn taken serieus en rende bijvoorbeeld naar Clive om te melden dat ik had ontdekt dat een bak een graad te warm of te koud was, of dat ik tocht bij de achterkant van een andere had gevoeld. Samen legden we de bevindingen vast in zijn Waarnemingendagboek en waren dan benieuwd of het nog effect op het uitkomen van de motten zou hebben.

Clive legde alles vast en dat, zo vertelde hij me vaak, was essentieel om een goede wetenschapper en met name een goede lepidopterist te kunnen zijn.

Als de tijd (en de temperatuur, het licht en de vochtigheid) rijp was, bracht ik uren op de zolder door, wachtend op de vroegste tekenen zodat ik het wonder niet zou missen. Het begint als een vage beweging diep binnen in de pop, als de zwakke sidddering van een schaduw. En dan beginnen de geluiden. Gekraak en geknars, zoals schoenen op dorre bladeren, of het knappen van takjes; onvoorstelbaar hard voor zo'n klein, onvermoeibaar diertje dat zich naar buiten werkt. Als er veel poppen tegelijk uitkwamen, was het lawaai ongelooflijk. Het hield me 's nachts wakker in mijn slaapkamer, een verdieping lager. Binnen een uur is het dekseltje van de pop los en ving ik mijn eerste glimp op van het glimmende, natte kopje van het dier dat wriemelend, duwend en zwoegend door zijn luikje zijn weg naar de wereld vond. Als hij eenmaal vrij is, kruipt hij omhoog over zijn takje dat ik voor hem had neergezet, met twee natte knoppen op zijn rug gezadeld. Bovenaan stopt hij en openen en ontvouwen de knoppen zich, zoals bloemblaadjes, en ze spreiden zich uit tot grote, platte vellen. Het pas ontwaakte wezen laat ze drogen tot ze uiteindelijk in tere vleugels van licht perkament zijn veranderd. Er is een mot geboren.

Ik schreef alles op, gewoon om een goede wetenschapper te zijn.

Ik loop door deze kamer en daarna door de bibliotheek, waar stoffige naslagwerken perfect op alfabetische volgorde staan, en ten slotte naar het 'laboratorium', een kleine, stoffige ruimte waar de achterste muur schuin afloopt naar een laag, rond raam op het noorden. Het is een museum van de tijd. Rond de hele ruimte loopt ter hoogte van je middel een formica werkbank en daarop staan naast elkaar twee relaxatiebladen met een korst van gedroogde chemicaliën. Daarnaast ligt een vies ontledingsblad met een scalpel erop, alsof Clive en ik nog aan het lunchen zijn. Tegen de muur achter de bank staat een lang, door Clive gemaakt rek waarin kleine, tere gereedschappen liggen. Elk werktuig past in een gaatje dat precies zo klein is dat het wat grotere handvat er niet doorheen kan vallen. Voor het ronde raam staat Clives zelfgemaakte versie van een zuurkast. Het is gewoon een glazen kist, waarvan de achterkant deels wordt gevormd door het raam. Clive gebruikte er zijn meest giftige chemicaliën in en daarna zette hij het raam aan de achterkant open om de damp eruit te laten en de kist te luchten.

Langs de muur rechts van mij staan honderden bruine en groene flesjes met glazen stoppen op planken die tot het plafond lopen; allemaal hebben ze netjes voorop een etiket. Als ik mijn blik erover laat gaan, begin ik in mijn nieuwe persoon een diepe onrust te voelen groeien. Sommige flesjes hebben korte chemische namen: looizuur, jodium, ether, borax. Andere hebben alleen maar hun wetenschappelijke formule: KCl, PSO_2, NO_2, en de rest heeft namen die de hele voorkant van het flesje vullen: salicylas antipyrine salipyrine; chloret. hydrargyros merc. dulc. kalomel; hydrochl. efedrine; chlorali hydras; salicyl. Nitric. C. themobrom-natrio loco diureticum.

Achter de chemicaliën is het zuurkastraam waardoor je helemaal tot aan het dorp kunt kijken. Het kan me niet schelen of Vivien Clive haatte en, nogmaals, het kan me eigenlijk ook niet schelen hoe Maud onder aan de keldertrap is beland. Het is niet het wreedste dat ik kan bedenken. Het wreedste dat ik kan bedenken is Vivien. Vivien, die langs het graf van haar eigen zoon loopt en het niet eens opmerkt, in niets laat blijken dat ze weet dat z'n eenzame botjes daar liggen. Vivien, die hem niet exprés voorbijloopt, hem niet opzéttelijk meed maar compleet vergeten leek te zijn dat hij ooit had bestaan. Dat maakte het erger. Ik zie nog voor me hoe haar hiel achteloos de vuursteen op de hoek, die Arthur daar had geplaatst, schampte en hem net onder de aarde drukte, als een kleine helpende hand bij de onvermijdelijke erosie van het graf. Arthur had over zijn zoon alles geweten wat er te weten viel. Ik wist twee dingen over hem: hij was paars en hij was wijs. Vivien wist niks. Diep vanbinnen voelde ik dat daar iets verkeerd aan was, dat Arthur het hier al die jaren geleden over had gehad. Hierom had hij niet geprobeerd nog een kind voor haar te maken, hierdoor had hij iemand in haar gezien die hij niet aardig vond.

Arthur had over de jongen en de geboorte willen praten en de herinnering aan hem levend willen houden, en Vivien wilde er niet over nadenken en zo snel mogelijk nog een baby proberen te maken. Arthur zou het haar nooit meer laten proberen, zei hij, omdat ze niet eens naar deze had gekeken.

'Je kunt je kinderen niet kiezen. Je kunt niet de beste nemen, de baby's die overleven, de baby's die geboren worden met de juiste kleur,' hoorde ik hem een paar dagen later tegen haar uitvaren. 'Als je hebt besloten een kind te nemen, moet je hem aannemen, wat er ook gebeurt. Je moet hem van jou maken.'

Destijds luisterde ik naar Arthurs tirade en knikte, zonder veel te zeggen. Ik begreep toen niet waarom hij zo boos was op Vivien en ook niet waarom hij zo teleurgesteld was over haar reactie. Maar hij dacht dat ik dat wel begreep omdat ik naar hem luisterde en hem niet tegensprak.

Vier dagen na de geboorte zaten Arthur en ik in The Angel in Hindon. Hij bracht me thuis vanuit het ziekenhuis, dat me nog had laten blijven om te herstellen, en we waren gestopt om te lunchen. We zaten aan een klein rond tafeltje bij een open haard, met oude koperen ketels en tangen boven ons hoofd, en wachtten tot iemand onze bestelling kwam opnemen. We hadden bijna de hele reis gezwegen. Toen leunde Arthur naar me toe en legde zijn hand op mijn knie. 'Ginny,' zei hij, 'ik vind het zo erg.'

Erg? Erg dat de bediening zo traag was? Erg dat Vivien overstuur naar Londen was teruggegaan en nog niet boven water was gekomen? Erg dat ook hij me weldra achter zou moeten laten en naar Londen zou terugkeren? Ik kon zo veel erge dingen bedenken.

Ten slotte verhelderde hij het: 'Ik vind het zo erg dat onze baby is gestorven.'

Ónze baby? Ik had mezelf ruim een jaar lopen inprenten dat hij níét mijn baby was. Ik was getraind om te zeggen: 'Het is niet mijn baby. Ik zal niet zijn moeder zijn', en eerlijk gezegd had ik ook totaal niet het gevoel dat hij van mij was. Geen moment. Er was geen moederinstinct in opstand gekomen tegen het feit dat ik hem afstond. Ik had geen band met hem gevoeld en ik had geweten dat hij niet van mij was. Ik dacht niet eens over de biologie. In mijn ogen was ik drager – en dat was alles – en nu wilde Arthur van mij dat ik de moeder van het jongetje zou zijn. Vivien had hem dus verstoten en hij wilde hem nu aan mij teruggeven. Ik had niet gevraagd om een kind en ik had niet gevraagd om Viviens verdriet toen ze een dood kind kreeg. Als het bleef leven was het voor haar, als het doodging moest ik erom rouwen.

Ik probeerde dus, omwille van Arthur, de moeder van de baby te zijn, maar het voelde niet zo. Tijdens die lunch in The Angel noemden we hem Samuel en Arthur liet voor veel geld zijn grafsteen ontwerpen en we keken beiden hoe hij werd begraven naast het nog niet zolang geleden gedolven graf van zijn grootmoeder.

Destijds begreep ik niet waarom Arthur nu zo vreselijk graag een moeder voor zijn dode zoon wilde, maar dat was gisteren allemaal veranderd toen ik zijn moeder zomaar over hem heen zag stappen. Het was een heel vreemde sensatie: vanaf dat moment was hij niet langer van haar, maar van mij, alsof mijn latente moedergevoelens de weg uit hun apathie was gewezen; alsof ze vervuld van wraak tot leven waren gepord. Hoe durfde ze de zoon te dumpen die ik haar had toevertrouwd? Als Samuel groot was geworden en het minder goed had gedaan dan zij had gewild, als hij traag of achterlijk zou zijn geweest, zou ze hem dan naar mij hebben teruggegooid?

Eindelijk begrijp ik Arthur en zijn woede. Ik begrijp dat de woorden op de grafsteen – *niet minder geliefd* – echt betekenis hebben, en voor de rest gelden ze niet alleen voor Arthur maar ook voor mij: het is een smachtende, hartverscheurende liefde die ik nooit eerder heb gekend, een er-ontbreekt-een-deel-van-mij liefde.

Ik staar uit het raam van het lab naar de zilveren duisternis en opeens vóél ik hem daar, hoewel hij er al die tijd is geweest. Ik denk aan de vuurstenen en het kleine hoopje aarde en ik wil teruggaan en als een wilde vrouw wanhopig in de grond gaan krabben, hem opgraven en hem vasthouden, gewoon zijn eenzame botten vasthouden, hem van mij maken, hem bezitten, zijn moeder zijn, allemaal omdat zijn eigen moeder te egoïstisch was om hem te hebben.

Ik zou Arthur nu dolgraag over mijn veranderde gevoelens vertellen. Ik zou nu, bijna een halve eeuw te laat, alle gesprekken over Samuel willen voeren waar hij destijds naar verlangde. Maar Arthur zal nu natuurlijk het einde naderen van talloze tijdperken in zijn eigen leven. De korte liaison met Vivien en mij, de geboorte van Samuel, zullen nu slechts een klein vlekje op het landschap van zijn verleden zijn en nauwelijks nog invloed hebben, terwijl ik nu zie dat datzelfde vlekje – dat voor Vivien en mij van dichtbij een eeuwig verdiepende put is – altijd het brandpunt van ons leven is gebleven en al die jaren moeten we alleen maar gedaan hebben alsof we de horizon tegemoet liepen.

Nadat we Samuel hadden begraven, zag ik Arthur nog één keer. Het was vijf jaar later, op precies dezelfde plek, toen hij onverwacht kwam opdagen bij Clives begrafenis. Hij zei dat hij was gekomen om te zien hoe het met me ging. Hij was niet veranderd, behalve dan dat hij inmiddels was hertrouwd.

Nog geen handjevol mensen – Arthur, twee nonnen uit het Anchorage en ik – keken toe hoe Clives kist op het extra kerkhof van de Sint-Bartholomeus werd neergelaten in het graf naast dat van Maud en dat van Samuel. De nonnen zeiden dat Clive geleidelijk naar de dood was gegleden zoals hij geleidelijk in waanzin was verzonken.

De flessen op de planken in ons laboratorium zouden voor jou niet in een bepaalde volgorde lijken te staan. Ze staan beslist niet op alfabet, maar geloof me, ze hebben wel degelijk een rangschikking, een volgorde van gebruik, waarbij de meest gebruikte het dichtst bij de hand staan, ongeveer zoals de QWER-

TY-rangschikking van toetsen op een typemachine. De flessen die het meest worden gebruikt bij hetzelfde type voorbereiding staan bij elkaar en de flessen die een vergelijkbare functie hebben – bijvoorbeeld het herstellen van kleur op de vleugel of het ontspannen van een exemplaar in rigor mortis – zijn ook bij elkaar gezet. Ik speur de wand af om de namen in me op te nemen die ik het gemakkelijkst herken: kamferspiritus, boorzuur, ethylbromide, carbolzuur. Ik spreek de namen graag uit. Ik wil je best bekennen dat ik trots ben dat ik weet wat ze zijn en wat ze kunnen doen. Ik ben blij dat ik een expert ben en dat ik beschik over al die kennis, die zoveel gewone mensen missen. Mijn ogen dwalen naar de flesjes die een paar planken hoger staan; ze zijn helemaal alleen daar in de hoogte neergezet, ver links van de andere. Het is de gifplank, met de vloeistoffen om te verdoven en te doden. Op elke fles staan een grote witte doodskop en twee gekruiste botten en op sommige ook nog een rode driehoek, en de vette rode woorden VOORZICHTIG GIF, voor het geval de symbolen nog niet duidelijk genoeg hadden aangegeven hoe krachtig de vloeistof die erin zit, is: Sol. ammonia spiritus anis, kaliumbromide, nux vomic-tinctuur, Sol. peroxide hydrogenii, ether 1,5/5 g opl.

Ik kijk hoe mijn vingers over de etiketten van de dodelijke vloeistoffen lopen en een schone lijn over hun namen trekken, een groeiend balletje stof voor zich uit duwend. Het vreemdste van alles is dat ik me voor het eerst in mijn leven meer mijn ware zelf voel dan ooit tevoren.

Als je een succesvolle mottenjager wilde zijn, zei Clive altijd, dan moest je niet één specialist maar heel veel specialisten zijn: een bioloog, een botanist, een chemicus, een ecoloog, een meteoroloog en een expeditielid, en je moest goed onderlegd zijn in Latijn.

Motten kunnen heel pietluttig zijn. Ze zijn niet alleen kieskeurig wat betreft de planten waarvan ze eten maar ook wat betreft de habitat waarin die planten staan. Als je op motten jaagt, moet je dus eerst de juiste plant in de juiste habitat opsporen en daarvoor heb je een gedegen kennis van de minder bekoorlijke hoeken van het platteland nodig, bijvoorbeeld waar in een laag, droog en beschut valleitje kruiskruid groeit. De gemarmerde oogspanner, die slechts twee keer is aangetroffen in Dorset, leeft alleen op waterwilgen in laag, moerassig land, dus moet je de drassigste delen van Abbotsbury Heath kennen, waar volop wilgenstruikgewas groeit, of de verwaarloosde akkers in de natste gebieden van de Blackmore Vale. Als een stel boeren in de Vale zou besluiten hun overwoekerde akkers op te knappen, zou een van die oogspannerhabitats voorgoed worden weggevaagd.

Als je eenmaal hebt ontdekt waar je de mot kunt vinden, moet je hem zo goed leren kennen dat je zijn eigen gewoonten kunt benutten om hem te vangen. Moet je stroop, een lichtval of een geurend lokaas gebruiken? Voor elke soort moet de methode worden aangepast: de tijden waarop ze vermoedelijk in de lucht zijn, het recept voor de zoetigheid, het soort lichtval en zelfs de sterkte van het peertje dat je erin gebruikt.

Als de mot eenmaal is gevangen, moet je ten slotte beslissen hoe je hem gaat doden en daarvoor moet je een scheikundige zijn.

Je zult merken dat motten zich aan het leven vastklampen. Je kunt in hun lichaampjes knijpen, hen met spelden prikken en zelfs hun kop eraf trekken, en dan leven ze nóg. Doop een speld in salpeterzuur, blauwzuur of oxaalzuur (allemaal dodelijk), prik die in hen en nóg zijn ze niet dood tenzij je heel precies met de concentratie bent.

Elk gif heeft zijn nadelen – de rigor mortis bij cyaankali, de verkleuring bij ammoniak, het verstijven van de vleugels bij tetrachloride – dus moet elk geval apart worden beoordeeld.

Tetrachloride is een schoon, snel gif, maar zoals ik al zei, het kan de vleugels stijf maken, dus kun je soms beter tetrafluoride nemen, maar dat geeft meer troep en verandert nogal eens de kleuren tenzij je die eerst kunt conserveren. Chloroform is een handig gif en vooral gemakkelijk om mee het veld in te nemen, maar gebruik je te weinig, dan verdooft het alleen maar en gebruik je te veel, dan verstijft het lichaam. Oxaalzuur en cyaankali zijn allebei dodelijk en een verstandige keuze als het om grotere motten gaat. Je kunt ze direct in de buik prikken of op vloeipapier in de fles laten vallen, maar ook hier geldt dat de lichaampjes stijf worden. Rigor mortis is altijd het kruis van de preparateur geweest, aangezien het exemplaar dan dagenlang met stomen en verslappers moet worden ontspannen. Vaak werkt een cocktail nog het beste, vind ik: voor een goede, strakke dood bedwelm ik ze eerst met chloroform en steek ze vervolgens dood met tabaksolie of oxaalzuur. Voor een massavernietiging is ammoniak zonder twijfel het meest geschikt, maar het verkleurt het groen, net zoals cyaankali. Ether, chloroform en mierenzuur doden of verdoven uitstekend in het veld, en gekneusde laurierblaadjes, die het dodelijke blauwzuur produceren, maken de lichaampjes niet zo stijf, hoewel je in het geval van meeldauw de blaadjes niet mag verzamelen in vochtig of nevelig weer. In dat geval kun je ook blauwzuur maken door een paar druppels cyaankali aan wijnsteenzuur toe te voegen, met een geschikte katalysator.

Als je eenmaal hebt besloten met welk gif je gaat doden, moet je de juiste concentratie uitdokteren. Ik weet bijvoorbeeld dat als je vijf milligram ethylacetaat in een stolp met één mot doet, het drie seconden duurt om hem te bedwelmen. Ik weet dat hij bij zeven milligram verdoofd raakt en dat tien milligram genoeg is om hem te doden, vooropgesteld dat de mot niet meer dan 3,5 gram weegt. Ik weet ook dat je voor vijftig motten vijf keer de concentratie of de hoeveelheid van de dodelijke vloeistof nodig hebt, maar dat je voor zevenduizend motten slechts tweehonderd keer de concentratie nodig hebt. Ik weet dat kaliumchloride onmogelijk een grote mot kan doden en dat kaliumsulfide altijd alleen maar sterk genoeg is om hem te verdoven. Ik weet dat cyaankali alles doodt. Maar wat ik niet weet, is de precieze hoeveelheid die ik nodig heb om Vivien te doden.

Maandag

20 – Over maandag

7.07 uur (volgens mijn digitale wekker)

Ik moet je iets vertellen. Toen ik daarnet wakker werd, had ik een heel verontrustend gevoel. Het was een gevoel van acute alertheid. Meestal blijft mijn geest bij het wakker worden wazig achter bij mijn hersens, alsof er een oude, trage machine wordt aangezwengeld die een paar tellen nodig heeft om op stoom te komen. Maar deze ochtend weet ik dat er iets aan de hand is omdat mijn geest tegelijk met mijn ogen openging, gretig als die van een jong mens en zo direct als een peertje nadat je de schakelaar aan hebt geknipt. Het is alsof mijn lichaam iets heeft gevoeld voordat mijn hersens het konden duiden.

En dan ineens, in een flits van begrip, dringt het tot me door.

Mijn kleine zusje, Vivien, is dood.

Ze ligt dood, hier in huis, vijftien meter verderop in haar kamer in de oostvleugel, over de overloop links door de klapdeuren met de glazen ruitjes. Ik voel vanuit de kern van mijn maag een misselijkmakende stroom angst opwellen, die door mijn hele tere lichaam dreiging verspreidt. Die het tintelend verkilt. Die al mijn gebruikelijke ochtendpijntjes smoort.

Even goed nadenken. Ik hoorde haar vannacht om vijf voor één, toen ze opstond om haar gebruikelijke kopje thee te zetten, maar anders dan alle andere nachten dat ze hier was, heb ik haar niet om vijf uur naar de wc horen gaan en ik heb haar vanmorgen niet naar beneden horen lopen om thee te halen, hoewel het nu al ruim na zevenen is. Al die andere ochtenden was ze de regelmaat zelve en liep ze om klokslag zeven uur naar de keuken.

Ik lig nog steeds in bed, met de lakens opgetrokken tot mijn kin en met mijn handen strak tegen mijn zij. Ik heb me sinds ik wakker ben nog niet verroerd. Ik durf niet, uit angst dat dat de tere balans tussen leven en dood, die het huis vanochtend bedreigde, kan verstoren. Als ik mijn ogen helemaal naar rechts draai, kan ik net mijn wekker zien. Ik voel me veiliger als ik weet dat hij er is en de tijd voor me in de gaten houdt.

Ik moest je maar vertellen dat er, naast het feit dat ik haar vanochtend niet heb gehoord, een veel belangrijkere reden is waarom ik weet dat ze dood is. Had ik je verteld dat ik gisterenavond, toen ik boven het gif in het laboratorium vond, een blikje cyaankalipoeder van de allerbovenste plank heb gepakt? Ik verborg het in de linkermouw van mijn peignoir (en propte de manchet om de bodem zodat het er niet uit zou vallen) en nam het mee omlaag naar de keuken. Ik deed een halve theelepel in haar melk in de koelkast en verborg het blikje daarna achter de flessen in de drankkast in de bibliotheek. En je weet dat ze graag veel melk in haar thee doet.

Maar het probleem is natuurlijk dat ik er niet *absoluut honderd procent zeker* van kan zijn dat ze dood is tenzij ik bij haar ga kijken. Stel dat ze niet dood is? Stel dat ze maar hálf dood is? (Je weet nooit zeker of je de juiste concentratie per kilo lichaamsgewicht hebt.) Ze mag niet halfdood worden gevonden: ze zullen in haar gaan prikken en porren tot ze ontdekken dat ze is vergiftigd. Ik snap niet waarom dat niet eerder bij me is opgekomen; dat ik zou moeten gaan kijken of ze dood was. Maar dat kan ik onmogelijk doen. Het ligt niet binnen mijn grens. Ik ben in geen 47 jaar in dat gedeelte van het huis geweest. Ik zou me niet veilig voelen.

Het blijft me dwarszitten. Het is niets voor mij – met mijn alom bekende analytische en wetenschappelijke geest – om niet voor ik iets ga ondernemen alle mogelijke gebeurtenissen door te nemen. Ik wist dat ze dood zou gaan maar het verbaast me dat ik niet heb overdacht wat er daarna zou gebeuren. Het is niet dat ik bang ben om haar dood te zien (niet meer dan een ander dat zou zijn). Geloof me, daar ben ik veel te nuchter voor. Ik ben bang om het af te handelen. Ik weet niet wat ik nu moet doen, terwijl ik er juist zo goed voor wist te zorgen dat ze echt dood was. Ik kan niet de ambulance bellen – de telefoon is al jaren afgesloten – dus ik zal iemand moeten gaan halen, en ik heb geen idee waar ik moet beginnen. Daarna moet ik de tijd zien te vinden om haar kamer en al haar rommel op te ruimen en ik weet dan niet wat ik ermee moet doen. Ik zal een begrafenis moeten organiseren en dingen moeten beslissen, zoals wat voor kleren ze aan moet en van welk hout haar kist moet zijn, in welk stukje grond ze moet worden gestopt en wat er op haar zerk moet worden gegraveerd. Ik zal moeten uitvissen wie haar vrienden waren en hen in de meubelloze salon moeten uitnodigen voor sherry en canapés om alle verhalen te horen die zijzelf me om welke reden dan ook nooit wilde vertellen.

Het huis is opeens onverdraaglijk groot. Ik voel me alsof ik een deel van een reusachtig continent ben, maar dat er om me heen brokken van afbreken die in alle richtingen wegdrijven, en het enige wat er van me overblijft is een klein eiland, dat bewegingloos in het midden dobbert terwijl de andere stukken land steeds verder weg drijven, zoals de ijsbergen van een gletsjer in de zomer. Ik wil opeens dat zij het was en niet ik die gekweld werd door deze stilte. Ik zou hier graag blijven liggen en ook doodgaan, als door volslagen toeval, zodat iemand anders het probleem van het opruimen van ons allebei zal moeten oplossen. Maar ik weet dat ik niet op het punt sta dood te gaan. De gebeurtenissen van de afgelopen paar dagen hadden juist het tegengestelde effect. Ik voel een nieuwe levenskracht door mijn lichaam stromen, die de jaren van lethargie en logheid, waarmee ik heb leren leven, verdringt en die me uit mijn sluimer wekt en mij de wereld duidelijker toont.

Ik moet opstaan. Ik moet me concentreren, mijn opties op een methodische wijze doornemen, een strategie opstellen die mij uit deze penarie helpt en die tot een logisch besluit brengen. Ik gooi met m'n ellebogen de dekens van mij af, schuif behoedzaam mijn benen over de zijkant van het bed en ga rechtop zitten op de rand. Het is de eerste warme lentedag. Het vroege licht, dat nog maar net door het raam valt, is helder en hoopvol. Het danst over de kale vloerplanken en aast zelfs op mijn voeten, van hot naar her geslingerd door de beweging van de wingerd buiten. Ik voel door mijn bedsokken hoe een plotselinge stroom ijskoud bloed mijn gezwollen voeten vult en de pijn voedt, die overstroomt. Ik merk dat hij, als ik me heel hard concentreer, weggaat of verandert in iets wat minder op pijn lijkt en meer op hitte of druk. Ik laat mijn voeten op de vloer zakken. Er gaat een pijnscheut doorheen; kleine naaldjes vliegen erover omhoog naar mijn onderbeen. Mijn voeten en enkels zijn hard alsof ze vandaag samen uit een enkel blok hout zijn gehakt.

Ik richt mijn aandacht er nu op om naar de badkamer te gaan en schuifel in de enige richting die mijn lichaam me toestaat tot ik halverwege ben en leunend tegen de rug van de leunstoel bij de badkamerdeur uitrust en mezelf ermee ondersteun alsof hij een looprek is. Niemand kan me ervan betichten dat ik het niet heb geprobeerd. Ik heb geprobeerd onze vriendschap nieuw leven in te blazen. Ik heb geprobeerd van haar te houden, haar aardig te vinden, haar fouten net zoals vroeger vanzelfsprekend vertederend en grappig te vinden, om ze als Vivienismes te zien, zoals Maud altijd zei, als een uitdrukking van haar ongeremde, op plezier gespitste houding, haar teug frisse lucht.

Na een minuutje rust verzamel ik mijn krachten om mijn reis naar de badkamer voort te zetten en concentreer ik me op de pijn van elke trage stap. Mijn beide handen zijn tot koude vuisten dichtgeschroefd en ik weet dat het me een paar minuten zal kosten om ze open te krijgen. Als ik eenmaal bij de wastafel ben, leun ik met mijn ellebogen op de rand om mijn voeten wat te ontlasten nu hun marathon voorbij is. Ik kijk naar mijn handen – heksenhanden, met gekromde vingers en rode knokkels – en probeer ze een voor een recht te krijgen; ik wrijf ze tussen mijn benen om de doorbloeding op gang te

krijgen. Volgens mij zou het minder pijnlijk zijn om die gewrichten voorgoed af te schaffen, om ze te laten afhakken en
de stompjes in zacht verband te wikkelen. Het vereist deze ochtend enorm veel wilskracht om de warme kraan open te draai-
en. Als het water eindelijk loopt, wacht ik tot er stoom vanaf
komt en steek ik mijn beide handen eronder, om te weken. Ik
voel nu al hoe de knokkels losser beginnen te worden.

Ik voel me niet anders. Ik voel me geen moordenaar. Ik heb
het immers alleen maar in haar melk gedaan. Ik heb het niet
door haar keel gegoten. Daarna had ik er geen invloed meer op.
Het is bijna alsof ik het deed om iets van me af te zetten, alsof
je in een nachtelijke woede een vernietigende brief schrijft, alleen maar om hem in de mildheid van de morgen te verbran-
den. Ik was niet om die reden naar de zolder gegaan. De maan
had me erheen gevoerd. Ik was niet van plan geweest de cyaankali te pakken of hem weggestopt in mijn mouw mee naar
beneden te nemen. Het leek zo natuurlijk, alsof het zo móést
gaan, alsof het een uit het ander volgde op een voorbestemde
manier, alsof ik op een of andere manier buiten mijzelf om
handelde, als de marionet van een onbekende kracht.

Nadat ik het in haar melk had gedaan, dacht ik dat het wel of
niet voorbestemd was om te gebeuren en als het niet de bedoeling was, zou ze de melk niet drinken of hem omgooien in de
koelkast. Ik geloof niet dat ik ooit echt geloofde dat ze hem zou
opdrinken of dat ze, als ze dat toch deed, eraan zou sterven. Ik
ben geen echte, meedogenloze moordenaar. Het is niet alsof ik
een geweer heb gepakt en haar een kogel tussen de ogen heb
geschoten of haar met een loden gewicht op haar hoofd heb
geslagen.

Ik droog mijn handen af en doe de wollen wanten aan die
ik zoals altijd gisteravond over de warmteaccumulator heb gehangen opdat ze warm zouden zijn. Ik trek mijn bedsokken
uit. Mijn tenen zijn, net zoals mijn handen, heel eigenaardig.
Ze misvormen manisch naar het midden toe en drommen samen als de hoef van een eentenige geit. Ik pak één voor één
de kleine rolletjes toiletpapier op die keurig opgerold speci-

aal voor ochtenden als deze op een stapeltje zijn neergelegd en wurm ze tussen mijn tenen om die uiteen te duwen, een truc die ik heb ontwikkeld om de constante, pijnlijke druk te verlichten. Misschien zou wat cannabisthee de pijn verlichten, denk ik, en als ik weer in de slaapkamer kom, zet ik de waterkoker aan. Daarna besluit ik, heel ongebruikelijk, van mijn anders zo strikte routine af te stappen en nog even in bed te gaan liggen. Ik vind deze afwijking enorm spannend, als een stout schoolmeisje. Dan kan ik een beetje wiebelen met mijn handen en voeten, wachten tot ze wakker worden en luisteren of ik tekenen van leven in de rest van het huis hoor.

Op het moment dat ik in bed stap valt het me op dat mijn horloge, het digitale om mijn linkerpols, elf minuten achterloopt op mijn wekker (het is mijn gewoonte om ze met elkaar te vergelijken als ik in bed stap en de tijd die ze aangeven wijkt zelden af). Ik kijk op mijn andere polshorloge, het reserve-exemplaar, en zie tot mijn grote ontsteltenis dat hij na middernacht stil is blijven staan, om half drie. Ik voel me geheel gedesoriënteerd. Ik vind het buitengewoon verwarrend als ik niet stante pede een precieze tijdsaanduiding kan krijgen, vooral als ik 's ochtends wakker word. Ik moet weten hoe laat het is om mijn dagelijkse routine te kunnen beginnen en anders ben ik de hele dag van slag. (Hoewel ik geen bijgelovig type ben, moet ik toegeven dat ik niet geheel ongevoelig ben voor het toeval dat een horloge dat nog nooit is blijven stilstaan, pardoes stopt op deze bijzonder kwellende ochtend. Een ander, minder pragmatisch, minder wetenschappelijk mens zou zich volgens mij wezenloos schrikken.)

Ik zet de feiten op een rijtje: ik stel meer vertrouwen in mijn digitale klokken dan in al mijn wijzerklokken. Mijn wekker is mijn favoriete uurwerk, gevolg door mijn digitale horloge. Maar mijn wekker geeft nu 8.08 uur aan en ik heb de staande klok in de hal nog niet het hele uur horen slaan. Als hij gelijk met mijn digitale horloge staat, zal ik geneigd zijn die twee meer te vertrouwen dan mijn favoriete klok.

7.56 uur (volgens mijn digitale polshorloge)

De staande klok in de hal heeft zojuist geslagen maar mijn polshorloge geeft nog altijd een paar minuten voor acht aan, dus ben ik niets wijzer over hoe laat het precies is. Ik blijf hier nog maar wat langer tot ik wat grip krijg op de dag.

9.55 uur (volgens mijn digitale polshorloge)

Ik hoor het begin van de maandagse oefening klokluiden in de kerk, hoewel mijn digitale horloge nog niet op tien staat. Afgezien van Michaels onregelmatige bezoekjes en mijn zeldzame ontmoetingen met vreemden die aan de deur komen en aan wie ik steevast vraag hoe laat het is, is deze maandagse oefening om tien uur zo ongeveer mijn enige wekelijkse tijdsreferentie. Hij is echter niet bijster accuraat. Ik heb gemerkt dat ze niet betrouwbaar zijn. Ze beginnen doorgaans niet op tijd en het kan soms al kwart over tien zijn voor ik hun eerste gebeier hoor. Maar ze beginnen zelden of nooit te vroeg en aangezien mijn polshorloge nog niet op tien uur staat, vermoed ik dat hij de boosdoener is. Ik weet niet wat erger is: proberen te achterhalen hoe laat het is of proberen niet aan Vivien te denken. Heb ik haar echt gedood? Ik weet helemaal niet meer zo zeker of ik het echt heb gedaan. Ik vóél me niet alsof dat iets was wat ik gisternacht heb gedaan.

Ik vrees de rest van deze dag. Ik voel zijn volle gewicht nu op me rusten; hij nagelt me aan het bed en spoort me aan er verder niet aan mee te doen. Ik zou graag hier en nu de tijd bevriezen. Ik zou het prima vinden om alleen te blijven, in eeuwige tijdloosheid, gesteund door de opluchting dat ik nooit zal hoeven deelnemen aan de nabije toekomst.

Ik vraag me macaber af hoe lang het zal duren voor ik haar ga ruiken. Geen ergerlijker gedachte had mijn geest kunnen binnendringen want nu hij er eenmaal is, kom ik er niet meer vanaf en omdat hij er is, kan ik haar al ruiken.

Ik denk dat ik zonet een zacht kreetje hoorde, maar ik weet het niet zeker. Ik ben op, uit bed en trek de ceintuur van mijn peignoir rond mijn middel aan om de plotselinge kou van mijn ruggengraat te weren. Ik schuifel naar mijn deur, die dicht is. Als ik mijn hand op de knop leg, hoor ik het opnieuw. Een zachte, verre kreet. Ik verstijf. Als ik deze deur opendoe, sta ik voor een dilemma. Ik zal de kreten niet kunnen negeren en gedwongen zijn een moeilijke keuze te maken. Zou ik haar moeten helpen, of zou ik haar aan haar lot moeten overlaten en leren leven met de wetenschap dat ik haar had kunnen helpen? Dat zou zijn alsof je iemand twee keer vermoordt. Ik zou het niet kunnen verdragen. Als ik de deur echter niet opendoe en de kieren rond de rand dichtstop, zal ik misschien geen verre, verwarrende geluiden meer horen. Ik kan gaan zitten kijken hoe het pleister afbrokkelt en hoe de wingerd de kamer binnendringt en me concentreren op de pijn in mijn gewrichten. Dan zou ik nooit zeker weten of de kreten die ik gehoord kan hebben echt waren of niet.

Mijn hart bonkt zo hard dat ik er op de plaats waar ik sta zachtjes door ga wiebelen, naar voren en naar achteren, naar voren en naar achteren. Ik draai de knop om en trek de deur een handbreedte open. En dan hoor ik het. Gekrabbel. Onmiskenbaar wanhopig gekrabbel, zoals een hond aan een deur doet. Nu nog een kreet, maar dit keer is het meer zacht gejank. Simon! Hij is in de keuken. Ik voel me meteen opgelucht, opgetogen zelfs. Ik voel me zo blij dat ik bijna moet giechelen, alsof ik in een ongeluk was beland dat op het laatste nippertje niet gebeurde. Maar wat moet ik aan met Simon? Ik was hem vergeten, de hond die er niet lang meer zou zijn. Hij is langer gebleven dan Vivien zelf. Maar zonder haar kan hij natuurlijk niet overleven; hij kan niet eens lopen. De stilste hond ter wereld maakt geluiden die hij nog nooit heeft geproduceerd. Hij zal honger hebben, denk ik. Hij heeft vandaag geen eten gehad. Ik doe mijn deur open en loop stilletjes, om de dode niet te wekken, over de overloop en daarna de trap af; mijn bedsokken voelen zacht op het hout.

Als ik de keukendeur opendoe, kijkt Simon me onderdanig aan, alsof hij weet dat zijn eigenaar er niet meer is en ik zijn enige hoop ben. Mijn oog valt op een klein plasje voor de koelkast, alsof die 's nachts heeft gelekt. Zijn achterste wiebelt in een poging met zijn stompe staartje te kwispelen. Ik wil zijn geluiden niet horen. Ik wil alleen maar dat hij zijn kop houdt. Ik doe de koelkast open en zie slechts cheddar en vergiftigde melk. Ik zet de kaas voor zijn neus op de vloer en herinner me dan de cornflakes in de voorraadkast. Ik schud een bergje vlokken op de kaas en Simon kijkt ernaar. Ik laat hem alleen en doe de deur achter me dicht, loop vervolgens terug naar mijn slaapkamer en sluit mezelf in, opgelucht, alsof ik de hele tijd mijn adem had ingehouden.

Ik weet nu dat er niks zal gebeuren als ik de hele dag in mijn kamer blijf. Ik moet een plan maken. Ik moet iemand anders vinden die haar lijk ontdekt. Ik moet een manier bedenken om iemand naar huis en in haar kamer te krijgen, zodat die alarm kan slaan en de raderen rond 'een sterfgeval' in beweging komen.

21 – Belhamels en een tweede dosis

14.11 uur (volgens mijn digitale polshorloge)

Het afgelopen kwartier heb ik heel stil midden op de overloop gestaan en ik begin nu de gevolgen te voelen van een tocht die zichzelf, evenwijdig aan de plint, van oost naar west sleept, van het kamerhoge boogvenster naar de trap. Daarvoor – in de achtenhalve minuut daarvoor – was ik een langs rechthoekig pad over de overloop aan het lopen. Voor de beide lange kanten volg ik de lengte van dezelfde vloerplank, terwijl de korte kanten van de rechthoek evenwijdig lopen aan de deurdrempels aan beide uiteinden van de overloop. Ik ga tegen de klok in en ik kan zelfs voelen dat dat verkeerd om is, tegen de normale beweging van alle uurwerken en zelfs tegen de tijd zelf in; door die kant op te lopen heb ik het gevoel dat ik tégen het probleem vecht in plaats van dat ik erdoor word meegesleurd en erop blijf zitten.

Ik heb met mezelf samengewerkt, mijn opties doorgenomen, ze onderverdeeld, verzameld en beoordeeld, ik ben ze gaan ordenen, sorteren, tabelleren en selecteren, in een poging de kortste weg door dit doolhof te vinden. Ik heb gemerkt dat ik door te ijsberen beter kan creëren – nieuwe ideeën kan bedenken – en dat roerloos stilstaan nodig is voor het evalueren. Ik heb me suf gezocht naar een manier om iemand het huis in te krijgen die bij Vivien kan gaan kijken. Ik heb zelfs overwogen het onder water te zetten of brand te stichten in de loggia zodat Michael of iemand anders in de zuidelijke personeelshuisjes het zou zien, alles waardoor een ander het probleem Vivien zou aanpakken. Maar ik heb niets kunnen bedenken dat

wat verderop in het verhaal níét een buitengewoon onaangename consequentie met zich zal meebrengen, een die ik niet
zou verdragen: te veel mensen met te veel vragen.

Door dit systematische proces van assimilatie en diskwali-
ficatie heb ik tot mijn ontsteltenis kunnen vaststellen dat er
waarschijnlijk wekenlang niemand naar het huis zal komen en
ik word misschien wel gek van het idee dat ik hier zit te wachten, denkend aan hoe zij verderop in de gang ligt te rotten. Ik
weet dat zelf bij Vivien gaan kijken de enige haalbare optie is,
maar net als ik eindelijk de moed bijeenraap om dat te gaan
doen, hoor ik het dringend gebons van de koperen deurklopper, bons, bons, bons, als een nipt antwoord op mijn smeek-
beden. Het geluid werkt op mijn zenuwen, net zoals vroeger
bij Maud, een rilling gaat over mijn ruggengraat – het is toch
niet nodig om zo hard te bonzen als je al genoeg geluid krijgt
met een ferme greep om de geitenhoorns en wat gerammel van
links naar rechts – maar voor het eerst in mijn leven verwel-
kom ik het met onverwachte vreugde. Ik haast me de trap af.
Misschien weten ze ook hoe laat het precies is.

Mijn enthousiasme valt in duigen als ik de deur opentrek. Er
is niemand. Op de jonge blaadjes van de beukenhaag links van
me danst een schitterende dag en op de plaats waar een destijds decoratieve vijver in struikgewas is opgegaan, klinkt een
gegons van activiteit. Ik voel me verraden door de hoop.

Snel begin ik opnieuw met het creëren en evalueren van
de mogelijkheden rond de deurklopper die het ene moment
bonkt terwijl er het volgende niemand staat. Op dat moment
springt mij een vreemde beweging in de bocht van de oprijlaan in het oog en ik zie een schaduw, en dan nog een, achter
de laburnumheg hollen. Ik word bespied. Kinderen. Ze dagen
elkaar uit om het huis van de Mottenvrouw zo dicht mogelijk
te naderen en een bijzonder dapper kind moet de moed hebben opgebracht om met de klopper te bonzen. De schaduwen
verschuiven en verdwijnen dan achter de coniferen en door het
Tunnelpad naar de beek uit zicht.

Ik beoordeel de dag, gewoon omdat ik dat kan: 20 graden,

oplopend, helder en droog. Ik zuig op mijn middelvinger en houd hem omhoog om het briesje te voelen: oost tot noordoost. De wind lijkt zwak, het lijkt bijna windstil, maar dat vergeten mensen nu altijd: het gaat niet om de wind. Het zijn de luchtstromingen die ertoe doen, en vaak lopen die tegengesteld aan de wind. De opstijgende warmte en de dalende vochtigheid wijzen op thermiek en ik hoor de boomtoppen ruisen, dus op acht meter hoogte staat er een gematigde bries, veel sterker dan op grondniveau. Ja, sterke, droge opwaartse thermische stromen, zou ik zeggen. Er loopt een rilling van opwinding over mijn rug.

Vandaag is een ideale dag om zeldzame immigranten te vangen.

Voor een vruchtbare vangst van immigranten – kwaliteit, geen kwantiteit – moet je wachten op de zuid-zuidoostelijke luchtstromen, die ze met duizenden tegelijk vanuit het Middellandse Zeegebied over het Kanaal blazen, waarbij ze moeiteloos op de thermische geuren van Spanje, Frankrijk en Portugal zweven. Bij dit soort stroming ging ik altijd meteen naar het arme lapje vergeten en overwoekerd land vlak achter het strandcafé bij Branscombe. Het is een onaanzienlijk plekje, dat vaak bezaaid ligt met afval maar dat beschut wordt tegen de wind door de gigantische krijtrotsen die de zee bewaken; een warme oase vol petunia's, slangenkruid en knoopkruid, een welkome eerste pleisterplaats voor vermoeide reizigers uit het zuiden. Ik herinner me een warme zomeravond, op een dag die geuren van Marokkaanse markten aanvoerde, toen Clive en ik meer dan veertienhonderd motten vingen op de vuilstort achter het café. We verdoofden de hele vangst met 20 ml kaliumfosfaat en riepen de hulp van een plaatselijk comité in om ze te tellen en te registreren.

Maar bij de verzameling van vandaag zou het niet om hoeveelheid maar om zeldzaamheid gaan. Het is een ongebruikelijke stroming, een warme oost-noordoostelijke, die vanavond heel wat zeldzame soorten uit zuidelijk Scandinavië en Noord-Europa zal aanvoeren, inclusief het blauwe weeskind en de walstropijlstaart. Ik vraag me af waar de mottenvangers van Dorset en Somerset straks zullen samenkomen, waar ze hun krachten zullen bundelen en waar ze heen zullen gaan. Ik kan bijna het geluid van rinkelende telefoons rond deze kleine, exclusieve groep mensen horen; ze bevestigen hun afspraken, zeggen al het andere af; niets is zo belangrijk dat het niet gemist kan worden op deze moeder aller avonden in het mottenjachtseizoen. Sommigen zullen naar de hooggelegen heiden van Ratnedge Deveril gaan, of naar de nattere lage gebieden: het moeras in het Furzebrookreservaat, de weiden bij Barton's Shoulder, het groepje wilgen bij Templecombe. Het is lang geleden dat ik heb gejaagd. Ik vraag me af of de jagers van nu nog altijd weten dat er langs de oostelijke rand van het landgoed Mawes Fir een voetpad loopt, even boven Oakers Wood, waar een paar laatste iepen die op een of andere manier aan de ziekte zijn ontsnapt, samendrommen in een vredig kreupelbosje. De zeldzame essenspanner wist het altijd te vinden en de volgende dag, als het nieuws over de vangst van de vorige avond door de mottengemeenschap gonsde, bleek Oakers Wood vaak de enige plaats in het hele land te zijn waar de essenspanner was waargenomen.

Op het moment dat ik ophoud met mijmeren en de deur naar die bijzondere dag begin te sluiten, valt mijn oog op iets op de grond. Op de uitgesleten flagstones zie ik een hoopje onlangs verminkte motten, slachtoffers van een niet zo vriendelijke massamoord.

Ik buig me over hen heen. Het is de opbrengst van de jacht van vannacht, nieuwe lente-exemplaren. Ik voel de warme zon door mijn peignoir en ga als een klein meisje op de warme flagstones zitten om mijn buit uit te zoeken. Ik maak kleine hoopjes en orden ze in vaste en niet-vaste bewoners, nieuwkomers, kruisingen, mutanten, veel voorkomende en niet te duiden exemplaren. Er zijn beervlinders bij en weeskinderen, een vos, twee schimmelspanners en drie soorten pijlstaarten – schitterende exemplaren, onlangs uitgekomen en vol leven. Er is niks verrassends bij; misschien vind je de schimmelspanners doorgaans wat verder zuidwaarts, maar ik zou heel graag weten waar en hoe ze gevangen zijn. Ze zullen er heel wat moeite voor hebben moeten doen want ze komen volgens mij van minstens twee verschillende locaties: er is een stel witvlakvlinders, die je nooit zult zien samenleven met de satijnvlinders en de weeskinderen. Maar wat me echt gelukkig maakt is de rups van een hermelijnvlinder die ik opgekruld onder op de stapel vind. De hermelijnvlinder komt hier veel voor, moet je weten, maar hij blijft mijn favoriet. Veel dichter bij communicatie met een rups kun je niet komen. Hij heeft een zachte jas met groene en bruine zigzaggen en als je die streelt, wriemelt en kronkelt hij van genot. Als hij kwaad wordt, sist hij en zwaait hij met de twee haarachtige uitsteeksels op zijn staart en als hij echt ziedend is, spuugt hij naar je.

Het is lang geleden sinds ik de tijd had een verse verzameling te bestuderen. De kinderen die me deze gift hebben gebracht, weten niet half wat een heerlijke afleiding ze mij op deze bijzondere maandagochtend hebben gebracht. Ze zullen misschien hebben gedacht dat ik, omdat ik motten heb gekweekt (misschien zelfs de voorvaders van een paar van deze motten), hun poppen heb verzorgd in mijn kelder en getuige was van hun eerste vlucht op mijn zolder, vol afschuw zou terugdeinzen als ik ze verminkt en wel op mijn stoep vond. Ze vergissen zich natuurlijk, omdat wij natuurkenners streven naar de toename van alle soorten lepidoptera, en niet alleen naar het overleven van individuen. De kinderen zullen ervan staan te kijken hoeveel motten ik heb vergast en opgespannen; hoeveel nog levende rupsen ik heb geplet om hun ingewanden eruit te persen, waarna ik ze opvulde met houtschilfers om ze vorm te geven; of hoeveel vredige cocons ik onder de wortels van populieren, appelbomen en kraakwilgen heb opgegraven en opengesneden. Maar dat diende allemaal een wetenschappelijk doel, om meer begrip te krijgen voor en meer inzicht in een insect waarover weinig bekend was.

15.05 uur (volgens mijn digitale polshorloge)

Ik schuifel over Viviens overloop, aan de andere kant van de klapdeuren, nog altijd in mijn nachthemd en op mijn bedsokken, en ik voel de druk van de onbekende ruimte van alle kanten op me af komen. Ik ben een groot deel van de dag bezig geweest moed te verzamelen om hier te komen, om zelf bij Vivien te gaan kijken.

Ik zie dat haar deur wagenwijd openstaat en ik blijf er op de overloop voor stilstaan. Vanuit deze hoek kan ik haar niet zien maar ik kan wel een strook van haar kamer zien: het voeteneinde van haar bed en de hoek aan de overkant. In de hoek liggen schoenen en pantoffels op elkaar gestapeld. Daarnaast zie ik een mandje en een kleedje die, naar ik aanneem, voor Simon zijn, een grote plastic Maagd met Kind die vastzit aan een elektriciteitsdraad, waardoor ik me afvraag of ze oplicht of gaat preken als je haar in het stopcontact steekt. Ik laat mijn blik omhooggaan naar een plank aan de muur en zie een boekensteun – de zetel van een lelijke groenmarmeren pad – en daarnaast tot mijn grote plezier een versierd tafelklokje. Ik zou dat klokje best graag willen hebben, denk ik. Je kunt nooit genoeg klokken hebben. Vervolgens berisp ik mezelf voor die ongepaste gedachte bij de kamer van een dode vrouw. Het klokje staat in een scheve hoek dus moet ik me dichter naar de deurpost bewegen en een paar seconden naar binnen turen om de tijd te kunnen aflezen. Tien voor vier. Ik vergelijk het met mijn eigen horloge – hij loopt véél te snel. Tss, zeg ik.

'Ginny, kom binnen.'

Een golf van angst. Mijn hart bonkt in zijn kooi en ik verstijf ter plekke, bij de deur. De marmeren pad kijkt me spottend aan. O mijn god, ze is niet dood! Ze heeft haar melk uiteindelijk toch niet opgedronken. Ik ben van top tot teen verstrakt door een angst die ik nooit eerder heb gevoeld. Ik was er diep van overtuigd dat ze dood was. Hoor ik misschien haar geest praten? Ik kan me niet genoeg concentreren om na te denken. Ben ik opgelucht of teleurgesteld? Ik dacht dat ik er niet tegen zou kunnen haar dood te zien maar om haar levend te zien terwijl ik denk dat ze dood is, is nog veel erger.

'Ginny,' zegt ze weer zwakjes, 'ben je daar?'

Ze weet het dus niet zeker. Ik schuifel stilletjes achterwaarts naar de klapdeuren op de overloop, uit het zicht van de pad. Ik ga weg bij haar. Ik wil haar niet onder ogen komen. Ik sluip zachtjes weg en ze zal nooit zeker weten of ik er echt was.

'Ik weet dat je daar staat,' fluistert ze. Ze bluft, natuurlijk...

'Ginny, ik weet dat je vlak voor mijn deur staat. Ginny?' Ik ben betrapt. Ik kan nu niet tevoorschijn komen, anders zou ik toegeven dat ik me de afgelopen minuten voor haar verborgen heb gehouden. Maar ik kan me er ook niet toe zetten om weg te lopen omdat ik nu weet dat zij weet dat ik hier ben. Ik laat mijn hoofd rusten tegen de muur van de overloop, aan de andere kant van haar kamer, verslagen. In de val.

'Je hoeft niet binnen te komen. Blijf daar maar staan luisteren, als je wilt,' gaat ze verder, alsof ze al m'n gedachten en angsten kent. 'Maar luister alsjeblieft. Dit is heel belangrijk.'

Ik ben heel stil. Ik luister heel erg.

'Ginny, ik ben ziek. Ik denk dat ik doodga. Jij moet een dokter voor me gaan halen.'

O, mijn god, ze heeft de melk tóch gedronken – of beter: ze kán de melk hebben gedronken. Maar ze kan net zo goed echt ziek zijn, een kwellend toeval waar niemand ooit iets van af hoeft te weten.

Nee, ik kan geen dokter gaan halen. Iemand mag haar van mij dood aantreffen, maar niet ziek. Dode oude dametjes worden geprezen om hun bijdragen aan het leven, worden ten grave gedragen en samen met hun geheimen voorgoed verzwolgen door de aarde. Maar zíéke oude dametjes worden onderzocht tot het gif dat door hun lichaam sijpelt is opgespoord. En je kunt je wel voorstellen dat ik daardoor diep in de problemen zou komen. Het duizelt me. Ik wil gaan zitten en mijn opties rangschikken. Ik heb er geen vat op zolang ze door mijn hoofd waaien: ik moet ze samenbrengen op een bladzijde en ze methodisch, één voor één, overwegen, maar die luxe heb ik niet. Terwijl ik luister, leunde ik met mijn hoofd tegen de muur van de overloop en nu houd ik op een tiental centimeter van mijn gezicht de palm van mijn rechterhand omhoog, vlak, zodat ik ernaar kan staren. Ik heb gemerkt dat dit me soms helpt om m'n concentratie te vinden, helpt om die naar me toe te trekken in plaats van dat hij wild rondtollend van me weg-vliegt.

'Ginny, ik weet dat dit niet makkelijk voor je is. Dat begrijp ik.' Een paar dagen geleden zou het me goed hebben gedaan dat ze me door en door leek te kennen maar nu vind ik het vre-selijk. 'Maar als je naar Eileen gaat, dan kan zij...' Ik hoor aan haar stem hoe ze worstelt om de energie op te brengen. 'Ginny, voor mij... alsjeblieft,' smeekt ze ten slotte.

Ik kijk naar de wirwar van kruisende lijntjes op de palm van mijn rechterhand en de droge eeltplekken op de kussentjes on-der aan mijn vingers. Als ik de hand begin te sluiten, hem in het midden buig en mijn misvormde vinger krom, zie ik hoe de lijntjes zichzelf dichtvouwen en steeds diepere spleten vor-men, tot mijn hand een vuist is. Dan zie ik de lijntjes die niet uit de vouwen van een vuist zijn gegroeid, zoals de lijntjes die in de lengte over de vingers lopen, die simpelweg uit een gelei-delijke uitdroging van de huid zijn voortgekomen.

Ik wil je iets vertellen, nu we ons hier in deze afschuwelijke situatie voor Viviens kamer bevinden: het lijkt wel of ik mijn hele leven mijn eigen wil heb opgeofferd aan de mensen om me heen. Akkoord, ik heb weinig verzet geboden en ik wilde het ook wel. Maar je zult het met me eens zijn dat ik in de cate-gorie mensen val die liever geven dan krijgen, die zichzelf beter voelen als ze anderen hebben geholpen en er voldoening aan ontlenen als ze weten dat hun eigen lijden direct heeft bijge-dragen aan andermans geluk. Maar ik denk dat zelfs mensen zoals wij moeten kunnen geloven dat onze liefde, al is het maar een of twee keer in ons leven, op prijs gesteld wordt en zelfs wederzijds is.

'Een dokter... Ginny?'

Ik laat mijn vuist vastberaden openspringen, de nieuwe ik

van gisteravond treedt naar voren. De variëteit aan bewegingen in mijn knokkels is nu indrukwekkend. Het is goed om reumatische gewrichten te oefenen en ze los te houden zodat ze niet vast gaan zitten. Ik tuur door de spleet tussen mijn vingers naar Viviens deur.

'Goed,' zeg ik vriendelijk.

Ik verlaat de overloop, loop de trap af en doe de voordeur open. Voor het eerst in mijn leven, zo lijkt het wel, ben ik gedwongen een actieve beslissing te nemen, een keuze te maken. Een keuze die een onherroepelijke invloed op de toekomst zal hebben.

Ik gun mezelf de tijd voor een diepe teug kamperfoelie en sla dan de deur hard dicht, zodat Vivien het boven zal horen. Ik loop de studeerkamer in, doe de drankkast open en haal het zwarte blikje cyaankali, KCN, tevoorschijn van achter een plakkerige fles vermout, waar ik het gisterenavond had verstopt. Ik ben enigszins verrast het daar aan te treffen, een bevestiging te krijgen van mijn acties tijdens die uren in de maneschijn. Ik pak een glas van het plankje erboven en meet er een halve theelepel van het poeder in af, klap het deksel dicht en zet het terug achter de vermout. Dit zullen ze wel bedoelen met 'met voorbedachten rade': de zorgvuldige bepaling van iedere stap, het efficiënte samenbrengen van alle elementen, de rustige beschouwing over hoe de dood kan worden bereikt. Maar ik voel me bevrijd, ontdaan van mijn ketens. Voor het eerst heb ik niet alleen de controle over mijn eigen leven, maar zet ik ook de toekomst naar mijn hand. Nu eens ben ík degene die een gebeurtenis veroorzaakt. Maar tegelijkertijd word ik voortgestuwd door een andere kracht, een overweldigende, die er tot mijn verbazing voor zorgt dat op elke actie een andere volgt alsof ik verlamd ben en vol afschuw op mezelf neerkijk.

Terwijl ik verderga, ben ik gevoelloos en onverschillig. Dat is de wetenschapper in mij; ik weet het. Als wetenschapper leer je al vroeg niet op je gevoel te vertrouwen en om boven ongeschikte instincten en emoties uit te stijgen. Alle berekeningen moeten gestaafd worden door onweerlegbaar bewijs en absoluut geldende conclusies.

Het voelt niet anders om thee te zetten, een dagelijkse praktische handeling. Moord. Ik beleef er geen genoegen aan, maar voel ook geen schaamte of onrust. Maar dit keer kan ik niet doen alsof ik het overlaat aan het toeval. Ik sta geheel in voor wat ik doe. Dit keer is er géén verschil tussen het laden van een geweer en iemand tussen de ogen schieten, of hun schedel inslaan met een loden gewicht, en in plaats van dat ik van mezelf schrik, voel ik me eigenaardig machtig, bevrijd van de krachten die ik tot nu toe mijn leven liet dicteren. Dit keer ben ik het, dit is míjn wil. Ik heb het heft in handen.

Ik heb het heft in handen maar toch heb ik misschien geen keus. Ik kan niets doen aan de manier waarop de gebeurtenissen in mijn leven en van de afgelopen drie dagen mijn aangeboren en gecodeerde eigenschappen hebben bewerkt om mij naar dit onaangename resultaat te voeren. Als je een domino omduwt, begint de beweging, zoals je wel weet, en zolang de overige steentjes in een rij achter elkaar staan met de juiste tussenruimte, kan niets of niemand hen tot stilstand brengen. Het is het gevolg van mijn levenslange ervaringen met het personage dat mij werd gegeven. Als je het zo bekijkt, kun je het niet voorbedacht noemen. Het is even streng bepaald als een wiskundige vergelijking. Het is het resultaat van

mij + Viv die van de klokkentoren valt + pesten op school
+ Mauds drankgedrag + het feit dat er gif in huis is...

Ik voel me net als de rups waarvan we dénken dat hij een keuze maakt als hij eet of zich verpopt maar dat in feite niet doet. Hij wordt bestuurd door moleculaire beïnvloedingsvormen die de basiscomponenten van een mot bewerken. Zo ben ik misschien een moordenaar geworden door omstandigheden die van invloed waren op mijn biologische componenten. Dat betekent natuurlijk dat niets van dit alles mijn schuld is en dat ik het zelf niet in handen heb. Ik wil graag denken dat ik voor één keer controle heb over mijn acties, maar ik wil ook graag weten dat het niet zo is.

Ik draag het glas naar de voordeur. Ik doe hem opnieuw luidruchtig open en dicht, alsof ik net ben teruggekomen. Daarna ga ik naar de keuken en draai de kraan open. De leidingen voor het koude water beginnen hun koor van geknal en gebonk en schudden de rest van het huis wakker. Ik vul het glas tot de helft met water en wals dat voorzichtig rond om het gif op te laten lossen, en ik word herinnerd aan het zwakke aroma dat het vrijgeeft, een bitter vleugje amandel. Ik draag het door de hal, langs Jake, het varken, de trap op, langs het reusachtige glas-in-loodraam, langzaam en stabiel, sla de op twee na laatste trede over, die kraakt, en bereik de overloop.

Ik sta stil als ik word gepasseerd door Viviens doodskist, gedragen door mannen in het zwart, die haar op haar laatste reis de trap af, weg van Bulburrow helpen. Het is een laatste waarschuwing om voorzichtig te zijn, om er zeker van te zijn dat ik op deze manier de toekomst wil veranderen. Maar ik weet nu zeker dat ik geen keus heb: ik ben de marionet van mezelf.

Ik doe een stap opzij om plaats te maken voor de processie en loop verder over de overloop, door de klapdeuren en naar Viviens overloop. Ik concentreer me, denk aan niets anders dan de methode die ik met behulp van mijn handpalm heb ontworpen. Het was zo simpel. Bedankt, Maud. Zij heeft me immers geleerd hoe ik mijn gebrek aan natuurlijke kracht kon compenseren, zij leerde me in mezelf te geloven. Wat zou ze er volgens jou van vinden dat de ene dochter de andere vermoordt? Kijkt ze nu naar me vanuit de hemel en neemt ze, zoals altijd, alle verantwoordelijkheid voor mijn acties op zich?

Als ik de kamer binnenkom, geeft Viviens klokje veertien minuten over vier aan. Haar ogen zijn gesloten, ze weet niet eens dat ik ben binnengekomen. Ik kan nu de rest van de kamer zien, die buiten mijn gezichtsveld lag toen ik op mijn luisterpost op de overloop stond. Het is zo'n aanval van kleuren en zooi dat mijn ogen te lang over alle accessoires dwalen voor ik

naar Vivien kijk. Ze heeft kerstverlichting rond de schilderijenrail gehangen en tegen de muur boven haar bed heeft ze foto's
van zichzelf met mensen die ik niet herken geprikt. In de lijst
van een spiegel zijn nog meer foto's gepropt, en aan de andere kant van haar bed staan op de vloer drie mokken met thee-
aanslag en een vies bord. Daarboven zijn bij wijze van haakjes
vier spijkers in de muur geslagen en daar hangen allerlei kleren
aan. Een klein kaptafeltje staat vol met een chaos aan flesjes –
parfum, gezichtscrèmes en andere zalven – zonder het minste
spoor van orde. Er zijn een paar dingen vanaf gevallen en over
de rand hangt op z'n kant een blikje talk dat wat van zijn inhoud door de gaatjes in zijn deksel op de grond heeft gehoest.
Het tergt me hoe het daar ligt te wankelen en ik word overvallen door een ondraaglijk verlangen het terug op het tafeltje te
duwen. Ik boor al mijn wilskracht aan en negeer zijn hache-
lijke situatie; in plaats daarvan maan ik mezelf me op de zaak
waar het om gaat te concentreren. Ik richt me op Vivien.

Haar ogen knipperen nu open en dicht. Ze probeert ze gericht te houden, maar ze schieten bokkig alle kanten op in hun
kassen. Haar rechterhand ligt met de palm omhoog op de deken, nogal dicht bij mij, en als ze hem opent en sluit en in de
lucht grijpt, besef ik dat ze me zo uitnodigt om hem vast te
houden. Ik heb geen zin in een vingertopverzoening op het
laatste moment, maar ik gehoorzaam haar hand toch maar,
alsof je een mondvol van iets heel vies doorslikt omdat je weet
dat het weldra allemaal voorbij zal zijn.

'De dokter komt er aan,' lieg ik. 'Eileen wacht hem op en zal
hem boven brengen.' Ze knijpt in mijn hand. Ik kijk naar haar
klokje: methode, resultaten, conclusies, methode, resultaten,
conclusies. Tik, tak, tik. De secondewijzer zal zo de top passeren en duwt de grote wijzer naar half vijf op deze klok, tik, tak,
vier, drie, twee, daar gaat ie. Het is half vijf op de middag van 27
april.

'Hij zegt dat je wat water moet drinken. Dat is heel belangrijk, zegt hij. Je zult je dan beter voelen. Kun je overeind komen?'

Viviens ogen zijn nu open, niet helemaal, maar open, en het lukt haar wat omhoog te schuiven in bed zodat haar hoofd iets meer rechtop op haar kussen ligt. Terwijl ze dankbaar en gulzig van het water drinkt, vraag ik me vagelijk af of ik nu, op mijn zeventigste, in staat zou zijn geweest mijn zusje te doden als ik het op mijn dertiende had opgebracht de vliegen in 5B te doden.

Ik zet het glas op de vloer naast het bed. Viviens ogen staren uitdrukkingsloos omhoog. Haar lippen bewegen; ze drinken de lucht als een vis op het droge en ze slaat met haar arm op het bed, één keer. Ik vraag me opeens nieuwsgierig af of ik, als ze sterft, zoiets als een levenskracht zal voelen die haar lichaam verlaat, maar ik voel niets. Haar lichaam begint te stuiptrekken, met heftige schokken, alsof een ander wezen zich door haar huid naar buiten probeert te werken. Ik vind het niet erg om toe te kijken. Ik weet dat ze dit niet voelt. Ze is al dood. Maar nu ik naar het schokken van een vergiftigd lichaam sta te kijken, zal ik je iets vertellen: ik zou liegen als ik niet zou toegeven dat ik het interessant vind, puur wetenschappelijk gezien, natuurlijk.

Ik zal je er meer over vertellen, als je wilt. Cyaankali is in feite een synapsenblokker. Het blokkeert de minuscule stroomstootjes waarmee ons zenuwstelsel werkt, op de synapsen, de schakelplaatsen tussen de zenuwen. Op moleculair niveau is het gif een chemische verbinding die op dezelfde receptoren past als waar de synaptische boodschapperstoffen normaal gesproken terechtkomen, waarmee het hen belemmert hun werk te doen en voorkomt dat er signalen tussen de zenuwen worden doorgegeven. Met andere woorden: het lichaam raakt binnen een paar seconden verlamd, zolang je maar genoeg toedient om de receptoren te blokkeren vóór het lichaam het gif kan metaboliseren en uitscheiden. Het is een race tussen het gifuitscheidend vermogen van de nieren en de kracht van het gif.

Vivien is nu stil en ik streel haar haar omdat ik, en ik weet niet of je dat zult begrijpen, nog altijd van haar hou. Ik hou van haar en haat haar tegelijkertijd. Ik hou zelfs van die dingen van haar die ik haat: haar vitaliteit en haar kleur, haar ontwrichting en wanorde, haar humor en haar wanhoop, haar hoogmoed en haar narcisme, haar alles wat ik niet ben. Nu ze dood is, voel ik hoe de liefde de haat nog één keer overstemt. Afgezien van het gelukkige moment in het portaal toen Vivien die vrijdag thuiskwam, zijn dit de beste minuten die ik met haar heb gedeeld. Ze had weg moeten blijven. Waarom kwam ze in godsnaam thuis, vraag ik me af. Ik weet zo weinig van haar.

Ik hoor een auto naderen op de oprijlaan en als ik uit het raam kijk, zie ik tot mijn verrassing een politieauto.

22 – Agent Bolt en inspecteur Piggott

Er stapt een politieman uit de auto op de oprit terwijl ik naar hem toe loop. Het kostte mijn nieuwe zelf geen moeite de voordeur open te doen, en ik voel me nu ik naar hem toe loop veel minder bedreigd dan ik me gisteren bij andere bezoekers zou hebben gevoeld. De lage zon valt op zijn voorruit, verblindt me. De hemel is waterig blauw en ik ruik kamperfoelie, die op het briesje naar me toe wordt gedragen.

'Vivien Morris?' vraagt hij van verre, en ik denk aan Vivien, wier lichaam haar leven heeft uitgebannen. 'Ik ben agent Bolt, van het bureau Beaminster. Sorry, heb ik u uit bed gebeld?' vraagt hij, terwijl hij naar mijn peignoir en vervolgens naar de slippers met de open tenen aan mijn voeten kijkt.

Agent Bolt lijkt ongeveer negentien jaar. Hij staat bij zijn auto en leunt op het geopende portier, dat een barrière tussen ons in vormt.

'Nee,' zeg ik, maar ik doe mijn uiterste best te achterhalen waardoor en waarom hij hier is, hoe hij in vredesnaam zo snel heeft ontdekt dat ik mijn zusje heb vergiftigd. Heel even stel ik me voor dat hij een speciale gave heeft waarmee hij al het onrecht dat in het land plaatsvindt, kan opsporen.

'Er is niets om u ongerust over te maken,' zegt hij glimlachend, 'dit is een zogenaamd beleefdheidsbezoek.' Mijn gevoel van opluchting maakt plaats voor duizeligheid en ik moet mezelf even steunen. Ik bedenk dat ik vandaag nog niet heb gegeten.

'O ja, er is nog iets,' gaat hij verder. 'We kregen een heel opgewonden telefoontje van ene...' hij haalt een notitieblokje uit zijn borstzak en raadpleegt het 'van ene Eileen Turner, die in

Willow Cottage woont. Ze was in alle staten en zei dat u vanmiddag om vier uur thee bij haar zou komen drinken maar dat het nu al lang vier uur is geweest...'

'Heus?' Ik kijk op mijn digitale polshorloge: 16.12 uur.

'Nou ja, ik bedoel alleen maar dat het al voorbij theetijd is en ze dacht dat er misschien iets aan de hand was omdat u niet kwam opdagen. Ik heb haar gezegd dat u het hoogstwaarschijnlijk vergeten was, maar zij dacht van niet, en ze stond erop dat ik zelf zou gaan kijken en...' hij schudt zijn hoofd op een manier waardoor ik me afvraag hoe vaak hij moet bemiddelen bij theeafspraken tussen bejaarden, 'u weet hoe die oude dametjes soms kunnen zijn. Ze wilde niet zelf naar het huis lopen.' Hij wacht even, misschien wacht hij tot ik iets zeg. 'Ik moest haar beloven dat ik bij u langs zou gaan om te kijken of alles in orde was,' zegt hij verontschuldigend. Ik zeg niets.

'Ik ga op de terugweg naar het bureau wel even bij Eileen langs om het te vertellen, goed? Zal ik haar zeggen dat u wat later komt... of niet?'

Ik knik. 'Was dat een "niet" of geen "niet"?' Hij lacht.

Ik knik nog eens.

'Goed, dan...' Hij kucht en plant een voet in de auto, alsof hij weg wil gaan. Daarna kijkt hij naar het hoog oprijzende huis, naar de torentjes en waterspuwers die de stenen rond de kantelen bij elkaar lijken te houden. 'Prachtig huis,' zegt hij. 'Fascinerend.' Hij wacht even. Ik zie hem rillen.

'Een goede avond dan maar, mevrouw.'

'Hoe laat zei u dat het was?' vraag ik snel, helemaal vergetend dat ik een minuut geleden nog wilde dat hij zo snel mogelijk wegging, even helemaal vergetend dat Vivien boven ligt, dood. Vermoord, om precies te zijn.

'Nou...' hij draait met een snelle beweging zijn pols 'het is even na zevenen.'

'Héús?' Ik kan mijn verbijstering niet verbloemen. 'Op mijn horloge is het twaalf over víér.' Hij lacht alsof ik een grapje heb gemaakt. Het is zo'n schok dat ik niets meer kan zeggen. Ik kan niet goed denken.

'Daar heb je het al,' begint hij, alsof hij een zaak heeft opgelost. 'Dat zal de verwarring verklaren.' Maar ik luister niet. Ik ben ontsteld. De toppen van de linden langs de oprijlaan wuiven... Ik dacht dat ik op z'n hoogst elf minuten buiten was geweest. Geen drie úúr. Ik kijk naar zijn mond. Zijn lippen zijn vochtig en vol en ze vormen woorden met grote, trage ovalen zodat ik het roze tandvlees daarbinnen duidelijk kan zien. Niets voelt echt. Ik voel een vlaag van duizeligheid. De linden zien eruit alsof ze elk moment kunnen ontwortelen en omvallen.

Dat was het.

Twee mannen turen op me neer. De een is agent Bolt, weet ik nog, en de ander, die ik niet herken, schijnt met een felle zaklamp in mijn oog. Ik voel een scherpe, kloppende pijn achter op mijn hoofd. Ik hoor buiten de kamer de stem van een vrouw en een heleboel pratende, rondlopende mensen. Ik besef al snel dat ik op mijn bed in mijn kamer lig en de eerdere gebeurtenissen komen bij me terug. Ik herinner me dat ik op de oprijlaan stond, dat agent Bolt me vertelde hoe laat het was en daarna moet ik zijn flauwgevallen. Ik heb geen idee hoe lang geleden dat kan zijn geweest.

Ik hoor een zachte stem. 'Miss Stone? Kunt u me horen? Ik ben agent Bolt.' Ik kijk hem aan. 'Bent u miss Virginia Stone?' Ik knik. 'Juist, ik wist niet dat u de zús was,' zegt hij.

'Hoe laat is het?' vraag ik.

'Rustig maar,' zegt de andere man. 'Probeer niet te praten.'

'Hoe laat is het?' vraag ik weer.

'Stil maar. Ik ben een dokter en alles komt helemaal goed met u,' zegt hij, terwijl hij iets harder gaat praten omdat hij denkt dat ik een beetje doof ben. Dit is een kwelling.

'Alstublieft, dokter, ik wil alleen maar weten hoe laat het is,' zeg ik nog eens, maar dit keer met een gespannen, verstikte stem die niet bij mijn keel hoort. Ik heb mijn ogen stijf dicht om de frustratie uit te bannen.

'Het is ongeveer acht uur,' zegt de dokter nonchalant, zonder op een of ander uurwerk te kijken. Nu kijk ik agent Bolt wanhopig aan, alsof hij van die twee degene is die het zou kunnen begrijpen.

'Agent, vertel me alstublieft precies hoe laat het is. Ik moet het weten,' smeek ik hem.

Hij bestudeert gepast lang zijn horloge. 'Het is tien over acht.'

Ik had zonder het te beseffen mijn hals aangespannen en nu laat ik mijn hoofd terugvallen op het kussen en ontspan me.

Vijftien minuten later zit ik rechtop in mijn bed. Op het tafeltje naast mijn bed staat een dampende beker (die ik niet herken) thee, waar ik zin in heb, maar die ik niet op durf te drinken omdat ik hem niet zelf heb gezet. Bovendien zit er te veel melk in. Er is nu een andere, oudere politieagent bij me in de kamer; hij staat aan mijn bed. 'Wilt u misschien een kop thee?' vraagt hij, terwijl hij naar de beker gebaart.

'Nee, dank u.'

'Ik ben inspecteur Piggott.'

Inspecteur Piggott loopt zonder een woord te zeggen de badkamer in en vijftig seconden later (ik kijk op mijn wekker terwijl hij weg is) komt hij terug. Hij reikt me een glas water aan.

'Drink op,' beveelt hij. 'Dan zult u zich beter voelen.'

'Wat is het?' Ik kijk in het glas, wat me eraan doet denken dat ik vanmiddag nog hetzelfde tegen Vivien zei. Mijn god! Ik ben Vivien helemaal vergeten!

'Water,' zegt hij.

Allemachtig, weet hij het van Vivien? Heeft hij haar al geroken?

Ik neem een slokje en geef het terug.

'Ik hoop dat u begrijpt wat ik u ga vertellen,' zegt hij luid en duidelijk. 'Luister, het spijt me, maar ik heb heel slecht nieuws.' Hij zet het glas op het tafeltje.

Je kunt je wel voorstellen dat ik de laatste tijd net iets te veel slecht nieuws heb gehad en ik weet niet of ik dit aankan. Ik voel me een beetje zwak en mijn hoofd doet pijn. Deze spanning is ondraaglijk.

'Uw zus, Vivien. Ik vrees dat ze dood is.'

Is dat alles? denk ik, en ik ben heel dankbaar dat het nieuws van inspecteur Piggott allerminst slecht is.

'O jee,' weet ik als antwoord te bedenken, omdat hij naar me kijkt en er een verwacht.

'Het moet in het begin van de middag zijn gebeurd, denken we,' vervolgt hij, luid en langzaam. 'Hebt u haar vandaag gezien?' vraagt hij achteloos.

'Ja,' antwoord ik en dan zeg ik: 'Nee, toch niet, en eerlijk gezegd ben ik helemaal in de war.' Ik probeer hem eerder het juiste dan het ware antwoord te geven.

'Maakt u zich maar geen zorgen, miss Stone. U hebt een lichte klap op uw hoofd gehad en ik denk dat alles over een tijdje duidelijk zal worden. We nemen haar nu mee zodat we de precieze doodsoorzaak kunnen onderzoeken,' voegt hij eraan toe, zittend op de rand van mijn bed, alsof hij zich nestelt om me een lang verhaal voor het slapengaan te vertellen. Ik voel de warmte naar mijn gezicht stromen en ik kan er niets tegen doen. Ik ben niet gewend dat er vreemden op mijn bed zitten. 'Weet u of ze ziek was of medicijnen gebruikte?' vraagt hij.

'Nee, dat weet ik niet.'

Inspecteur Piggott wacht terwijl agent Bolt en de dokter de kamer verlaten. Als ze weg zijn, zucht hij diep en wrijft hij met zijn vingertoppen over zijn voorhoofd alsof hij z'n rimpels weg probeert te wrijven. 'Ik weet dat dit nu nogal veel is om te bevatten, maar ik zal eerlijk zijn. We hebben iets gevonden in het glas naast het bed van uw zus en we denken dat het cyaankali kan zijn. Het heeft een heel aparte geur.'

Mijn mond is opeens bijzonder droog. Ik ken die amandelgeur.

'Cyaankali,' herhaal ik, omdat ik ook nu weer weet dat er een of ander antwoord wordt verlangd.

'Hebt u enig idee waar die cyaankali vandaan kan komen, miss Stone?' Ging hij me niet vragen waarom ik haar had vermoord? Dat zou pas een lastige vraag zijn geweest. Waar de cyaankali vandaan kwam, was simpel.

'We hebben volop cyaankali in huis,' zegt ik.

Inspecteur Piggott kijkt verrast naar me omlaag. 'Heus? Waarvoor in vredesnaam?'

Ik steek mijn arm naar hem uit zodat hij me kan ondersteunen als ik mezelf uit het bed hijs.

Als ik mijn hoofd ophef, haakt zich er een scherpe pijn in vast en ik wou dat ik niet was gaan bewegen, maar binnen een paar minuten leid ik hem langzaam de kamer uit, rechtsaf over de overloop. Een jonge man die ik nooit eerder heb gezien, rent op me af en biedt me een wandelstok aan: toevallig die van Vivien, de stok die ze maar één keer heeft gebruikt, om haar aankomst luister bij te zetten.

Als we mijn uitkijkpost naderen, zie ik Eileen Turner en agent Bolt door de klapdeuren uit de oostvleugel komen. Eileen loopt te snikken en zegt: 'Ze was hier pas drie dagen...' maar zodra ze ons zien, stopt hun gesprek abrupt en vertragen ze hun pas. Terwijl we langs hen lopen, wisselen de twee agenten een blik en Eileen kijkt naar de grond. Ik moet toegeven dat ik echt niet weet of het een stil troostend knikje is, of dat ze te bang is om naar me te kijken. Ik heb de vreemde indruk dat mijn huis bomvol is met mensen, vreemdelingen die er kriskras doorheen lopen en als een zwerm mieren in een voorraadkast in alle hoeken en gaten kruipen.

Ik doe de deur naar de wenteltrap open en loop extra langzaam naar boven, plotseling overvallen door mijn jaren. Ik hoor opnieuw Eileens stem die, dit keer laag en gedempt, met tussenpozen van de andere kant van de overloop omhoog komt zweven. Ik heb Viviens wandelstok in mijn linkerhand en Piggott heeft nog steeds stevig mijn rechterarm vast bij de elleboog en helpt me zo nu en dan mijn evenwicht te bewaren. We spreken niet met elkaar. Zo concentreer ik me op waar ik mijn voeten zet tot we eindelijk boven zijn en ik de deur naar de zolder opendoe. Als we naar binnen gaan, vliegen twee vleermuizen verschrikt op en de inspecteur deinst verrast terug terwijl ze krijsend naar de aangrenzende kamer fladderen. Ik hoor hem, geloof ik, kokhalzen terwijl hij met zijn vrije hand een zakdoek uit zijn borstzak haalt en die tegen zijn neus en mond drukt. Ik breng hem naar het laboratorium en wijs met Viviens wandelstok naar de linkerkant, waar de flesjes met de schedels en gekruiste botten staan.

'Vloeistoffen om te doden,' zeg ik.

'Ah,' zegt de inspecteur, gesmoord door de zakdoek. 'Om wat te doden?'

'Voornamelijk motten. Onze familie...' Ik had willen zeggen 'verdiende daar z'n brood mee' maar op het laatste moment verander ik van gedachten. 'Onze familie wist daar alles van,' zeg ik trots. Hij vraagt me of ik hem kan laten zien in welke flesjes cyaankali zit, dus wijs ik op de verschillende soorten. Je hebt vooral natriumcyanide en kaliumcyanide, NACN of KCN, leg ik uit, maar je hebt ook blauwzuur, wat een andere naam is voor cyaanwaterstof, HCN, en in de flesjes zitten allemaal oplossingen maar op de allerbovenste plank staan de poedergiffen in hun zuiverste vorm...

'Ontbreekt er eentje?' Hij onderbreekt mijn college en wijst naar een duidelijk gat op de plank.

'Ja,' zeg ik. Nadat hij een paar flesjes en blikjes heeft gepakt en die voorzichtig in een plastic zak heeft gestopt, leid ik hem weer omlaag naar de hal. Het huis is weer stil, op het holle getik van de staande klok na. Ik kijk langzaam de vervallen hal rond. Hij is groot en leeg. Langs de bovenrand, bij de kroonlijst, hangen hele lappen behang los op de plekken waar het vocht erdoorheen is gedrongen, maar alles is zoals het moet zijn, op zijn plaats. Voor mij voelt het weer veilig. Veilig en stil en doenlijk. Ik voel hoe de hele spanning, die zich een week heeft opgebouwd, losser wordt en weg begint te smelten. Ik voel me zelfs gelukkig.

Als inspecteur Piggott bijna bij de voordeur is, draait hij zich naar me om. 'Miss Stone,' zegt hij heel formeel, 'Weet u misschien een reden waarom uw zusje zelfmoord gepleegd zou willen hebben?'

Daar had ik niet over nagedacht. 'Nee,' zeg ik en dan bedenk ik dat zelfmoord plegen vermoedelijk het laatste was wat Vivien had willen doen.

Hij knikt en draait zich om om weg te gaan, als ik hem tegenhoud. 'Inspecteur Piggott, ik vroeg me af...'

'Ja?' zegt hij, terwijl hij zich gretig omdraait in de hoop dat ik een geheim ga onthullen.

'Kunt u me ook vertellen hoe laat het is?'

'Hoe laat?'

'Ja. Ik wil graag weten hoe laat het is.'

'Negen uur,' antwoordt hij.

'Precíes negen uur?'

'Nou, nee, even na negenen.' Hij kijkt nog eens op zijn horloge. 'Vijf over.' Hij maakt zich weer op om te gaan.

'Precies vijf over?' vraag ik snel. Het klinkt me nog steeds wat algemeen in de oren. Hij staat stil, draait zich weer naar me om en tuurt zorgvuldig naar zijn horloge, wat mij het vertrouwen inboezemt dat hij me zo meteen zo precies mogelijk zal gaan antwoorden.

'Het is bijna zeven minuten over negen,' zegt hij, terwijl hij me argwanend aankijkt.

'Héél hartelijk bedankt,' zeg ik en ik meen het ook. 'Komt dat volgens u overeen met de klok op het politiebureau? Ik bedoel, vergelijkt u hem wel eens met de klok op het bureau?'

Hij is even stil. 'Ja. Regelmatig,' zegt hij dan geruststellend.

'Dank u, inspecteur, dank u wel,' zucht ik. Ik ben echt opgelucht. Ik zet mijn beide horloges gelijk en doe de voordeur achter hem dicht.

Dinsdag

Ze komen me pas de volgende dag halen. Ik wist dat ze zouden komen, dat ze de waarheid zouden ontdekken met behulp van dat extra zintuig waarmee iedereen behalve ik geboren schijnt te zijn. Hoe noemde Vivien het ook alweer? Ze zei dat ze op vijfhonderd kilometer afstand had geweten wat hier was gebeurd omdat 'de meeste mensen dat soort intuïtie hebben, Ginny'.

Ik zie vanaf mijn uitkijkpost de politieauto de oprijlaan op kraken en ik ben klaar voor ze; ik weet dat dit de laatste dag is dat ik op Bulburrow ben, dat ik het zie. Ik moet toegeven dat ik doodsbang ben voor waar ze me heen zullen brengen; ik heb nooit ergens anders dan hier gewoond. Ik zal me niet veilig voelen.

Inspecteur Piggott leidt me het huis uit. Hij legt voorzichtig een deken om mijn schouders en bij het portier sta ik even stil voor een allerlaatste blik.

Mijn aandacht wordt getrokken door een bekende gestalte die over de zijkant van de oprijlaan naar me toe loopt. Nog voor zijn trekken duidelijk worden, zie ik aan de gebogen houding, de gedrongen bouw, de slome gang en de grote handen, die verontschuldigend langs zijn zij hangen, wie het is. Hoe wist Michael dat ik wegging?

Michael loopt naar me toe bij het geopende portier en we kijken elkaar aan. Ik weet zeker dat hij zo meteen 'Vaarwel' zal zeggen en ik sta op het punt hetzelfde te doen, maar opeens krijg ik het gevoel – en ook nu weet ik zeker dat het wederzijds is – dat we elkaar zoveel te vertellen hebben, dat er zoveel begrip tussen ons is, dat 'vaarwel' niet alleen onnodig maar ook banaal zal klinken. Het is alsof ik ineens begrijp dat hij altijd in mijn leven is geweest, in de coulissen, en dat hij altijd heeft geweten en begrepen wie ik ben en wat er is gebeurd en zelfs in staat was om met een oneindige wijsheid te voorzien hoe het verder zal gaan. En hij is er nu en vertelt me dat alles zonder een woord te zeggen. De ene helft van mij wil hem vastpakken en omarmen, de andere wil huilen want dit is, nu ik erover nadenk, het droevigste moment van mijn leven, mijn natuurlijkste emotionele moment. Niet al die keren dat ik misschien vond dat ik moest huilen – niet toen mijn zusje van de klokkentoren viel, niet toen mijn moeder stierf of toen mijn baby stierf. Dit – dít – is het droevigste moment, nu ik Michael verlaat en mijn huis verlaat, wat eigenlijk hetzelfde is, denk ik. Het wordt me duidelijk in een koor van begrip: Michael is de enige die om me gaf en die voor me zorgde zonder dat hij daarvoor iets terug verlangde, zonder dat hij me gebruikte of mij als een last zag. Misschien is hij wel mijn enige echte vriend, als ik dat zo zou mogen zeggen.

In plaats van woorden geeft hij me een minuscuul knikje, hij laat zijn hoofd haast onzichtbaar zakken en slaat de oogleden kortstondig neer. Voor ieder ander is het niet te zien, maar voor mij is het meer dan genoeg. Het betekent 'vaarwel' en 'ik zal hier alles regelen' en, simpel en eerlijk 'dat was het dan'. Ik weet dat ik niets hoef te zeggen of te doen, er wordt niets van mij verwacht, dus ik laat mijn hoofd niet op mijn beurt zakken.

Vandaag

Ik zit rechtop in bed. Het is niet mijn bed. Ik weet niet van wie het is. Ik bevind me in een klein kamertje met lichtgele wanden en een wit plafond. Het heeft een klein raam met jaloezieën en tralies aan de buitenkant, en er zit ook een klein raampje in mijn deur zodat ik iedereen kan zien die buiten op de gang voorbij loopt. Ik heb een nachtkastje, een ingebouwde kast en een stoel. De wanden zijn kaal en mijn wekker, die met de lichtgevende wijzerplaat, staat gezellig op het nachtkastje naast me. Als ik naar de wc moet, brengen ze me naar die aan het eind van de gang. Hij heeft lange, witte handvaten aan de muren bij het bad en naast de wc, en over het bad hangt een geval, een soort tuig, voor als ik er ooit niet zelf in zou kunnen stappen. Ik vind het eruitzien als zo'n ding waarmee ze paarden ophijsen.

Een vrouw komt de kamer binnen en maakt de jaloezieën open. De vrouw heet Helen. Ik kan de jaloezieën niet zelf opendoen, hoewel ze wel heeft geprobeerd het me voor te doen. Er is een handigheidje waarmee je ze eerst een eindje omlaag trekt, waarna je ze langzaam omhoog laat glijden, maar ze hebben een eigen willetje en blijven altijd halverwege steken of gaan helemaal niet omhoog, en als je ze dan omlaag blijft trekken, worden ze alleen maar steeds langer.

'Goedemorgen,' zegt ze. Ze zegt elke dag precies hetzelfde maar dat vind ik niet erg. Ik weet niets van Helen en Helen weet niets van mij. Ze heeft er geen idee van dat ik een beroemde lepidopterist ben en in een landhuis woonde. Stel je voor! Ze zou me niet geloven als ik het haar vertelde.

Ik leun naar voren terwijl Helen een paar kussens achter mijn rug schikt. Nadat ze ze heeft opgeschud, draait ze mijn wekker op het nachtkastje een beetje zodat hij naar mij kijkt. 'Thee?' vraagt ze, terwijl ze kamer uit loopt. Ik hoef geen antwoord te geven: ze brengt hem ongeacht wat ik zeg. Ik duw het klokje terug naar hoe het eerst stond. Het maakt me razend als ze het verschuift maar ik heb haar dat nog niet kunnen vertellen. Het heeft me genoeg moeite gekost haar zover te krijgen dat ze de thee naar tevredenheid maakt.

Helen komt terug met een dienblad. Ze zet een beker heet water op mijn nachtkastje zodat ik die kan zien.

'Daar gaan we,' zegt ze. 'Kijk je?' Ze gooit een theezakje in de beker en begint dan continu te roeren met een theelepeltje. Ze telt: 'Eén, twee, drie, vier, vijf, zes, zeven, acht, negen, tien, elf, twaalf, dertien, veertien, vijftien' en meteen haalt ze behendig de theelepel en het theezakje uit de beker en laat ze die op het dienblad vallen. Vervolgens pakt ze een dessertlepel en concentreert zich terwijl ze de melk erop giet. Als hij zo vol is dat de melk begint te beven en over de randen dreigt te stromen, kiept ze hem leeg in de beker. 'Alsjeblieft.' Ze pakt het dienblad op en loopt de kamer uit.

Het weekend dat Vivien thuiskwam, lijkt nu onwerkelijk. Ik wil nog steeds graag weten waarom ze eigenlijk kwam en wat ik ook nooit zal begrijpen, is waarom ik van onze familie de enige ben die zich ongeschonden door het leven heeft weten te slaan. Het is verontrustend. Ik moest toezien hoe ze allemaal eerst wanhopig werden en toen stierven. Ik heb mijn uiterste best gedaan hen te helpen, om ze bij elkaar te houden, maar hoe meer ik dat probeerde, hoe harder ze uit elkaar vielen tot ze uiteindelijk stuk voor stuk een eigen manier om zichzelf te vernietigen hadden gevonden.

Hier voelt het alsof ik me in een totaal ander leven bevind, alsof ik met iemand heb geruild. Ik vind het niet erg. Ik trek beslist aan het langste eind. Ik mis Bulburrow in het geheel niet. Ik ben hier veel minder nerveus. Het is klein en te behappen, er is geen rommel en ik krijg geen onverwachte bezoekers. Ik merk dat ze een heel betrouwbare routine hebben en ik zal je vertellen wat het beste van alles is: als ik wil controleren of mijn wekker gelijkloopt, hoef ik maar op een klein belletje naast mijn bed te drukken en er komt iemand, dag en nacht, hoe laat het ook is.

Dankwoord

Veel dank voor de grote inzet en het intelligente redactiewerk van Lennie Goodings van Virago/Little, Brown in Groot-Brittannië, en Carole Baron van Knopf/Random House in de Verenigde Staten, en voor de verstandige adviezen van Judith Murray van Greene & Heaton. Ook veel dank aan Hazel Orme, het hele team van Little, Brown, en het personeel van Knopf.

Dank aan mijn echtgenoot, William, voor zijn scherpzinnige oordeel en niet-aflatende steun; aan mijn eerste lezers Olivia Warham en Lizzie King voor hun opmerkingen en aansporingen. Ook dank aan mijn andere lezers: Charlotte Bennett, Cat Armstrong, Victoria Mitford, Julia Pincus, Beck Armstrong en, met name, Anne-Marie Mackay voor haar hulp en adviezen, en Jim Ind die mijn vele vragen te verduren kreeg. Ik ben Bella Murray voor eeuwig dankbaar dat ze mijn werk bij Stevie Lee heeft geïntroduceerd, en Stevie Lee dat hij het bij Judith Murray heeft geïntroduceerd. Dank aan Sam Morgan voor het in toom houden van de kinderen.

Dank aan Les Hill van Butterfly Conservation in Dorset voor zijn kennis en tijd die hij aan het controleren van mijn feiten heeft besteed, en aan de Royal Entomological Society in Londen die mij gebruik liet maken van hun bibliotheek. De boeken die ik het nuttigst vond, waren *Moths* van E.B. Ford; *Collecting & Breeding Butterflies & Moths* van Brian Worthington-Stuart; en ik heb vooral veel ontleend aan A.M. Allens heerlijk anekdotische verslagen van het motten verzamelen in de eerste helft van de twintigste eeuw, *A Moth Hunter's Gossip; Moths and Memories.*

De wetenschappelijke ideeën en experimenten die ik aan mijn fictieve personages in de roman toeschrijf, heb ik ontleend aan of gebaseerd op de ware discussies en experimenten tijdens die periode. Ik ben ook veel dank verschuldigd aan de talloze entomologen van halverwege de twintigste eeuw, wier ideeën het perspectief van mijn personages hebben beïnvloed of hun wetenschappelijke nieuwsgierigheid hebben geprikkeld.